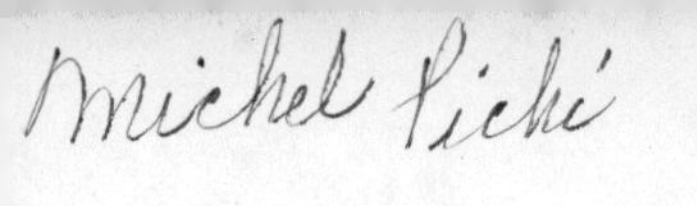

off A7P
8.95

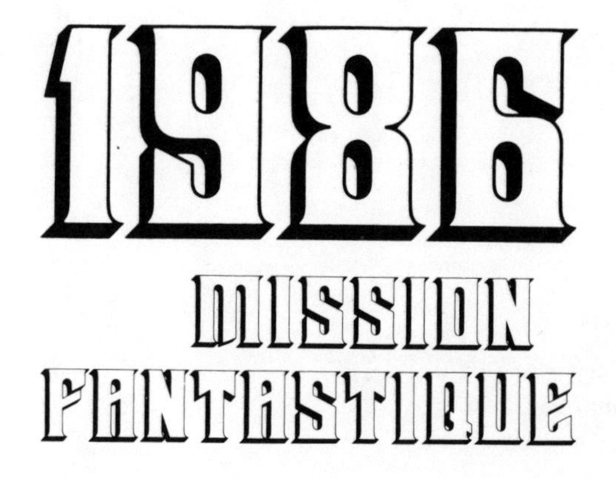
1986
MISSION
FANTASTIQUE

DU MÊME AUTEUR
Document:
LE PROCÈS DES SOUCOUPES VOLANTES,
Éditions Québec-Amérique, 1975.

Roman:
LA MORT... DE TOUTE FAÇON,
Éditions La Presse, 1979.

LES ÉDITIONS QUEBECOR
Une division du GROUPE QUEBECOR INC.
225, rue Roy est
Montréal, Qué. H2W 2N6
Tél.: (514) 282-9600

Distributeur exclusif:
AGENCE DE DISTRIBUTION POPULAIRE INC.
955, rue Amherst
Montréal, Qué. H2L 3K4
Tél.: (514) 523-1182

Dépôts légaux, deuxième trimestre 1980:
Bibliothèque nationale du Québec et
Bibliothèque nationale du Canada
ISBN 2-89089-058-9

Claude MacDuff
1986
MISSION
FANTASTIQUE

ROMAN

EDITIONS
Quebecor

à Pierre Williot,
brillant espoir de la médecine moderne
ainsi qu'à tous les pacifistes du monde
en leur souhaitant que leur voeu se réalise enfin,
Très amicalement
C.M.D.

Avertissement au lecteur

Les personnages de ce récit sont fictifs.

Toutefois, l'auteur tient à mentionner qu'au cours de la rédaction du manuscrit, en 1979, les événements de l'actualité se sont produits à un rythme si effarant et d'une façon si semblable à la «réalité» décrite dans ce récit, qu'il y a lieu de se demander où se situe la frontière entre la réalité effective, et celle, anticipée, présentée dans ce livre.

L'auteur laisse le lecteur seul juge de cette réflexion.

Claude Mac Duff
5 novembre 1979
Montréal, Québec

«...Depuis son apparition sur terre vers le VIIIe millénaire, l'homme fut exclusivement chasseur et ramasseur de fruits sauvages. Et depuis ses origines, l'homme fabrique des armes. Mais le meurtre organisé et collectif ne semble pas avoir existé chez les chasseurs-ramasseurs du monde ancien. Il vint avec les premiers néolithiques agriculteurs, qui disputèrent les terres aux chasseurs et aux pasteurs, et défendirent les richesses accumulées par le groupe...»

(Aimé Michel, «L'Homme est-il né violent?)», dans *Il y a cinq millions d'années... Pèlerinage aux sources,* article paru dans le magazine *Atlas,* «À la découverte du monde», édition de mai 1971)

«...La violence, chez l'homme moderne, est un phénomène relativement nouveau dans son histoire. Rien, dans l'évolution normale de l'homme et dans la transformation du cerveau de notre ancêtre primitif, ne le destinait à acquérir ce tempérament belliqueux et violent qu'il a démontré par la suite. Il a dû se produire, à un moment de la préhistoire, un phénomène extérieur à l'évolution normale de l'homme qui l'a rendu ensuite si peu respectueux de la vie de ses semblables...»

(Extrait d'un discours d'un psychologue américain, lors d'un congrès tenu aux États-Unis, ayant pour thème «La croissance de la violence dans notre société moderne»)

PROLOGUE

Il y a près de 30 000 ans, l'homme était enfin parvenu à la dernière étape de sa longue évolution, après une interminable série de transformations physiques échelonnées sur des millions d'années. Les animaux avaient été domestiqués par lui, et la nature pourvoyait à sa nourriture. La flore lui était utile pour se vêtir, se sustenter, ou seulement pour sa parure. En un mot, il avait acquis le titre de «Roi de la Création»: il était le maître incontesté de la Terre, et il comptait bien le rester à tout jamais...

Et puis, au cours d'une nuit, un événement inattendu survint dans une région de l'Amérique du Nord; les quelques tribus primitives établies dans le désert avoisinant et les montagnes proches devinrent les témoins apeurés et impressionnés d'une énorme boule de feu traversant l'atmosphère de notre planète: ce fut une vision hallucinante qui resta gravée dans la mémoire des jeunes et des vieux, ancêtres des tribus hopis, navajos et apaches, et dont le souvenir fut par la suite transmis de génération en génération par les anciens, devenant finalement une légende parmi tant d'autres.

Ce gros bolide lumineux sillonna le ciel et éclaira la nuit d'un noir d'encre; sa trajectoire le dirigea vers le sol, qu'il percuta avec fracas... L'impact fut terriblement puissant, sonore et spectaculaire. Le corps céleste provoqua un bruit assourdissant qui se transmit à des centaines de kilomètres à la ronde, en même temps que des éclats enflammés étaient projetés en toutes directions, résultat du contact brutal de cette masse avec la Terre. Les morceaux volèrent partout et retombèrent au sol, frappant ou brûlant des autochtones qui vivaient dans les alentours et qui observèrent ce phénomène avec un air de terreur. L'onde de choc fut ressentie très loin, le sol continua de trembler pendant un bon moment, puis le calme revint enfin.

Un cratère fumant, aux bords surélevés, modifia alors le paysage autrefois si familier aux tribus avoisinantes, lesquelles s'interrogèrent longtemps ensuite sur la vraie nature de ce «signe des dieux». Mais, au cours des millénaires suivants, le récit de cet événement prodigieux fut déformé, ou embelli, et même exagéré dans ses détails... alors qu'en cette nuit mémorable la Machine infernale, camouflée à l'intérieur du bolide et qui s'était enfouie dans les profondeurs du désert, commençait à fonctionner afin de réaliser la mission diabolique pour laquelle elle avait été conçue par ses créateurs.

Le temps s'écoula, les générations passèrent... et l'homme continua d'évoluer. Il devint plus intelligent, et plus dominateur aussi... Pour une raison qu'il ne comprit jamais, son instinct de guerre devint également plus puissant et plus marqué dans son esprit. En même temps, la population croissait régulièrement. Les peuples s'assurèrent la suprématie par leurs conquêtes ou leurs prises de guerre, ou au contraire fléchirent sous la poigne solide d'envahisseurs étrangers. Toujours ces hauts faits d'armes s'accomplirent dans des bains de sang, par des pillages de villes, des massacres, des tueries sanglantes... et continuellement la violence était maîtresse, dirigeant toutes les actions des hommes, toutes leurs ambitions, tous leurs désirs...

Les peuples d'Europe, d'Amérique, d'Asie et d'Afrique vinrent en contact brutalement. Les idées s'entrechoquèrent, les opinions se diversifièrent, les échanges entre nations s'envenimèrent, et des remous violents secouèrent les Terriens dans leurs différends...

Le XXe siècle explosa dans une furie jamais vue dans l'histoire de l'homme, principalement au cours de deux conflits mondiaux. Des armes puissantes, toutes plus terribles les unes que les autres, décimèrent l'humanité. Les morts se comptèrent par millions, et les victimes de tous ces débordements belliqueux se retrouvèrent partout. Brûlées, carbonisées, torturées, démembrées, mutilées, folles de douleur ou terrorisées, brimées dans leur liberté, écrasées par les vainqueurs, violées jusque dans leur esprit et perturbées dans leur organisme à cause d'armes bactériologiques jamais imaginées auparavant, elles furent le reflet pathétique de millénaires de «progrès» et d'«évolution» réalisés par l'homme, grâce à son «intelligence» et à son «génie» considérés comme supérieurs aux facultés des autres espèces animales...

PREMIÈRE PARTIE

CHAPITRE 1

METEOR CRATER, ARIZONA, ÉTATS-UNIS

(D'après UPI) — Une expédition géologique a examiné les environs du Meteor Crater, en Arizona, dans le dessein d'étudier et d'analyser systématiquement le cratère formé par une météorite géante qui, d'après les calculs des plus éminents géologues, s'est écrasée dans cette région il y a près de 30 000 ans, cratère devenu, depuis plusieurs années, un site géologique intéressant et une attraction touristique très visitée.

L'expédition a ramené plusieurs tonnes de matériaux divers, et l'on s'attend, dans les milieux scientifiques, que ces échantillons renseignent beaucoup les savants sur la composition des météorites et des autres corps célestes.

METEOR CRATER, ARIZONA, ÉTATS-UNIS

(D'après UPI) — Une nouvelle expédition géologique, de plus grande importance que la précédente, vient d'arriver sur le site du Meteor Crater où d'intéressantes découvertes avaient été faites il y a deux ans. Elle aura pour but de fouiller plus complètement les environs, et plus particulièrement le cratère lui-même, qui doit receler d'autres spécimens non encore étudiés.

METEOR CRATER, ARIZONA, ÉTATS-UNIS

...deux ans plus tard.

(D'après UPI) — Une troisième expédition a été montée en Arizona, dont le but immédiat a été gardé secret par les organisateurs. Au cours des années précédentes, deux autres expéditions s'étaient rendues sur les lieux du Meteor Crater en vue d'approfondir l'histoire qui entoure ce site et d'analyser les nombreuses roches parsemant le terrain.

Mais cette fois, l'expédition, en plus de comprendre les géologues et autres représentants des «sciences de la terre», est complétée par des membres d'organismes de recherche au service du gouvernement des États-Unis, ainsi que par des officiels du gouvernement, chose qui ne s'était jamais vue dans ce genre d'expédition.

METEOR CRATER, ARIZONA, ÉTATS-UNIS
...au mois de février de l'année suivante.

(D'après UPI) — Il semble que le Meteor Crater, en Arizona, soit devenu un des sites géologiques les plus visités aux États-Unis, et certainement aussi dans le monde. En effet, nous apprenons que, faisant suite aux expéditions des années précédentes, une autre, semblable à celles-là, se rendra prochainement au même endroit.

Cette fois, plusieurs représentants du gouvernement feront partie du voyage, et on laisse même entendre qu'une base spéciale sera construite sur les lieux. L'expédition, comprenant de nombreux camions et autres véhicules, emmène tout l'équipement nécessaire à l'implantation d'un camp permanent.

METEOR CRATER, ARIZONA, ÉTATS-UNIS
...au mois de mars.

(D'après UPI) — Le ministère du Tourisme de l'Arizona a protesté auprès du ministère de la Défense, la semaine dernière, lorsque le site du Meteor Crater, une des principales attractions de la région, a été déclaré ZONE INTERDITE par l'Armée, qui en a désormais empêché l'accès au public. Une base militaire a aussi été édifiée autour du site.

D'autre part, la protestation n'a pas eu de suite, car, en dernière heure, nous apprenons que le Meteor Crater est maintenant effectivement sous contrôle militaire, et que toute personne ou tout groupe non autorisé par l'Armée à examiner les lieux sera éconduit «poliment»...

METEOR CRATER, ARIZONA, ÉTATS-UNIS
...au mois de juin.

(D'après UPI) — Décidément, notre journal avait été bien informé lorsqu'il annonçait, en primeur, qu'un groupe important de scientifiques se rendrait, dans les prochains jours, sur le site du Meteor Crater, accompagné de représentants du gouvernement. En effet, un va-et-vient incessant a été remarqué ces derniers mois, et un camp permanent a été monté afin que des fouilles et des excavations puissent être entreprises dans le cratère, vieux de plus de 25 000 ans d'après les calculs les plus stricts des géologues. Notre correspondant à Phoenix nous informe maintenant qu'un long convoi est parti de cette ville ce matin, emportant un matériel imposant.

De plus, de l'équipement en provenance de divers centres de recherche américains a également été déchargé d'un avion, ce matin même, à l'aéroport de Phoenix, et a été aussitôt ajouté au convoi, juste avant son départ. Des officiels de l'Armée américaine et du gouvernement faisaient évidemment partie de ce «défilé militaire»... Une telle activité ne s'était jamais vue dans la région.

METEOR CRATER, ARIZONA, ÉTATS-UNIS
...au mois de septembre.

(D'après UPI) — L'activité fébrile qui entoure le Meteor Crater, en Arizona, continue de plus belle et, cette fois, l'affaire semble prendre des proportions jusque-là insoupçonnées.

En effet, un convoi de soldats est parti hier matin de la réserve militaire de Scottsdale, à Phoenix, pour aller rejoindre un autre contingent armé, débarqué plus tard en matinée d'un avion militaire, à la base militaire de Davis-Monthan de l'Air Force, à l'est de la ville de Tucson. Des véhicules de l'Armée ont également été déchargés, et les deux contingents, après s'être rejoints, sont partis en direction nord. Même si leur destination finale n'a pas encore été précisée, on devine que leur but est le Meteor Crater, qui est devenu, depuis plusieurs mois, le point de mire de l'Arizona.

METEOR CRATER, ARIZONA, ÉTATS-UNIS
...l'année suivante.

(D'après UPI) — Les habitants de Phoenix, de Tucson et de Flagstaff, en Arizona, ont maintenant l'habitude de voir défiler en leurs villes des véhicules de l'Armée, qui, régulièrement, font la navette entre la réserve militaire de Scottsdale — ou l'Air Force Base de Tucson — et le Meteor Crater, dans la région du «Painted Desert», près de la petite ville de Winslow, en Arizona.

Depuis près d'un an maintenant, le site a complètement changé d'aspect; les rares informations que nous pouvons glaner sur l'activité qui y règne sont très maigres. Toutefois, il semble bien acquis que le Meteor Crater est devenu le théâtre d'opérations militaires et scientifiques de grande envergure, et qu'un projet colossal est en voie de réalisation, entrepris conjointement par le gouvernement américain, les services de l'Armée, et des organismes de recherche dont les membres, méticuleusement sélectionnés et triés sur le volet, sont devenus les «hôtes forcés» de la base spéciale construite sur le périmètre extérieur du cratère.

Les services de renseignements du gouvernement ont quand même fait parvenir un communiqué succinct et une photo expliquant brièvement le projet. Il semble, selon l'attaché de presse du ministère de la Défense, que l'opération en cours ait pour but de découvrir des gisements miniers importants dans le sous-sol du cratère, et que cette découverte puisse avoir des répercussions dangereuses sur l'environnement.

À la question posée par notre correspondant sur la raison de l'implantation d'une base militaire près du camp de l'expédition, l'attaché de presse a hésité, puis a répondu qu'il s'agissait là d'une simple mesure de précaution, afin que le site ne soit pas envahi par le public ou par des prospecteurs sans scrupules. Par ailleurs, dans le milieu des affaires, on se demande quelle peut bien être la nature de ce gisement, pour qu'il nécessite ainsi la mise en action d'une opération de cette envergure par les services gouvernementaux et ceux de l'Armée américaine; on croirait plutôt à la construction d'une base souterraine, si l'on prend en considération le type d'équipement amené sur les lieux.

Cette hypothèse n'est peut-être pas aussi farfelue qu'on pourrait le croire, car il est bon de rappeler ici que plusieurs véhicules de terrassement, des machines de forage et divers autres instruments de creusage avaient été acheminés dans la région plusieurs mois auparavant, alors que cette affaire n'avait pas encore pris l'ampleur qu'elle a aujourd'hui; des avions avaient servi à transporter à Tucson le matériel, qui avait ensuite été expédié au Meteor Crater par voie de terre. Connaissant maintenant tous ces faits, nous nous posons la question: QUE CACHE-T-ON AU PUBLIC AMÉRICAIN?

(D'après UPI) — Années suivantes.

Le site du Meteor Crater, en Arizona, n'est plus reconnaissable. Il y a plus de quinze ans, il avait fait la manchette de l'actualité, à cause de l'activité inhabituelle qui existait dans la région.

Par la suite, l'affaire prit une tout autre direction et, pendant un certain temps, il sembla qu'un projet eût été mis en chantier par les services de l'Armée et par ceux du gouvernement, en collaboration avec des organismes de recherche scientifique. Après avoir fait la manchette des journaux, ces événements, exagérés ou traités de façon farfelue, ont fini par être relégués dans l'ombre, puis finalement oubliés. Aujourd'hui, les abords du Meteor Crater ont repris un calme apparent...

Mais en ce début de juin, il est possible que cette affaire revienne à la surface, car de nouveaux remous se sont produits au sein des services de renseignements du gouvernement et de ceux de l'Armée. Selon un communiqué de notre source habituelle de renseignements et généralement bien informée, il appert qu'une nouvelle opération, de plus vaste importance et de plus grande ampleur encore que la première fois, est en voie de réalisation, et que celle-ci pourrait même être révélée au public prochainement.

De nouveau, les hypothèses les plus abracadabrantes ont eu libre cours en certains milieux, et ces développements placent une seconde fois le Meteor Crater au premier plan de l'actualité.

Fidèle à sa politique, notre journal tiendra ses lecteurs au courant du déroulement des faits entourant cette ancienne affaire qui promet d'être intéressante d'après les nouveaux échos qui nous en parviennent...

CHAPITRE 2

Lundi, 21 juillet
8 h
Long Island, New York, États-Unis...
Vers la fin de la décennie...

En cette belle matinée ensoleillée, la journée s'annonçait propice au départ. Amelia Rockford s'était levée tôt, ce lundi matin, pour avoir le temps de se préparer au voyage projeté et de réunir les quelques effets personnels qu'elle emporterait avec elle. Entre le petit déjeuner avalé rapidement et la mise en place dans sa valise d'une garde-robe de base, elle n'avait eu qu'un bref moment pour se faire une beauté; d'ailleurs, elle n'était pas le genre de femme qui passe des heures devant son miroir à préparer un maquillage élaboré, qui a des caprices extravagants pour les vêtements nouvellement sortis de chez les couturiers et qui s'attarde à suivre de près la dernière mode, dans l'intention d'être toujours la plus séduisante dans les réunions.

Certes, elle avait sa propre fierté et des goûts bien féminins, mais elle attachait davantage d'importance et d'intérêt à sa personnalité et à sa profession de journaliste scientifique qu'à son apparence extérieure, cette apparence qui, chez certaines de ses consoeurs de travail, primait toujours et partout.

De toute façon, Amelia n'avait rien à envier à celles-ci, avec son port distingué, sa taille d'un mètre soixante-sept, son corps bien silhouetté et ses cheveux auburn, tombant sur les épaules, qui encadraient bien son visage aux traits fins et délicats. Femme accomplie et femme de carrière, elle était satisfaite de sa situation et, ce matin-là, elle se préparait justement à accomplir une des tâches habituelles de son métier, celle de correspondante pour le magazine américain bien connu *New Sciences of Today*. Elle était très jolie au naturel, et ne se permettait qu'une mince couche de fard bleu sur les paupières.

Âgée de 26 ans, elle avait parcouru beaucoup de chemin depuis les débuts de sa carrière. Elle se disait que, malgré tout, le nom de son père et son influence lui avaient peut-être donné un bon coup de pouce pour obtenir ce poste, quelques années auparavant, à sa sortie de l'université, lui permettant ainsi de démarrer avec assurance au sein de l'équipe de journalistes du magazine. Par la suite, elle avait progressé vite, avait fait montre de talent et de connaissances en maints domaines, et elle était maintenant assez connue dans ce milieu du journalisme; elle était même devenue assez indépendante dans le choix d'événements à couvrir ou de reportages à faire. Sa vie amoureuse était plutôt calme, et elle n'avait pas encore trouvé le compagnon idéal avec qui la partager, ni au sein de l'équipe de la revue, ni au cours de ses rencontres avec diverses personnalités.

Elle appela un taxi au téléphone et se dépêcha d'avaler son café. Elle était prête à partir. Elle se donna un dernier coup de brosse dans les cheveux et sortit pour attendre la voiture.

L'attente dura quelques minutes pendant lesquelles elle pensa à son père. Avant de partir pour Montréal, elle devait passer chez lui car ils ne s'étaient ni vus ni parlé depuis plusieurs semaines. Savant atomiste très connu, à l'emploi du vaste synchrotron de Brookhaven, près de New York, il était également un homme très érudit et méticuleux. Il connaissait bien des projets que le gouvernement américain mettait régulièrement en chantier pour des raisons qui, le plus souvent, n'étaient pas rendues publiques. La guerre froide entre l'Est et l'Ouest continuait toujours, malgré toutes les déclarations pompeuses et bruyantes faites régulièrement par les médias, et la situation était toujours tendue entre les deux blocs, américain et russe; ceux-ci s'ingéniaient à trouver des moyens nouveaux et efficaces de s'assurer la suprématie sur le reste du monde, surtout depuis que la Chine communiste était entrée dans le bal, elle aussi.

Son père devait souvent se soumettre à cette politique du silence, car les projets auxquels il participait le concernaient d'assez près et, à maintes reprises, il avait mentionné à Amelia son opposition à de telles procédures. Mais l'Oncle Sam était strict à l'égard des savants travaillant dans les centres de recherche subventionnés par l'État et sous «protection» militaire; il fallait que les États-Unis soient bons premiers dans tous les domaines de la recherche scientifique, quitte à s'approprier une découverte nouvelle pour rehausser leur prestige et mettre bien en évidence les efforts des chercheurs américains. Jonathan Rockford vivait seul, à Long Island, dans une maison privée entretenue hebdomadairement par une vieille domestique prenant soin de la demeure du savant pendant que, la plupart du temps, il était occupé à Brookhaven. Après la mort de sa femme, survenue tragiquement au cours d'une expérience en laboratoire, il ne s'était jamais remarié, et Amelia était la seule famille qui lui restait. Il l'aimait et était bien heureux que sa fille ait ce genre de profession qui, dans un sens, se rapprochait de la sienne par les milieux qu'elle fréquentait. Amelia lui conservait son affection filiale et lui rendait visite de temps en temps, lorsqu'il pouvait se libérer et venir se reposer quelques jours à sa demeure personnelle. Cependant, comme il était tenu au secret, elle était plus ou moins informée de ses travaux.

Le taxi arriva enfin. Elle s'y engouffra en donnant au conducteur l'adresse de la maison de son père. Elle n'avait pas de détour à faire car la résidence était située sur la route qu'elle devait emprunter pour se rendre à l'aéroport international John F. Kennedy. Le voyage ne fut pas très long. L'auto s'arrêta sur un coin de rue devant une coquette et assez vaste maison de banlieue, genre *split-level,* et qui servait autant de pied-à-terre que de lieu de travail et de recherche personnelle, pour le savant. D'ailleurs, la plupart des pièces étaient remplies de livres, de journaux, de magazines, de papiers et de documents traitant de tous les sujets possibles; depuis la mort de sa femme, il en avait été ainsi, et Judith, la domestique, se gardait bien de déplacer un tant soit peu les nombreux ouvrages qu'elle trouvait ainsi dispersés dans les pièces. Jonathan avait bon caractère, et leurs relations demeuraient très amicales.

Amelia dit au conducteur de laisser tourner le moteur et de l'attendre; elle ne serait pas partie longtemps et reviendrait dans quelques minutes. Elle prit sa valise et sortit de l'auto. Elle s'avança dans l'allée menant à l'entrée principale et sonna, espérant que son père y serait. Dix jours auparavant, elle l'avait averti qu'elle partirait ce lundi pour aller assister à un congrès médical se tenant à Montréal, et elle désirait le voir avant son départ.

En face, de l'autre côté de la rue, deux hommes, assis dans une auto à moitié cachée à la vue par une futaie s'élevant sur la propriété privée de la maison du coin, regardaient Amelia, et l'un d'eux, prenant le récepteur du téléphone-émetteur intégré au tableau de bord de l'auto, dit:

— La fille Rockford vient d'arriver. Qu'est-ce qu'on fait, maintenant?

Aussitôt, il reçut la réponse:

— Rien, pour le moment. Elle ne sait rien du projet. Elle vient seulement voir son père avant de partir. Continuez à surveiller la maison.

Les deux hommes s'appuyèrent au siège et poursuivirent le guet.

Jonathan ouvrit la porte; pendant une seconde, il resta surpris, mais ses traits exprimèrent soudain la joie et, entourant sa fille par le cou, il l'embrassa en lui disant:

— Amelia, ma chérie, j'avais presque oublié que tu venais me voir ce matin. Mais entre! Nous allons bavarder un peu.

— Pas longtemps, *dad,* mon taxi m'attend. Je dois être à l'aéroport assez tôt. Je suis juste venue pour te saluer, en passant, et voir comment tu te portes.

Tout en parlant, il la fit entrer et ils marchèrent tous deux vers le living-room. Amelia s'assit sur le canapé, alors que son père en faisait autant à côté d'elle. Ils échangèrent quelques banalités, puis le visage de Jonathan devint grave.

— Tu sais, ma chérie, je suis content que tu sois venue me voir avant de partir pour Montréal. Je voulais absolument te rencontrer car il se peut que...

Il hésita, et reprit, l'air un peu plus renfrogné:

— ... que nous ne puissions pas nous voir au cours des prochaines semaines...

— Quoi? l'interrompit Amelia, s'avançant sur le canapé. Qu'est-ce que tu veux dire...?

Jonathan s'éclaircit la gorge, et continua, sur un ton plus réfléchi:

— Heu... Voilà... Depuis quelque temps, je travaille d'arrache-pied sur un projet entrepris par des organismes scientifiques, et sous le contrôle, si je puis dire, du gouvernement. Ce projet est des plus secrets, et je ne devrais même pas t'en souffler mot...

Son visage devint plus grave, et il déglutit sa salive avant de poursuivre, la regardant dans les yeux et lui prenant les mains dans les siennes:

— Écoute-moi bien, Amelia; le temps nous est précieux, autant à toi qu'à moi. Je ne devrais pas agir comme je vais le faire, mais tu sais que tu m'as toujours été très chère depuis la mort de ta mère, que tu me rappelles beaucoup, d'ailleurs. Je suis très fier de toi lorsque je vois la place que tu t'es taillée dans le monde du journalisme scientifique; même si ta mère est décédée à cause d'un manque de prudence survenu au cours de cette expérience fatidique, je n'ai jamais été détourné de mon but, et j'ai toujours espéré que tu prendrais la relève, un jour ou l'autre, si je venais à disparaître...

Les yeux d'Amelia s'ouvrirent plus grands, et elle sentit une drôle d'émotion qui montait en elle. Elle voulut parler, mais son père l'interrompit:

— Bon, je t'ai fait ce préambule pour te montrer toute la confiance que j'ai en toi. Maintenant, écoute bien et promets-moi de suivre à la lettre ce que je vais te dire.

À nouveau, Amelia sentit son coeur battre plus fort; elle devinait que son père devait livrer un combat intérieur pour continuer cette conversation. Il était déchiré entre sa parole donnée de ne pas révéler quoi que ce soit sur ses récents travaux et le besoin de se confier à un être cher pour diminuer le poids de ce secret qui l'oppressait.

Il regarda autour de lui, comme s'il craignait que quelqu'un pût l'entendre; puis il alla à une table du living-room sur laquelle s'entassait une pile de documents. Il retira furtivement du dessous de la pile une serviette de cuir et revint vers Amelia qui, muette, attendait la suite.

Il s'assit devant elle, lui mit la serviette sur les genoux et lui dit, en la regardant toujours droit dans les yeux:

— Amelia, je te le répète, c'est parce que j'ai toute confiance en toi que j'agis de la sorte; je ne devrais pas te donner ces documents, mais je suis sûr que tu tiendras parole. Tu ne devras en prendre connaissance que mercredi de la semaine prochaine, alors que le congrès de médecine tenu à Montréal sera terminé; à ce moment, je serai certainement parti d'ici, et tu pourras lire ces papiers en toute sécurité. Ils concernent une opération importante que prépare le gouvernement et à laquelle je collabore, en tant qu'un des piliers du projet. Hier, j'ai rédigé, en vitesse et pour toi seulement, ce rapport qui te donne une vue d'ensemble exacte de ce projet, qui doit rester confidentiel. C'est pour cette raison que tu me vois si troublé ce matin en voulant te le remettre, malgré l'interdiction formelle de ces messieurs des services secrets. Je ne sais pas si tu l'as remarqué, mais la maison est surveillée depuis une semaine par des hommes du service de renseignements du gouvernement. Ils...

— Comment? s'exclama Amelia. La situation est-elle si critique que tu doives être espionné par tous ces gros bras de la C.I.A.? Mais, père, à quel genre de «projet» es-tu mêlé? Tu n'as jamais...

— Je sais, je sais, *darling*! Tu as raison d'être si surprise et de t'en faire pour moi. Aussi, écoute bien ce que j'ai à te dire: mets tout de suite cette serviette de cuir dans ta valise; comme ça, ceux qui me surveillent ne sauront pas que tu es en possession de ces papiers. Je ne veux pas qu'ils sachent que tu es au courant de l'opération Survie, et, d'autre part, je ne désire pas que tu t'inquiètes à mon sujet, à ton retour à New York, lorsque tu apprendras que je suis parti avec d'autres savants de diverses disciplines à la base... Mais je t'en ai déjà trop dit, ma chérie; place cette serviette dans ta valise, et promets-moi de faire attention à toi également...

Elle le regarda et l'embrassa tendrement sur la joue. Elle savait qu'elle ne pouvait le faire changer d'idée. Elle mit la serviette parmi ses effets personnels, referma la valise, et regarda à nouveau Jonathan en lui promettant d'obéir à sa demande.

— Voilà, c'est fait. J'espère que tu n'auras pas à regretter tes actes, père...

— Ne te fais pas de souci, Amelia; j'ai pris toutes mes précautions. Mais, tout à l'heure, lorsque tu seras rendue à l'aéroport, reprends la serviette et garde-la avec toi. Ne t'en sépare sous aucun prétexte. Il est préférable que tu la gardes constamment avec toi jusqu'au moment où tu seras en sécurité dans ta chambre d'hôtel à Montréal. Au fait, à quelle heure pars-tu?

— Voyons... Je prends le vol de dix heures de la Eastern Airlines. J'arriverai à Montréal vers onze heures; là, un représentant de *L'Informateur,* un journal canadien à grand tirage, doit m'accueillir pour me conduire à mon hôtel. C'est tout. Le voyage ne devrait pas être fatigant. Et... Oh! c'est vrai! Mon taxi m'attend toujours, dehors...

— C'est bien, Amelia! Suis fidèlement ton horaire, et il ne t'arrivera rien... Ah! encore une chose: une fois que tu auras lu les documents, détruis-les sans attendre; il ne faut pas que d'autres personnes mettent la main dessus ni n'apprennent ce dont il est question. Et, bien entendu, n'en parle surtout pas dans tes articles de magazine. Quand tu seras revenue ici, je reprendrai sûrement contact avec toi si le projet a réussi comme nous l'espérons. Voilà! cette fois, je t'ai vraiment tout dit. Il ne me reste plus qu'à te souhaiter bon voyage et bonne chance pour le congrès de médecine: j'ai confiance en toi. Je suis sûr que là-bas tu vas faire un excellent reportage; j'ai apprécié ton talent tant de fois dans tes articles précédents que je ne me fais plus de souci pour toi.

À nouveau, Amelia embrassa son père, et, malgré elle, une larme perla à son oeil. Il lui sourit, lui serra les mains et la reconduisit à la porte.

Alors qu'ils sortaient du living-room, un homme avait entendu toutes leurs paroles et suivi leur conversation jusque dans le moindre détail. Depuis trois semaines, lui et deux compagnons écoutaient attentivement tout bruit émanant de la maison du professeur Rockford. À l'insu de ce dernier, ils étaient parvenus à cacher un micro-émetteur dans les volutes de bois sculpté d'une des pattes de la table du living-room. Ainsi, les hommes captaient toute discussion entre le savant et ses visiteurs, sachant que cette pièce était la seule où il pouvait recevoir ceux-ci d'une manière seyante. Ils avaient établi leur quartier général dans une maison des environs appartenant à l'un deux, et avaient patiemment attendu que les événements prissent une nouvelle tournure. Tous trois étaient membres militants d'une organisation internationale vouée au terrorisme et à la subversion, qui semait le désordre et la violence partout afin de provoquer l'anarchie dans les pays concernés. Tant bien que mal, les autorités essayaient de contrecarrer leurs actes, mais les cellules de l'organisation étaient si nombreuses et répandues, que les tentatives de démantèlement du réseau échouaient pratiquement à chaque fois. Ces cellules étaient de plus bien structurées et bien dirigées, possédant des moyens d'action et de renseignement très efficaces — raison pour laquelle les hommes avaient pu piéger la maison du savant.

Leur labeur et leur patience avaient enfin porté fruit puisque, la semaine précédente, ils avaient entendu la conversation entre le professeur et un représentant des services de renseignements du gouvernement. Cet agent était venu avertir l'homme de science de se tenir prêt à être bientôt amené au point de rencontre de la première étape de l'opération Survie, puis à celui de l'étape finale, et d'éviter de parler à qui que ce soit d'ici à ce moment-là, à l'exception de sa fille, évidemment, qu'il pouvait voir avant son départ pour Montréal. Entre-temps, la maison serait surveillée par deux agents de son service.

Puis il était parti, sans se douter que la maison était déjà sous «surveillance auditive», en laissant les trois hommes à l'écoute sur leur faim puisqu'ils n'avaient pu obtenir aucun autre détail du projet depuis ce jour; ils avaient seulement connu le nom de code de l'opération: Survie.

Mais, en ce lundi matin, l'affaire prenait une autre dimension et devenait alléchante. La fille Rockford emportait avec elle les informations qu'ils désiraient, grâce à la serviette de cuir cachée dans sa valise, à l'insu même des agents de la C.I.A.

Celui qui portait les écouteurs du poste émetteur-récepteur se leva, les décrocha et s'adressa à l'un de ses deux comparses:

— Ça y est, les gars; l'affaire prend de l'intérêt. La fille fout le camp avec des papiers importants, en relation avec cette opération Survie. Prends la Ford, Blacky, et suis son taxi. Rusty, accompagne-le et interceptez la fille avant qu'elle n'arrive à l'aéroport. Prenez les moyens que vous voulez, mais ramenez-moi cette serviette... à tout prix, vous m'entendez? fit-il en insistant bien sur ces derniers mots.

— O.K., Ted! C'est comme si c'était déjà fait. On y va!

Le gros Noir et le grand rouquin sortirent au pas de course et s'engouffrèrent dans leur Ford vieille de quelques années. Ils démarrèrent en trombe et se dirigèrent vers le quartier résidentiel où, à six coins de rues plus loin, le taxi attendait Amelia.

Sur le porche de la maison de Jonathan, celui-ci étreignait sa fille une dernière fois et lui renouvelait ses recommandations. Amelia ne tenta pas de modifier la décision de son père, et elle reprit lentement l'allée conduisant au trottoir. Elle regarda encore Jonathan, lui fit un signe de la main, et monta dans la voiture sur la banquette arrière. Le conducteur la dévisagea et lui dit:

— Dites donc, mon compteur a toujours tourné pendant ce temps-là! Il indique déjà...

Mais Amelia, quittant son air pensif, dit rapidement:

— S'il vous plaît, conduisez-moi à l'aéroport, immédiatement... Je dois y être le plus tôt possible.

Le chauffeur haussa les épaules, puis mit la voiture en marche. Le taxi repartit à allure réduite puis accéléra. En face, les deux agents communiquèrent à leur correspondant le départ de la fille. Ils ne reçurent qu'une réponse laconique:

— Laissez-la partir; elle s'en va certainement à J.F.K. pour y prendre son avion. Elle ne sait rien au sujet de l'opération Survie.

Au même moment, la Ford verte, conduite par Blacky, passait rapidement devant eux, mais ils n'y portèrent pas particulièrement attention. Les deux hommes se remirent à observer la maison, l'un d'eux se calant dans l'appui-tête et mâchonnant son chewing-gum à grands coups.

La Ford suivit le taxi pendant un moment. Soudain, Rusty lâcha:

— O.K., ça va comme ça! Juste après cette côte, l'endroit est isolé; il n'y a qu'une voie de sortie, à droite, pour les camions de la Plastic Manufacturing Company. Coince le gars avec ta Ford, et je m'occuperai de la fille.

Blacky accéléra, dans le dessein évident de doubler le taxi et de le faire ensuite dévier dans le fossé en le frappant de côté avec la Ford. Il arriva au haut de la pente et pesa sur l'accélérateur. Il descendit en vitesse le versant opposé, juste au moment où le taxi venait de repartir après avoir fait le stop d'usage à la voie de sortie des camions de l'usine. Blacky ne fit pas attention au panneau indicateur et dévala la route, à l'instant même où un gros camion se préparait justement à quitter la vaste cour entourant l'usine.

Rusty n'eut que le temps de crier, et Blacky braqua la voiture vers la gauche. Le conducteur du camion arrêta brusquement son véhicule, mais l'auto continua sur sa lancée, passa sur la voie de gauche, accrocha et cassa le panneau indicateur du stop pour les automobilistes venant de la direction opposée, et elle finit brutalement son trajet dans le fossé longeant ce côté de la route.

Blacky s'étouffa sur le volant alors que Rusty se cognait durement la tête sur le pare-brise; en quelques secondes, une grosse bosse bleue orna son front.

— *Oh shit!* s'exclama le Noir, en voyant le taxi disparaître à l'horizon. L'affaire est manquée.

Il jura à nouveau en frappant violemment le pare-brise avec son gros poing. Puis il se tourna vers Rusty qui lui dit:

— Rentrons; il n'y a pas autre chose à faire, pour le moment.

Blacky réussit à sortir l'auto du fossé peu profond, et repartit à fond de train vers leur Q.G., alors que le conducteur du camion, furieux, continuait de jurer et d'invectiver les deux hommes qui s'enfuyaient. En moins de deux, ils furent de retour, et ils eurent toutes les difficultés du monde à faire admettre leur échec à Ted. Ce dernier les engueula, puis il reprit ses sens, n'en continuant pas moins de fulminer encore contre Rusty:

— Bon, assez de lamentations. Malgré votre manque d'habileté dans ce coup-là, l'affaire n'est pas complètement ratée... Appelle notre correspondant à notre cellule de Montréal. Donne-lui une description de la fille d'après cette photo d'elle parue dans le magazine *New Sciences of Today,* qu'il peut même trouver là-bas puisqu'il y est distribué. Dis-lui qu'elle devrait arriver à l'aéroport de Dorval ce matin, vers onze heures, par le vol d'Eastern Airlines. Ah! Dis-lui aussi qu'elle doit être attendue à son arrivée par un journaliste canadien, et qu'elle devrait porter avec elle cette maudite serviette de cuir. Qu'il tente de la lui enlever par tous les moyens, mais sans mettre la pagaille dans la ville.

Et il ajouta, en tapotant de son index l'épaule de Rusty:

— On a encore assez de temps pour que nos gars à Montréal puissent se rendre à l'aéroport assister à l'arrivée de la Rockford! Allez, grouillez-vous!

Rusty ne perdit pas une minute. Il demanda l'interurbain et communiqua avec le correspondant à Montréal. Il lui dit tout. L'homme au bout du fil prit en détail le contenu du message, au cours d'une conversation d'apparence banale, mais qui, grâce à des phrases clés, expliquait la situation et les mesures à prendre, à l'aide de codes connus d'eux seuls.

Pendant ce temps, Amelia attendait l'embarquement des passagers. Elle enregistra sa valise au comptoir des bagages, et garda avec elle la serviette de cuir, pour l'avoir continuellement à sa portée. L'heure du départ arriva. Elle monta à bord de l'avion, et le vol s'effectua ensuite sans problème jusqu'à Montréal.

CHAPITRE 3

Lundi, 21 juillet
8 h
Montréal, Québec

La musique de la radio réveilla agréablement Claude Tremblay en ce chaud lundi matin. Il aimait particulièrement cette manière de sortir du sommeil, plutôt que par la sonnerie stridente d'un réveille-matin habituel. Il émergea lentement de ses rêves et, peu à peu, prit contact avec la réalité. Le repos lui avait fait grand bien, après les deux jours mouvementés qu'il venait de vivre. Il bâilla, s'étira longuement, et se leva.

Mesurant un mètre soixante-quinze, bien charpenté, le corps souple et athlétique, les cheveux noirs coupés courts, Claude Tremblay était un des meilleurs journalistes scientifiques de *L'Informateur,* ce grand quotidien de langue française qui avait le plus fort tirage en Amérique du Nord, renseignant toujours bien ses lecteurs sur tout sujet d'actualité, et qui réservait une place importante aux événements scientifiques. Le journal avait acquis une excellente réputation, qui allait grandissant, et il était certainement aussi le mieux coté et le plus lu par le public. Il ne cédait pas sa place lorsqu'il s'agissait de faire connaître les faits majeurs se déroulant dans le monde, de couvrir les congrès, ou d'informer ses lecteurs sur une découverte intéressante faite dans les milieux de la recherche. Le renom du journal et la qualité de son équipe de journalistes, chroniqueurs et vulgarisateurs scientifiques avaient donné comme résultat une très grande appréciation du quotidien de la part du public; les gens aimaient lire les articles précis et détaillés de cette équipe qui savait rendre abordables à ses lecteurs les longs exposés de doctes autorités, les comptes rendus de chercheurs sur leurs travaux, les explications sur les recherches effectuées en divers domaines techniques, enfin le résultat d'expériences tentées en laboratoire.

Claude s'intéressait à la science en général, parce qu'elle permettait à l'homme de connaître davantage les secrets de la nature et d'en maîtriser les éléments à son profit, même si cette science n'avait pas toujours été au service de l'humanité, comme cela s'était malheureusement passé au cours des deux guerres mondiales du XXe siècle... et comme il en était encore en cette période troublée où l'ombre menaçante d'un troisième conflit mondial se profilait à l'horizon.

Il possédait cet esprit scientifique au raisonnement sérieux et objectif, mais avait aussi un bon sens de l'humour dans les relations avec ses proches. Il était très ouvert d'esprit à tout sujet d'actualité qui, d'une part, semblait souvent mystérieux ou extraordinaire aux gens en général, parce que mal compris par eux, et, d'autre part, était parfois jugé inacceptable par la communauté scientifique, parce que ne pouvant pas encore être classé dans le cadre des sujets admis par la science, qui les reléguait alors dans la catégorie des «tabous».

C'est ainsi qu'il suivait d'assez près les différentes études et enquêtes réalisées en deux domaines suscitant de plus en plus d'intérêt chez la population et qui, au cours des années passées, avaient incité un nombre grandissant de chercheurs indépendants à créer des organismes privés d'investigation, c'est-à-dire la parapsychologie et le «phénomène O.V.N.I.». Ces nouvelles branches de la recherche contemporaine avaient encore de la difficulté à se faire accepter comme telles au sein de la communauté scientifique. Le journaliste lisait les analyses réalisées par ces groupements, grâce aux revues et bulletins publiés régulièrement par eux, ainsi que par quelques rares organismes «officiels», subventionnés par l'État et comprenant en leur sein des personnalités scientifiques connues.

Mais, de toute façon, Claude suivait l'évolution de la recherche en ces deux domaines seulement à titre d'intéressé, et n'était pas vraiment ce que l'on pourrait appeler un passionné de ces sujets. Et puis sa profession de vulgarisateur et de chroniqueur l'accaparait presque continuellement.

Par ses connaissances profondes et variées, et par ses aptitudes à bien rendre l'idée d'un exposé en termes connus du public, ou à expliquer clairement en langage de tous les jours les textes de chercheurs spécialisés, Claude Tremblay avait su se faire apprécier de son directeur, et il était même devenu un des préférés de l'équipe, mais sans que cette préférence causât préjudice à ses confrères de profession. Son bagage de connaissances lui était très utile et nécessaire dans ce monde où il ne se passait pas un seul jour sans que de nouvelles recherches et découvertes viennent encore surprendre les gens, qui, pour la plupart, étaient plus ou moins attentifs à ces bouleversements survenant dans l'univers clos et presque secret de la science, qui devenait de plus en plus inaccessible au commun des mortels.

D'ailleurs, les médias faisaient beaucoup plus souvent et fortement mention de coups d'État en pays étranger, d'actes de violence divers, de succès sportifs, de personnes devenant soudainement célèbres par une quelconque action brutale, de catastrophes imprévues, de cataclysmes naturels, et de tout ce qui, dans l'ensemble, montrait à l'homme la fragilité de la vie et le peu de respect qu'il portait à cette dernière.

Toutefois, Claude Tremblay gardait un caractère optimiste devant l'avenir et possédait une nature joviale. Même si sa profession nécessitait un tempérament calme et pondéré lorsqu'il était en pleine exécution de son travail, son esprit vif et gai reprenait le dessus quand il se retrouvait avec ses collègues. L'hiver précédent, il avait même fait partie d'une équipe de hockey, comprenant les plus robustes de ses confrères journalistes, et les gars avaient donné du fil à retordre à l'équipe d'un autre journal de Montréal. Il était aussi adepte du ski de randonnée, et, l'été, il ne détestait pas s'adonner aux plaisirs de l'eau.

Âgé de 29 ans, il ne s'était pas encore «casé», comme le disaient ironiquement quelques-unes de ses consoeurs de travail. Ce n'était pas qu'il ne voulût point établir des liens solides et véritables avec une compagne, mais bien parce qu'il n'avait pas encore rencontré celle qui, comme il s'amusait à le dire en termes pompeux choisis expressément, serait «sur la même longueur d'onde que son champ vibratoire émotionnel personnel», ce qui lui attirait en réponse, quelquefois, une volée de crayons à la tête!

Mais il ne menait pas une vie de moine, loin de là! Il se permettait bien, à l'occasion, de «briser la glace» pendant quelque temps, afin d'apprécier le caractère et le charme féminins sous toutes leurs facettes... nombreuses d'après les différentes femmes qu'il avait fréquentées pendant ces périodes.

Il se rappelait la nuit agitée qu'il avait eue, le samedi précédent, en compagnie de Mireille, la plantureuse réceptionniste du journal. Depuis plusieurs semaines, et par tous les moyens, elle avait tenté de le séduire, de nouer une aventure avec lui, mais Claude avait repoussé les avances flagrantes de Mireille, qui se déployaient même au vu et au su de ses confrères. Il avait toujours refusé cette aventure, sans trop savoir pourquoi d'ailleurs, puis, finalement, il avait risqué le coup.

Il faut dire qu'elle avait un corps des plus désirables et que, le sachant d'ailleurs elle-même, elle en profitait pour toujours porter des vêtements qui mettaient en évidence tous ses charmes. Quand elle marchait, elle se déhanchait volontairement, et sa croupe avait un mouvement de roulis qui alternait bien avec les sursauts de son opulente poitrine, qui en mettait plein la vue lorsqu'elle revêtait une blouse au décolleté provocant ou un chandail à col roulé très serré. Sa coiffure, style afro, s'élevait haut sur sa tête et lui couronnait le visage; en toute honnêteté, on pouvait bien la qualifier de vamp lorsqu'elle désirait attraper une proie...

Et puis elle avait un regard propre à faire fondre les neuf dixièmes de l'iceberg de l'homme le plus endurci! Certaines fois, lorsqu'un des employés de la rédaction la dévisageait, elle humectait ses lèvres sensuelles, charnues et bien découpées, dans un mouvement de la langue insistant qui se voulait innocent... mais qui en révélait beaucoup sur ses intentions secrètes... Elle était finalement parvenue à briser la résistance de Claude et l'avait incité à accepter l'invitation qu'elle lui renouvelait chaque semaine.

La soirée avait débuté bien simplement par une visite rapide à une discothèque de Montréal, où la musique endiablée et l'alcool lui avaient plutôt légèrement embrouillé les esprits. Il n'était pas tellement habitué à ces salles bruyantes noyées dans une lumière colorée émanant des stroboscopes placés judicieusement en certains angles de la pièce. Il ne connaissait pas bien toutes ces danses aux mouvements plus ou moins bien cadencés, qui lui faisaient penser à ces cérémonies primitives où les participants gesticulaient et se démenaient pour invoquer, prier, remercier ou provoquer les dieux du ciel et de la nature.

Mireille, sentant peut-être que Claude était prêt pour la grande finale, l'avait elle-même mené à son appartement, situé, comme par hasard, tout à côté de la discothèque. Il y avait pénétré, sensible à l'atmosphère plus calme de la pièce et au parfum enivrant de Mireille qui se tenait serrée contre lui. Un stéréo diffusait une musique plus reposante, et il s'était étendu sur le lit de la jeune femme, où elle l'avait attiré en lui prodiguant de plus en plus profondément ses caresses et ses attouchements voluptueux.

En moins de temps qu'il ne le faut pour le dire, ils s'étaient retrouvés nus, et Mireille avait fait montre de tous ses talents pour faire passer au journaliste une folle nuit d'amour. Claude lui avait répondu de la même manière, et sa fougue avait quelque peu surpris la belle Mireille, qui n'en avait été que plus réjouie; elle l'avait enfin gagné, et elle en profita pour que les deux goûtent pleinement ce moment qui ne reviendrait sûrement pas de sitôt... Leurs ébats s'étaient prolongés toute la nuit, et ils s'étaient retrouvés le dimanche matin épuisés par tous ces déferlements de passion.

Finalement, Claude était revenu à son appartement, afin de planifier le travail de la semaine qui venait, laissant Mireille encore endormie et pleinement satisfaite. Il avait organisé son horaire et s'était couché tôt ce soir-là, pour être frais et dispos le lendemain. Au matin, il pensait à ce week-end en finissant de manger, lorsqu'il vit que l'heure passait. Il s'habilla en hâte et quitta son appartement bien entretenu et modestement décoré. Le caractère du jeune homme, malgré les sorties qu'il se permettait à l'occasion, n'était pas vraiment du genre playboy, et il avait meublé son pied-à-terre en fonction de son travail et de son goût modéré du luxe.

Il sortit, descendit au stationnement et prit sa Honda. Il quitta l'édifice situé dans un des beaux quartiers du centre-ouest de la ville, et se dirigea vers le centre-ville où s'élevait l'imposant building de *L'Informateur*. Il y laissa sa voiture au parking intérieur, puis monta à l'étage où se trouvait la section des journalistes. Il sortit de l'ascenseur dans le hall de réception, jetant un coup d'oeil furtif à Mireille qui paraissait d'attaque plus que jamais. Il entra dans la section des reporters et dirigea ses pas vers son bureau au milieu de la grande salle.

CHAPITRE 4

Lundi, 21 juillet
8 h 55
Montréal, Québec

En retrouvant ses confrères, Claude se remit dans l'ambiance propre à la rédaction de son article. Il savait qu'il devait préparer une introduction concernant ce fameux congrès médical qu'il devait couvrir au cours des prochains jours, en vue de rapporter fidèlement aux lecteurs les résultats de chaque séance quotidienne.

Pour être plus à l'aise, il déboutonna le col de sa chemise en mince tissu, et s'assit à son bureau. Il jeta rapidement un coup d'oeil aux autres journaux déjà distribués dans la salle de rédaction. Comme toujours, les gros titres avaient rapport à des faits brutaux: nombreux assassinats politiques dans le monde; actes terroristes accrus en Europe; émeutes raciales aux États-Unis; avance militaire brutale des Russes en Asie et en Afrique; fortes dissensions politiques et ethniques au Canada, etc.

Claude poussa un soupir de commisération et se replongea dans l'atmosphère du bureau. Il commença son article en présentant le thème du congrès qui devait débuter le lendemain après-midi, et qui était: «L'utilité des techniques neurophysiologiques employées en psychobiologie, et leur opportunité dans le traitement de certaines affections psychosomatiques.»

Il exposa brièvement l'historique de ces techniques, et mentionna ensuite aux lecteurs la raison principale qui avait motivé la tenue de ce congrès à Montréal.

Il écrivit:

Les techniques neurophysiologiques modernes utilisées en psychobiologie consistent principalement en une activation de certaines zones du cortex cérébral où sont situés les centres moteurs, ou cen-

tres générateurs des émotions et des instincts de l'homme. Cette activation se fait par courant électrique distribué dans des électrodes implantées très directement et précisément sur les zones à exciter, afin de produire la réaction désirée chez le cobaye: salivation précédant la faim, peur, effroi, panique, joie, sensation de souffrance, etc. Les congressistes devront surtout discuter des limites à imposer aux expériences tentées sur les hommes, qui, souvent, sont faites seulement à titre d'expérimentations scientifiques, afin de connaître les possibilités de réaction de l'être humain aux stimulations provoquées artificiellement, au détriment même du respect de la personne humaine. Cette dernière situation, surtout, sera la base de l'argument principal à débattre pendant les séances de discussions entre congressistes. Au cours des dernières années, justement, des groupes humanitaires ont soulevé cette question de l'insouciance de certains chercheurs, en rapport avec les limites morales qu'ils devaient s'imposer dans leurs expériences. Il a été prouvé, en fait, que des cobayes humains étaient restés commotionnés par les séquelles psychologiques néfastes de ces tests, et avaient même été ébranlés jusqu'en leur for intérieur après avoir subi ces techniques. Il y avait nettement eu des abus dans des centres de recherche, voire même une complète indifférence de leur part devant les résultats parfois désastreux que ces expériences avaient causés chez les malheureuses victimes. L'idée de «science sans conscience» revenait encore à la surface, et il était temps que les faits soient connus au sein de la communauté scientifique et parmi le public. Deux écoles de pensée se sont ainsi formées suite aux révélations de ces groupes de pression. Un des buts de ce congrès sera donc de tenter de faire une mise au point, d'expliquer les motifs d'agir de ces chercheurs, d'approuver ou de critiquer les moyens mis en oeuvre pour parvenir aux résultats escomptés; bref, cette réunion sera certainement des plus intéressantes et promet d'être quelque peu houleuse dans ses débats.

Claude relut son article, le trouva très explicite, et en fut satisfait. La sonnerie de son téléphone le fit sursauter, absorbé qu'il était dans sa lecture. Il décrocha. C'était Marie-Josée, la secrétaire particulière de son directeur, qui l'appelait par l'interphone de son appareil.

— Dis donc, Claude, le patron veut te voir tout de suite à son bureau. Paraît que c'est important.

— Très bien, trésor; j'y vais. Merci.

Il se rendit au bureau de son directeur, qui lui indiqua un fauteuil en cuir rembourré en l'invitant à s'y asseoir.

— Alors, dit-il, votre reportage à propos du congrès, ça avance?

— Ah, très bien! Mon article de présentation est fin prêt. Il ne me reste qu'à l'expédier au rédacteur en chef. Le public aura une excellente idée de ce que ce sera. J'ai aussi préparé mon horaire pour chaque jour de la semaine. Vous verrez, tout ira bien. Je vous ferai une très bonne série d'articles là-dessus. Les gens vont se l'arracher, ajouta-t-il en riant légèrement.

— Bon! C'est très bien, ça. Je vous fais confiance, comme d'habitude.

Puis il reprit, en s'avançant dans son fauteuil, derrière son large bureau:

— Voici. Je vous ai fait appeler, car une tâche assez agréable vous attend ce matin.

— Tiens? De quoi s'agit-il donc?

— Eh bien! je suppose que vous connaissez le *New Sciences of Today?*

— Oui, bien entendu. C'est un très bon magazine de vulgarisation scientifique. Il est réputé pour présenter aux Américains ce qui se trame dans les centres de recherche et autres antres secrets de la Connaissance...

— Oui, c'est cela. Figurez-vous qu'il a décidé d'envoyer un de ses correspondants pour couvrir le congrès de médecine qui débute ici, demain. J'en ai été informé la semaine dernière, afin d'agir en conséquence.

— C'est une bonne chose à savoir. Et je suppose que...?

— Exactement! Vous êtes «chargé de mission» pour aller accueillir ce correspondant à Dorval, ce matin. Son vol arrivera vers onze heures par la Eastern Airlines, en provenance de New York. Comme je viens de vous le dire, l'arrangement a déjà été fait entre ce magazine et le journal; tout est réglé, les réservations de chambre d'hôtel également. Il ne vous reste plus qu'à aller l'accueillir à l'aéroport.

— C'est bien, patron, j'y serai. Et quel est le nom de ce journaliste?

Le directeur sourit en entendant ces paroles. Il prit un magazine et montra à Claude une photo en couleurs illustrant un des articles, où il put voir, dans toute sa splendeur, le correspondant de la revue.

— Le voici, dit le directeur, ou plutôt la voici. Il s'agit en fait d'Amelia Rockford, une des plus brillantes collaboratrices de ce magazine, qui a déjà fait parler d'elle aux États-Unis par ses articles intéressants et bien documentés. Vous devrez l'accueillir avec tous les égards qui lui sont dus, évidemment, et peut-être lui servir de cicérone pendant la durée de son séjour à Montréal. Mais je ne me fais pas de souci avec ça non plus; je pense que vous vous débrouillerez assez bien avec elle... ajouta-t-il avec un léger sourire en coin. Mais, quand même, n'oubliez pas: elle vient ici pour participer au congrès, au même titre que d'autres confrères des médias. Donc...

— Ne vous en faites pas, monsieur le directeur; je vais bien prendre soin de cette charmante personne, et elle retournera chez elle ravie de cette semaine passée à Montréal.

— Je n'en doute pas, Claude. Bon, allons, le temps presse. Je dois encore préparer cette réunion du conseil d'administration, cet après-midi. Partez tout de suite et veillez à ce que tout se passe bien.

Claude se leva, salua et sortit.

En s'approchant du hall de réception, où s'arrêtaient les ascenseurs de l'étage, son attention fut attirée par Mireille. Elle était occupée avec un gros homme chauve et rougeaud, dont les yeux exorbités étaient dirigés vers sa blouse qui se soulevait régulièrement, au risque d'en faire sauter les boutons. Elle n'eut que le temps d'envoyer un signe de la main à Claude, et ce dernier s'engouffra dans un des ascenseurs.

Comme d'habitude, il dut s'adresser à un des employés du service de stationnement afin que l'homme aille chercher sa voiture. Claude le remercia, lui donna un pourboire et quitta l'immeuble. Il sortit du centre-ville et emprunta la voie rapide pour se rendre à Dorval. Il avait bien du temps devant lui mais, pour une raison qu'il ne comprenait pas, il voulait y arriver le plus vite possible. La photo d'Amelia l'avait frappé et, même s'il ne l'avait jamais vue en chair et en os, il sentait une émotion étrange qui l'envahissait.

— Bah, dit-il tout haut, après tout, ce n'est qu'une consoeur que je vais chercher pour raison professionnelle. Pourquoi suis-je si ému, tout à coup...?

Il arriva avant l'heure prévue. Il laissa sa Honda au parking extérieur, pénétra dans l'enceinte de l'aéroport et, nonchalamment, se dirigea vers les grandes baies vitrées permettant de voir les départs et les arrivées. Il y resta un moment, puis alla s'acheter une tablette de chocolat au snack-bar. Il jeta un coup d'oeil distrait à la télévision, qui annonçait qu'un diplomate espagnol venait d'être assassiné par des terroristes; passant en vitesse à côté de son auto, ils avaient envoyé plusieurs grenades sous celle-ci au moment où il y montait. Les explosions avaient complètement détruit l'auto et déchiqueté le diplomate, et l'on y montrait, en gros plan, les ambulanciers et les policiers rassemblant les morceaux éparpillés du cadavre.

Claude hocha la tête devant tant de violence et devant les images crues que la télévision n'hésitait plus, maintenant, à montrer en direct et sur le vif, car les *living news* étaient de plus en plus normales et fréquentes, dans ce médium d'information, ponctuant régulièrement les émissions en cours. Alors qu'il détournait la tête de l'écran, il resta figé: à la barrière d'arrivée d'Air Canada se tenait un grand jeune homme qu'il connaissait bien. Ce dernier, également journaliste à l'emploi d'un hebdomadaire français, devait probablement venir au Québec après être allé aux États-Unis pour y faire un quelconque reportage intéressant son journal. Ils s'étaient rencontrés quelques années auparavant au cours d'un congrès se déroulant à Paris, avaient noué une amitié, puis s'étaient perdus de vue, chacun étant trop occupé par sa profession de chroniqueur scientifique pour son propre journal. Ils ne s'envoyaient que de rares cartes postales, en certaines occasions, et leur correspondance s'arrêtait là.

Claude marcha résolument vers son ami et, sans retenue, lui donna une tape dans le dos en s'écriant:

— Jean-Étienne! Ça, par exemple! Qu'est-ce que tu fais ici?

L'autre se retourna, interloqué, et un sourire illumina son visage quand il vit l'insolent qui l'avait ainsi «attaqué» par derrière. Il riposta:

— Sacré Tremblay, va! Qu'est-ce que tu fous ici toi-même, mon pote? Si j'avais su que je te rencontrerais à Dorval, je ne serais même pas venu. Eh bien, pour une surprise, c'en est toute une!

Ils se serrèrent la main et se donnèrent l'accolade. Les effusions passées, Claude reprit:

— Ainsi donc, tu arrives au Québec. En quel honneur es-tu venu à Montréal?

— Bien... en réalité, je ne suis que de passage dans ta ville, pour saluer de la parenté établie ici. Mais, en fait, j'étais d'abord venu en Amérique pour couvrir une assemblée spéciale de psychologues qui se sont réunis aux États-Unis, la semaine dernière, pour discuter des causes de l'accroissement de la violence dans notre société moderne. Mais ça n'a pas donné de résultats probants, les conclusions étant plus ou moins positives ou concrètes: on met ça sur le dos des émissions policières, à la télévision, et on parle de l'influence qu'elle a sur les jeunes; on invoque le refoulement sexuel d'une grande partie de la population, dont le pourcentage est élevé malgré la révolution sexuelle qui a soufflé sur le monde; on met en évidence le stress causé par la vie trépidante que nous menons; bref, rien de bien précis. On en reste toujours au même point.. Mais toi, qu'est-ce que tu deviens à Montréal?

— Heu... Ma carrière se porte bien, comme tu vois. Je n'ai pas à me plaindre. Je venais justement accueillir un... un confrère, pour le piloter dans la ville, en rapport avec le congrès de médecine qui doit débuter demain. Rien de bien excitant, comme tu peux en juger... Mais, à propos, comment se fait-il que tu n'aies pas été délégué par ton journal pour assister à ce congrès?

— Bah, tu sais, je ne suis pas le seul disponible pour ce genre de travail. Et puis, je viens justement de me taper une réunion semblable, aux *States*, comme je viens de te le dire. Je préfère retourner à la maison pour me reposer, et y retrouver Gabrielle. Elle m'y attend impatiemment.

Les deux amis discutèrent ensemble quelques minutes encore; puis, comme le temps passait, Jean-Étienne décida de partir. Ils se serrèrent la main à nouveau et se quittèrent sur un bon mot.

Le journaliste québécois revint à la baie vitrée, et il entendit la voix féminine qui annonçait l'arrivée du vol de la Eastern, en provenance de New York. Il reconnut le numéro du vol qu'avait pris Amelia et regarda à l'extérieur, pour voir le Boeing qui se posait sur la piste. Il lui sembla qu'il s'écoula une éternité entre le moment où l'appareil tourna pour se rapprocher afin de permettre aux passagers de descendre de l'avion, et celui où il put enfin distinguer la jeune femme parmi les voyageurs. Elle avait récupéré sa valise, passé aux douanes, et se tenait maintenant à la barrière d'accueil où des tas de gens souriants se tapaient dans le dos, s'embrassaient et échangeaient des paroles de bienvenue. Il la vit, comme elle était sur la photo, et, aussi bizarre que cela fût pour lui, il se sentit un peu gêné en s'approchant d'elle. Mais il se donna un coup de pied au derrière et fit les présentations:

— *Miss Amelia Rockford, I presume? May I present myself: I am Claude Tremblay, from the newspaper* L'Informateur, *and I have been sent to welcome you in Montréal.*

— *Oh, wonderful! You are right in time,* dit-elle avec un large sourire.

Et elle ajouta, en pesant bien ses mots:

— Heu... Si vous voulez, nous pouvons parler en français. Je comprends très bien votre langue, et je la parle couramment...

— Mais c'est très bien, ça! répondit Claude, un peu surpris de cette entrée en matière.

Puis il continua:

— Vous allez faciliter nos échanges et rendre ma tâche plus aisée. J'espère que vous avez fait un bon voyage, même s'il a été assez court?

— Oui, le voyage s'est bien déroulé, et je me sens en pleine forme pour le congrès.

Puis, changeant de sujet, elle reprit:

— Merci de votre réception. Mon *boss* m'avait dit que je serais reçue à Montréal par un des représentants du journal local. Je croyais que j'aurais affaire à un homme un peu plus âgé, mais, d'un autre côté, la surprise est assez agréable...

— Eh bien, cela fait plaisir à entendre! Je dois dire que je vous ai reconnue par la photo du magazine qui, soit dit en passant, est loin de vous rendre justice...

Amelia sourit à ce compliment indirect, mais Claude continua:

— Bon! Je parle, je parle, et nous sommes encore ici. Je vais porter votre valise à ma voiture. Vous venez?

— Mais oui, avec plaisir, répondit-elle avec cet accent bien particulier de New York, qui, en cette occasion, résonnait agréablement dans les oreilles de Claude.

Il nota qu'elle tenait une serviette de cuir brun dont elle ne semblait pas vouloir se séparer. Ils traversèrent le vaste hall, sans s'apercevoir qu'un homme qui avait lui aussi assisté à l'arrivée d'Amelia, cependant trop tard pour pouvoir usurper l'identité du journaliste et aborder la jeune femme à sa place, remettait dans sa poche la photo d'elle parue dans le magazine, et décidait de suivre le couple de loin.

Tout en marchant, Claude ne pouvait s'empêcher de regarder Amelia, et il la trouvait des plus charmantes. Certes, il ne doutait pas des talents ni des aptitudes qu'exigeait sa profession, mais il se sentait autant ému, sinon plus, par sa personnalité même, son visage franc et souriant lorsqu'elle lui avait répondu, ainsi que par son caractère qu'il devinait bien amical.

Pour ce voyage, elle portait un tailleur de coupe simple, couleur bleu marine, dont la jupe à plis descendait un peu plus bas que les genoux, laissant voir ses jambes au galbe bien découpé; elle portait aussi des souliers à talons plats. Sous la veste qu'elle avait déboutonnée, se voyait une blouse de soie fine très transparente qui, à cause de la chaleur, collait à la peau et faisait ressortir ses seins, fermes et bien proportionnés au reste de sa personne, lesquels suivaient un peu la cadence lorsqu'elle marchait. Elle ne devait porter qu'un mince soutien-gorge car le rosé de sa peau se voyait nettement au travers du tissu léger, et les deux mamelons pointaient sous la blouse, visibles pour qui voulait bien les remarquer!

La chaleur, à l'extérieur, se fit sentir davantage; lorsque le couple arriva à la Honda, Claude était légèrement trempé par la sueur qui commençait à perler. À l'écart, l'«homme à la photo» les suivait des yeux. Il fit un signe à un comparse assis au volant d'une Chevrolet bleu foncé dans une autre section du parking, et l'auto démarra rapidement. Elle vint se ranger aux côtés de l'homme, qui y monta. L'inconnu dit:

— C'est la petite Honda, là-bas; le gars qui a accueilli la fille en est sûrement le propriétaire. Il se prépare à repartir avec elle. Suis-les. Nous trouverons bien une occasion pour agir.

Claude et Amelia s'étaient installés à l'aise dans l'auto. La jeune femme, voulant se rafraîchir, évasa le col de sa blouse, découvrant ainsi sa gorge et le haut de sa poitrine. Le journaliste lui jeta un coup d'oeil furtif, puis fit partir le moteur. Il embraya, sortit l'auto de la section et se dirigea vers la sortie. La Chevrolet en fit autant, puis le suivit. Claude ne remarqua pas ce manège; il était tout absorbé par Amelia qui, par moments, le regardait en souriant. Elle avait placé sa serviette de cuir sur ses genoux, et n'avait pas adressé de nouveau la parole au journaliste.

Il chercha un mot intelligent, une phrase appropriée pour reprendre la conversation là où elle avait cessé. Il porta son attention sur la circulation automobile, puis bifurqua en direction du centre-ville. Il pensa en lui-même:

— Décidément, je me fais vieux! Je suis bouche cousue devant cette fille, et encore! Elle ne demande pas mieux que de jaser avec moi... Allons, j'attaque!

CHAPITRE 5

Lundi, 21 juillet
11 h 45
Montréal, Québec

— Voilà, dit Claude, nous sommes sortis de l'aéroport. En prenant la voie rapide, nous serons bientôt arrivés au centre-ville, à votre hôtel... Ainsi, vous êtes partie de New York ce matin; pas de problème en cours de route?

— Non, je n'ai pas eu de difficultés. J'étais un peu fatiguée, au départ, mais je me suis reposée dans l'avion.

— Donc, tout s'est bien passé... Au fait, si mes renseignements sont exacts, vous venez pour faire un article sur le congrès de demain. Est-ce que cela vous intéresse spécialement, ou est-ce seulement une tâche comme les autres qui vous a été assignée par votre magazine?

— Je pense que c'est un peu les deux en même temps... Vous savez, j'aime beaucoup les sciences qui concernent l'être humain, et, surtout, les sciences qui traitent des possibilités de l'esprit humain... C'est un sujet qui m'a toujours passionnée, voyez-vous... Et ce congrès médical à Montréal, c'est une bonne occasion, pour moi, de connaître les développements dans les nouvelles techniques modernes.

— Je vois. En somme, vous aimez savoir ce qui se passe dans la tête des gens, pour pouvoir ensuite juger de leurs réactions et de leurs actes... Dans le fond, ça ne me déplairait pas, à moi, que vous vous intéressiez à mon cerveau. Je suis sûr qu'avec une spécialiste comme vous mon cerveau vous livrerait des secrets qui vous surprendraient...

Claude avait dit ces mots avec une petite pointe d'humour et, de fait, Amelia s'en rendit bien compte. Elle lui sourit en réponse, et c'est elle qui enchaîna:

— Mais, vous-même, vous devez être intéressé par ces sujets puisque vous en parlez. Serez-vous à ce congrès, demain?

— Certainement. Je suis l'envoyé spécial de mon journal pour toute sa durée. Nous pourrons même nous y rencontrer tous les jours, si le coeur vous en dit.

— Ah! Eh bien, j'en suis ravie, croyez-moi... C'est à l'hôtel Reine-Élisabeth, je crois?

— Oui.

— Et en dehors de ce congrès, suivez-vous de près les recherches médicales?

— Oui, en tout cas dans la mesure du possible.

Tout en parlant, Claude remarquait que la jeune femme tenait fermement la serviette de cuir posée sur ses genoux. Il lui dit avec une pointe d'humour:

— Vous gardez cette serviette comme s'il s'agissait de la prunelle de vos yeux; contient-elle des secrets terribles?

Comprenant la comparaison, elle lui répondit:

— Oui, c'est important. C'est mon père qui me l'a donnée. Lorsque je serai à l'hôtel, je pourrai lire les papiers qu'elle contient, mais seulement la semaine prochaine.

— Ha! tiens! C'est étrange... Et il ne vous a pas dit pour quel motif vous deviez agir ainsi?

— Heu... oui et non... Vous savez, Claude, mon père travaille souvent sur des projets spéciaux; parfois le gouvernement supervise aussi des projets, et des équipes sont souvent créées pour les réaliser. Je pense que mon père, justement, collabore présentement à un de ces projets secrets; mais il n'a pas le droit de me parler de cela avant plusieurs semaines.

Elle hésita avant de continuer à parler, et Claude, intrigué, attendit qu'elle reprenne le fil de ses idées. Elle dit:

— Je dois garder la serviette avec moi jusqu'à mon arrivée à l'hôtel. Je pense que les documents contenus à l'intérieur concernent une opération assez vaste que le gouvernement américain prépare en ce moment. À la maison, à Long Island, j'ai vu mon père recevoir un homme habillé en civil, venu sans annoncer sa visite, il y a un mois de cela, environ. J'étais allée voir *daddy* ce jour-là, comme je le fais quelquefois pour prendre de ses nouvelles, et cet homme est arrivé. Ils ont parlé ensemble sans que je puisse entendre un mot de la conversation, car j'étais allée dans la cuisine. Tout ce que j'ai pu saisir, à un certain moment, c'est l'expression «opération Survie», quand l'homme a parlé un peu plus fort. Il était certainement un agent du gouvernement car il insistait beaucoup pour que mon père garde le secret sur cette opération...

— Ha!... Et rien d'autre ne s'est produit par la suite?

— Non... Je n'ai rien remarqué de spécial depuis cette visite... Mais, par contre, ce matin, mon père m'a dit que, depuis une semaine, sa maison était surveillée par des hommes du service des renseignements, par mesure de sécurité pour lui. Il y a peut-être d'autres savants qui sont dans la même situation que mon père... C'est pour cela qu'il m'a donné cette serviette, en insistant pour que je quitte la maison avec les documents sans que le sachent les agents qui l'espionnaient. Je suis curieuse de savoir ce qu'ils révéleront...

— On le serait à moins, renchérit Claude, surtout si l'on considère tout ce que votre père a subi depuis un mois...

Machinalement, il regarda dans le rétroviseur et vit la Chevrolet qui, depuis la sortie de l'aéroport, l'avait suivi sans qu'il s'en rende compte. Il approchait du centre-ville, et la circulation devenait plus dense.

Leurs échanges reprirent sur des banalités. Amelia confia qu'elle estimait beaucoup son père et qu'elle lui avait toujours gardé son affection depuis la mort de sa mère, survenue lorsqu'elle était enfant. Sa tante l'avait alors élevée, et Jonathan lui avait fait poursuivre ses études jusqu'au stade universitaire. Comme, d'une part, le journalisme attirait Amelia et que, d'autre part, son père espérait qu'elle devienne une femme de carrière, elle avait trouvé ce compromis, et elle avouait sans contrainte que sa profession actuelle, en fin de compte, la comblait parfaitement. Au cours des années, la recherche scientifique, et en particulier la recherche médicale, l'avait grandement intéressée, et c'est la raison pour laquelle elle ne manquait pratiquement aucune activité publique ou d'information sur le sujet; bien évidemment, les congrès faisaient partie de cette catégorie, et ils étaient suivis de près par la jeune femme, qui réalisait alors des reportages fort prisés du directeur du *New Sciences of Today* et des lecteurs du magazine.

Claude sut aussi qu'Amelia avait appris le français au début de sa carrière, car elle aimait prendre connaissance de textes et de livres traitant de ses sujets d'intérêt, et une bonne partie de cette littérature, justement, était écrite en langue française. En plusieurs occasions, cela lui avait été utile pour la rédaction de ses articles, ou lorsqu'elle interviewait des personnalités européennes.

Pendant que le couple discutait ainsi aimablement, Claude ressentait un certain trouble au fur et à mesure qu'il en apprenait sur la jeune femme. Il lui découvrait un caractère et un tempérament dont certains traits se rapprochaient des siens, et déjà il se rendait compte qu'ils avaient les mêmes goûts en certains domaines. Sa personnalité, ses talents, sa manière de s'exprimer faisaient vibrer une corde sensible dans l'âme du journaliste, et il éprouvait pour Amelia un sentiment qui était beaucoup plus que de la simple sympathie. De plus, elle était une femme fort séduisante. Pour le moment, ses cheveux flottaient dans la brise qui pénétrait par les vitres baissées, et, à l'occasion, elle ramenait une mèche qui lui tombait sur le front. Son col de blouse s'évasait régulièrement sous les caresses du vent, et sa poitrine assez généreuse se révélait légèrement lorsqu'un coup de vent plus malicieux élargissait la pointe de l'encolure...

La conversation s'étant arrêtée, Claude la relança en disant:

— En fait d'heureuse surprise, je suis bien servi, vous savez... Lorsque l'on parle de journalisme scientifique, on s'attend souvent à voir une vieille barbe ronchonneuse qui veut vous faire la leçon; de plus, quand il s'agit d'une femme, on ne penserait jamais avoir affaire à une personne comme vous, Miss Rockford... surtout avec le genre de profession qui est la vôtre. Même si je vous avais vue en photo, dans le magazine, je ne m'attendais pas du tout que la réalité dépasse la photo... dit-il en la regardant en face. Vous êtes très charmante, Amelia; et je ne me trompe certainement pas en disant que vous devez être une femme fort... exceptionnelle... dans votre métier, je veux dire!

Amelia ne répondit pas à ce nouveau compliment. Elle regarda les gens qui allaient et venaient sur les trottoirs, puis elle parla à Claude de sa visite à Montréal lors des Jeux Olympiques de 1976. Elle avait pu assister à plusieurs des compétitions sportives, et avait trouvé les cérémonies d'ouverture et de fermeture très colorées et spectaculaires. Elle avait apprécié son court séjour, malgré une certaine atmosphère de tension qui régnait pendant cette période, due aux nombreuses mesures de sécurité prises par les autorités afin qu'aucun incident fâcheux — des actes terroristes, entre autres — ne vienne gâcher le déroulement des activités.

Elle dit:

— Pendant mon passage au Québec, les gens ont été bien aimables avec moi; je me suis fait des amis que je n'ai pas revus depuis ce temps-là, malheureusement. Vos compatriotes sont très hospitaliers, Claude... Ah! si les gens pouvaient toujours être aussi aimables et accueillants dans le monde, je crois que les choses iraient beaucoup mieux partout, vous ne croyez pas?... Au fait, que pensez-vous de la situation internationale actuelle? L'avenir me paraît assez sombre, si j'en juge par les événements récents...

Claude prit quelques instants avant de répondre, puis il dit:

— Je pense que tous nos problèmes sont dus au genre de société dans lequel nous sommes. Le monde moderne nous oblige à vivre trop vite: nous ne prenons plus le temps de nous connaître comme il se devrait. Nos désirs, nos aspirations, nos habitudes de vie nous sont mutuellement inconnus... Je veux dire que l'être humain se cantonne de plus en plus dans une sorte de vase clos, en restant indifférent à ce qui se déroule autour de lui malgré le fait que, justement, les médias nous informent continuellement de tout ce qui se passe sur la planète. De plus, les nombreuses idéologies politiques tendent à séparer les peuples plutôt qu'à les mettre d'accord sur des questions primordiales... Ces éléments mis ensemble expliquent que nous subissions une décennie difficile; à moins qu'il n'y ait une tout autre cause responsable de cet état de choses dans le monde et que je ne la connaisse pas encore...

À ce moment, Claude vit le feu de circulation qui changeait du jaune au rouge. Il freina un peu brutalement et s'arrêta à la ligne des piétons. Il jeta un coup d'oeil dans le rétroviseur et vit une Chevrolet bleue qui stoppait derrière sa Honda. Il eut un léger tressautement que remarqua Amelia.

— Quelque chose ne va pas, Claude?

— Heu... Non, répondit-il vivement, avec un ton reflétant un début d'inquiétude. J'ai cru reconnaître quelqu'un dans l'auto qui vient de s'arrêter derrière nous. J'ai fait erreur, ce n'est rien.

Mais il avait bien reconnu la Chevrolet qui continuait à le suivre de près, depuis la première fois où il l'avait aperçue. Il ne voulut pas laisser son esprit échafauder de folles hypothèses, et il reporta son regard sur Amelia. Il lui mentionna qu'ils approchaient du Reine-Élisabeth, mais que, à cause du trafic assez dense à l'heure du dîner, le trajet durerait un peu plus longtemps que d'habitude.

— Cela ne me dérange pas, dit-elle en ramenant sur le côté du visage ses cheveux qui flottaient dans le vent; j'ai tout mon temps devant moi, du moins aujourd'hui, et votre compagnie est très agréable.

Le journaliste apprécia le commentaire et retrouva sa bonne humeur, qui avait diminué à la vue de la Chevrolet qui le talonnait. Amelia lui fit part de son intérêt pour la nature et la protection de l'environnement pollué par l'homme. Elle lui avoua qu'elle était heureuse de sa situation présente, même si, parfois, elle avait le goût de tout lâcher et d'aller vivre d'une manière moins trépidante à la campagne. D'ailleurs, c'était un projet qui lui tenait à coeur, et elle le fit bien sentir à Claude. Celui-ci l'approuva puisque lui aussi, depuis quelques mois, envisageait d'aller s'établir loin de la ville.

— Eh bien, Claude, on peut dire qu'au moins sur ce point nous sommes d'accord! Vraiment, j'ai grand plaisir à discuter avec vous...

Elle dit ces derniers mots en posant sa main sur le bras de Claude et en lui jetant un regard beaucoup plus soutenu qu'auparavant; il se sentit tout remué. Il voulut dire quelque chose, mais un autre feu rouge arrêta la circulation. Il stoppa sa Honda et se tourna vers Amelia. Ce faisant, il reconnut, au coin de rue du quadrilatère suivant, un restaurant réputé pour sa bonne cuisine. L'heure du dîner arrivait, et il ressentait un léger creux dans l'estomac. Il pensa qu'Amelia et lui n'avaient pas encore mangé depuis le matin, et qu'un repas pris ensemble serait une autre occasion de retarder le moment de la séparation, moment qu'il ne désirait pas du tout voir arriver maintenant qu'il l'avait connue.

Depuis qu'il avait rencontré cette charmante consoeur, ce matin, il n'avait eu d'yeux que pour elle et il en avait presque oublié la raison de sa venue à Montréal; le congrès de médecine avait été relégué loin dans son esprit, et il voulait profiter pleinement du moment présent. Il éprouvait de plus en plus pour Amelia un sentiment qu'il n'avait jamais eu pour aucune autre femme qu'il avait fréquentée à venir jusqu'à ce jour, et il sentait que quelque chose de nouveau avait soudain germé en lui. Il ne savait pas encore si cela était dû à leurs intérêts communs, ou à son charme et à sa manière particulière de parler d'elle-même et des événements importants de sa vie, ou encore à son caractère empreint lui aussi de cette touche d'humour commune à tous les deux.

Quoi qu'il en soit, il voyait bien qu'Amelia, également, semblait le trouver plus que sympathique, et il risqua le coup en lui demandant:

— Ce restaurant, au coin de la rue, est réputé pour ses plats excellents. Je serais enchanté si vous acceptiez de venir dîner avec moi, même si mon invitation est faite promptement, sans préavis. Vous aurez bien le temps, après le repas, de faire votre inscription à l'hôtel.

Elle hésita à peine une seconde, puis répondit par l'affirmative. Elle aussi avait le désir de continuer cet entretien avec lui. Il en fut enchanté et gara son auto dans un parking proche. Amelia insista pour garder la serviette avec elle, et ils se dirigèrent vers le restaurant. La Chevrolet qui les suivait stationna tout près. Un des deux hommes en descendit et marcha également dans cette direction.

CHAPITRE 6

Lundi, 21 juillet
12 h 30
Montréal, Québec

Amelia et Claude entrèrent dans le restaurant déjà bondé à cette heure. Dès qu'il fut à l'intérieur, Claude jeta un coup d'oeil rapide pour juger de la situation. À la gauche des deux portes vitrées de l'entrée, il y avait la caisse. Tout à côté s'étirait, sur à peu près la moitié de la longueur du restaurant, toute une série de tabourets recouverts de cuir, dressés chacun sur un pied central métallique le long d'un comptoir constituant la section du «service rapide». Là, les clients pressés prenaient une bouchée en vitesse et repartaient aussitôt leur lunch terminé. À droite de l'entrée, formant la plus grande partie du restaurant et s'étendant jusqu'au fond de la salle où étaient les cuisines, se trouvait la section des tables, pouvant chacune accommoder deux, quatre ou six personnes, selon le cas.

Par chance, Claude dénicha, dans un coin à droite, une table en train d'être desservie. Il y entraîna rapidement Amelia et ils y prirent place. Bien installé, et maintenant certain de pouvoir manger tout en étant à l'aise, il se sentit un peu plus soulagé. Amelia déposa sa serviette à côté d'elle, sur le banc de cuir rembourré. Les deux journalistes soufflèrent et ne dirent mot pendant quelques secondes.

Claude, le premier, brisa le silence. Il décrivit les caractéristiques et le charme de l'endroit, beaucoup plus calme en soirée qu'à l'heure du dîner; Amelia l'écouta attentivement.

La serveuse arriva, déposa un menu devant chacun d'eux.

— Bonjour. Désirez-vous commander tout de suite, ou voulez-vous prendre un apéritif?

Claude jeta un coup d'oeil inquisiteur à sa compagne, et celle-ci lui fit un signe d'approbation.

— C'est bien, dit-il. Nous prendrons deux Cinzano. Nous vous donnerons notre commande plus tard.

La serveuse repartit, et les deux journalistes consultèrent le menu.

À l'entrée, un homme dans la trentaine environ, les cheveux en broussaille, fit son apparition et se dirigea vers un tabouret de la section «service rapide». Il prit son temps pour s'y asseoir, donnant l'impression de ne pas être pressé, mais, à la dérobée, il observait le couple assis dans le coin.

Claude suggéra quelques plats typiques de la cuisine québécoise alors que la serveuse apportait les Cinzano; ils les burent lentement, en les dégustant. Toutefois, les gens envahissaient de plus en plus le restaurant, et la serveuse ne tarda pas à revenir pour prendre en note les mets choisis, et les servir aussitôt, permettant ainsi à un plus grand nombre de clients d'avoir leur repas.

Dans l'atmosphère quelque peu bruyante du restaurant, Claude parlait de choses et d'autres avec la jeune Américaine, tout en montrant son admiration pour elle. Amelia en fut touchée et lui mentionna qu'elle aussi appréciait énormément sa compagnie. Elle se laissa même aller à des confidences sur des sujets beaucoup plus personnels que ceux concernant ses activités strictement professionnelles, et, progressivement, ils sentaient qu'un lien plus serré s'établissait entre eux.

Au comptoir, le grand ébouriffé mangeait un sandwich, ne quittant pas des yeux le couple grâce à un miroir posé au mur derrière le comptoir et qui lui faisait face. Il les surveillait, semblant guetter le moment propice pour faire une action quelconque. Il sirotait son Pepsi et paraissait nerveux.

Dans le feu de la conversation, Claude dit à la jeune femme:

— À propos, votre prénom est très joli et, je crois, assez rare...

— Heu... Pas tant que cela, vraiment... Mais il a été choisi par mon père, à ma naissance, pour une raison bien précise. Vous connaissez Amelia Erhardt?

— Heu... Oui, mais de nom, seulement. C'est une des femmes célèbres de l'histoire de l'aviation américaine, je crois. Si ma mémoire est bonne, elle est une des premières femmes à avoir effectué un vol transcontinental, au début de la conquête de l'air par vos compatriotes.

— C'est bien cela. Mon père est très fier de sa profession et il admire ceux et celles qui, dans la leur, ont accompli des exploits. Il s'intéresse beaucoup à l'aéronautique, aussi, et il connaît très bien son histoire, ainsi que les noms des pionniers qui ont permis à l'aviation de faire de grands progrès. Pour cette raison et dans cette optique, il considérait qu'Amelia Erhardt avait été une personne remarquable et un jalon important dans l'histoire de l'aviation. D'après lui, elle était un bon exemple de ce que la volonté et la détermination peuvent faire accomplir à une personne sûre d'elle-même. Il a donc décidé, à ma naissance, de me donner son prénom... mais, honnêtement, Claude, je n'ai jamais piloté d'avion; je n'ai donc rien fait qui ressemble de près ou de loin à la vraie Amelia.

— Bah! ce n'est pas donné à tout le monde de jouer les filles de l'air, n'est-ce pas? Mais votre prénom vous va à ravir et est aussi exceptionnel que la jeune femme qui le porte, ajouta-t-il, avec un regard entendu à Amelia.

Elle ne répondit pas au compliment, et le repas se termina dans une atmosphère tout aussi chaleureuse. L'addition fut demandée, apportée, et le couple se prépara à partir. Claude laissa un pourboire sur la table, alors qu'Amelia reprenait sa serviette, et tous deux vinrent se placer à la file, derrière trois autres clients qui les précédaient à la caisse. En même temps, l'inconnu se mettait à la file, alors qu'une seule cliente le séparait de Claude et d'Amelia, laquelle tenait sa serviette de la main gauche, la laissant pendre négligemment.

Au moment où Claude allait payer l'addition, Amelia laissa échapper un cri de douleur. Elle venait de recevoir un coup du tranchant de la main de l'inconnu sur son avant-bras, lui faisant échapper sa serviette. En moins d'une seconde, l'homme la ramassait et courait vers la sortie.

Dans son énervement, il ne vit pas la serveuse qui revenait de la table où le couple avait mangé, et il l'accrocha durement. Bousculée, elle perdit l'équilibre, échappant les plateaux contenant la vaisselle, qui s'écrasa au plancher et s'y répandit dans un bruit de verre cassé. La fille parvint à se retenir au dossier d'un banc, alors que l'inconnu s'aplatissait sur les portes vitrées, qu'il ne défonça heureusement pas, en tenant toujours la serviette dans sa main.

Claude ne prit pas de temps à réagir. Il se précipita sur l'étranger et agrippa la serviette à deux mains, puis voulut la tirer à lui; mais l'homme, de sa main libre, lui donna un solide direct sur la joue droite. Sous le coup, Claude fut brutalement rejeté vers l'arrière, entraînant avec lui la serviette. Il alla s'affaler sur une table proche qui venait d'être desservie.

Des gens s'étaient exclamés devant la scène, alors que d'autres s'étaient levés de leur table. L'attaquant, voyant son coup manqué, ne perdit pas une seconde. Il ouvrit la porte et courut dehors, sous les cris de la serveuse et les apostrophes des clients étonnés. En moins de deux, il s'engouffrait dans la Chevrolet qui passait en vitesse devant le restaurant, et l'auto vira sur les chapeaux de roues au coin de la rue, disparaissant dans le flot des véhicules.

L'incident avait causé tout un émoi. Les gens y allaient de leurs commentaires, et le gérant du restaurant vint rejoindre Claude pour avoir des explications. Mais le jeune homme lui-même ignorait complètement la raison de cet assaut brutal. Il le dit carrément au gérant, et ce dernier calma les clients les plus choqués par l'événement, s'excusant aussi auprès d'eux pour le trouble et le dérangement occasionnés par cette affaire. Il les assura que le coupable était connu de la police, et que celle-ci venait d'être avertie.

Amelia fit apporter un linge mouillé et humecta la joue de Claude, alors qu'elle-même se massait l'avant-bras endolori par le coup de l'inconnu. Heureusement, son ami n'avait rien de cassé à la mâchoire, et seul le choc lui résonnait encore dans la tête... Il se remit de ses émotions, tenant toujours le linge mouillé sur la joue, et insista auprès du gérant pour qu'il laisse la police en dehors de cette histoire. Il ne voulait pas porter plainte, mais seulement reprendre ses sens. Quant aux dommages causés, il les remboursa lui-même au gérant et offrit une compensation à la serveuse, qui, en réalité, avait eu plus de peur que de mal. Amelia lui frotta la mâchoire dans l'intention de diminuer un peu la douleur qui, de lancinante qu'elle était, devenait plus supportable; et puis la présence même de la jeune femme et ses bons soins suffisaient à redonner à Claude sa vigueur habituelle.

Enfin, ils décidèrent de quitter l'établissement. Le temps avançait, et Amelia devait faire son inscription à l'hôtel. Le couple revint donc à la Honda, l'Américaine serrant plus fortement que jamais sa serviette contre elle et jetant des coups d'oeil inquiets alentour. Elle avait hâte d'être arrivée à sa chambre, où elle se sentirait en sécurité.

En cours de route, Claude essaya de savoir d'Amelia ce que la serviette pouvait contenir de si précieux pour qu'on tente ainsi de la lui enlever de force. Il proposa de l'ouvrir et de lire les papiers tout de suite, mais devant le rappel de la promesse qu'elle avait faite à son père, il n'insista pas et l'amena à l'hôtel.

Il gara son auto, sortit la valise de la jeune femme, et l'accompagna au bureau de réception. Il s'assura que la chambre de l'Américaine était bien prête à la recevoir, et y monta avec elle. Un porteur le soulagea de la valise et les suivit à l'étage. Amelia gardait toujours précieusement les documents remis par le savant. Ils entrèrent dans la chambre. Amelia donna un pourboire au porteur et, fatiguée, s'assit lourdement dans un fauteuil, les bras ballants, jetant la serviette sur le lit. Elle se reposa pendant un moment, alors que Claude passait dans la salle de bains pour appliquer une débarbouillette humide sur sa joue légèrement enflée.

Il revint vers Amelia, qui ne put s'empêcher de sourire en voyant l'ecchymose qui donnait un peu de couleur à son visage. Il se pencha vers elle et, ce faisant, son regard plongea dans le décolleté de la blouse. Il s'y attarda quelques secondes, et la journaliste lui dit, en le tapotant amicalement sur la joue:

— Allons... Vous n'êtes pas si blessé que ça, après tout... Je pense que vous allez vous en remettre rapidement...

Il s'assit sur le lit, en face d'elle, et lui dit qu'il aimerait bien prendre le petit déjeuner en sa compagnie, le lendemain matin, si cela ne la dérangeait pas trop dans son horaire. Il ajouta qu'il pourrait venir la chercher à sa chambre à huit heures, pour ensuite descendre avec elle au restaurant de l'hôtel. Amelia accepta avec plaisir et lui fit savoir qu'elle voulait maintenant se reposer pendant une partie de l'après-midi, puisqu'elle préparerait ensuite son reportage sur le congrès débutant le lendemain. Il lui prit tendrement la main, et leurs yeux ne se quittèrent pas pendant un instant. Ils ne dirent mot ni l'un ni l'autre.

Puis il prit congé et revint au journal. Au cours de l'après-midi, il eut de la difficulté à terminer son article. Il pensait à l'incident du restaurant, et ne parvenait pas à chasser Amelia de son esprit. C'était bien la première fois que de telles choses (l'attentat et la rencontre avec une femme si charmante) lui arrivaient dans la même journée. Il avait remarqué qu'il ne semblait pas lui être indifférent non plus. Il termina son travail et réintégra son appartement. Il était heureux. Il soupa en écoutant de la musique, puis ajouta quelques notes à son article déjà écrit. Il prépara son matériel pour qu'il fût prêt à être utilisé le lendemain, jour d'ouverture du congrès médical. Il consistait en un magnétophone portatif, un calepin, des stylos à bille et des notes personnelles.

Tout fut bientôt en ordre. Il se coucha de bonne heure afin de pouvoir se lever frais et dispos le mardi matin. Le sommeil tarda à venir, mais, finalement, Claude s'endormit...

CHAPITRE 7

Mardi, 22 juillet
7 h
Montréal, Québec

À nouveau, la musique réveilla Claude en douceur et le tira de ses rêves où le visage d'Amelia revenait par intermittence. Il avait particulièrement bien dormi, et se sentait vraiment d'attaque pour aborder ce congrès qui serait certainement animé, à cause de ses nombreux participants aux idées partagées. Depuis quelques jours, les congressistes étaient arrivés au Reine-Élisabeth, et l'agitation n'en était que plus apparente dans la section de l'hôtel qui leur avait été réservée. Des changements dans les réservations de chambres se produisaient toujours immanquablement, et la direction faisait tout son possible pour remédier aux mille et un petits problèmes d'ordre administratif.

La grande salle de conférence où devait se tenir chaque séance quotidienne avait été préparée, les organisateurs ayant vu à ce que tout se déroulât selon l'horaire prévu: discours d'éminents spécialistes, projections de films ou de diapositives sur les thèmes discutés, confrontations entre partisans d'options différentes, périodes réservées aux questions de la presse, etc. Dans l'ensemble, les activités avaient été bien planifiées, et déjà le congrès promettait d'être un des plus importants à avoir jamais eu lieu à Montréal.

C'est donc en pleine forme que Claude se leva ce matin-là. Il prit le temps de faire sa toilette pour être présentable. Même si Amelia et lui ne devaient se côtoyer qu'à titre de confrères, cette fois il tenait à se montrer sous son jour le plus favorable. Il ne but qu'un café fort et sortit de son appartement. Il avait le coeur en fête. Il alla prendre la Honda au parking, donna un généreux pourboire au gardien, et se dirigea vers le Reine-Élisabeth. Il gara l'auto dans un des nombreux stationnements environnants et, lentement, marcha vers l'hôtel. En entrant, il ne porta pas attention à un des nombreux clients qui, au bureau de réception, venait de s'informer du numéro de chambre d'Amelia et remerciait l'employé. Comme il était un peu tôt, Claude flâna quelques minutes dans le hall, en attendant que l'horloge indique huit heures.

Enfin, toujours de bonne humeur, il entra dans un ascenseur, suivi d'un couple et du «client» qui, à la dernière seconde, fut rejoint par un serveur du restaurant de l'hôtel, sortant d'une pièce dont une plaque, sur la porte, indiquait «réservé au personnel». L'ascenseur monta et s'arrêta à l'étage. Le couple resta à l'intérieur, alors que Claude sortit, ainsi que les deux hommes, dont il avait à peine remarqué la présence, tellement son esprit était occupé ailleurs.

Arrivé devant la porte de la chambre d'Amelia, il frappa. Il entendit aussitôt sa voix suave qui demandait:

— *Yes, who is it?*

— Heu... C'est moi, mademoiselle Rockford... pardon, c'est Claude Tremblay...

— Ah! C'est vous!... C'est vrai, vous m'aviez promis de venir me chercher pour le petit déjeuner, ce matin... Un moment, s'il vous plaît, j'ouvre tout de suite.

Il entendit le déclic dans la serrure, et Amelia ouvrit la porte. Elle avait changé de vêtements, mais était toujours ravissante avec son chemisier à manches courtes qui moulait bien ses rondeurs et un pantalon qui mettait en évidence sa taille svelte, ses hanches bien découpées et ses fesses charnues.

Elle le fit entrer et referma la porte, alors que les deux hommes, surpris par l'arrivée imprévue du journaliste à la chambre d'Amelia, s'étaient placés devant une autre chambre et donnaient l'impression d'être en grande conversation.

Claude renouvela ses compliments à la jeune femme, et elle sentit qu'il était sincère. Elle remarqua le regard admiratif qu'il lui jetait et elle lui sourit. Elle dit:

— Je vois que vous êtes ponctuel et fidèle à vos rendez-vous... Si cela ne vous dérange pas trop, je vais terminer de me sécher les cheveux, dans la salle de bains. Installez-vous à l'aise dans le fauteuil, ce ne sera pas long.

Elle passa sa main sur la joue de Claude et constata que l'enflure diminuait un peu. Puis elle retourna dans l'autre pièce, située à gauche de la porte d'entrée de la chambre.

Le journaliste entendit le bruit caractéristique du séchoir à cheveux éjectant l'air chaud. En parlant fort pour se faire entendre par-dessus le bruit de l'appareil, il demanda:

— Votre serviette, vous l'avez bien toujours avec vous?

— Oui, répondit-elle en haussant la voix elle aussi. Elle se trouve dans le tiroir du bureau, à côté du lit. Vérifiez, si vous le voulez...

Il se leva et ouvrit le tiroir; la serviette reposait là, sagement, à côté de la traditionnelle Bible chrétienne. Il s'apprêtait à le refermer, lorsqu'on cogna durement à la porte. Claude sursauta, et Amelia dut entendre les coups, car elle dit, sur un ton élevé:

— Claude, soyez gentil... J'ai demandé à la direction de livrer à ma chambre les journaux du matin. Voulez-vous vous occuper de cela, s'il vous plaît?

Surpris dans le cours de ses pensées et ravi de rendre service à Amelia, il alla à la porte, laissant le tiroir ouvert. Il ne l'avait pas sitôt déverrouillée qu'elle fut brusquement poussée vers lui, le rejetant du même coup au centre de la pièce. En même temps, un homme, vêtu d'un veston et d'un pantalon marron, pénétrait de force dans la chambre, pointant vers Claude un pistolet automatique et l'en menaçant. Il était suivi d'un serveur de l'hôtel, plus jeune, lequel referma doucement la porte derrière lui. Claude reconnut les deux hommes qui étaient sortis de l'ascenseur avec lui, au moment où il arrivait à l'étage. Pendant deux secondes, tous restèrent figés sur place; puis le plus âgé, fouillant rapidement la pièce de son regard, vit le tiroir entrouvert, à l'intérieur duquel se trouvait justement ce qu'il cherchait. Il s'exclama:

— Ah! Exactement ce que nous voulons. Eh bien, on pourra dire que l'affaire a été réglée rapidement... Le coup du serveur d'hôtel n'aura même pas été utile.

Il se dirigea vers le bureau, menaçant toujours Claude de son pistolet. Au même moment, Amelia, intriguée par ce qui se passait dans la chambre, ouvrit la porte de la salle de bains, surgissant en plein entre l'homme au pistolet et le serveur. En voyant l'homme armé, elle fut tellement ébahie qu'elle laissa échapper malgré elle:

— Mais... Que diable...!

L'arrivée soudaine d'Amelia causa une seconde de distraction chez le plus âgé, et Claude mit à profit cette interruption subite. Il saisit brusquement la main de l'homme en même temps qu'il l'empoignait à la gorge, et le plaqua contre le mur près du bureau. Mais le serveur réagissait lui aussi et, attrapant Amelia par les poignets, il la repoussa dans la salle de bains pour l'y enfermer. Elle ne put résister à la forte poussée de son adversaire et recula dans la pièce, alors que Claude et l'inconnu tentaient mutuellement de s'étrangler.

Amelia sentit qu'elle n'aurait pas le dessus avec le serveur. Elle parvint à le griffer avec ses ongles, l'obligeant à lâcher prise pendant un instant. Elle ne perdit pas de temps et s'empara en vitesse de son séchoir toujours en fonctionnement, dirigeant le jet d'air brûlant dans ses yeux. Il eut un cri et recula, puis décocha un coup de poing dans l'abdomen d'Amelia. Le souffle coupé, elle se plia vers l'avant en geignant.

Claude entendit sa plainte. La croyant blessée, il réunit toutes ses forces et, dans un sursaut, remonta brusquement son genou dans les testicules de son adversaire. L'homme émit un cri rauque et tomba à genoux en continuant de se lamenter, lâchant le cou de Claude et laissant tomber son arme. Libéré, le journaliste se précipita vers la salle de bains.

Voyant Amelia aux prises avec le serveur, il cria, pour détourner son attention:

— Lâche-la, espèce de m...

L'autre la lâcha effectivement et se tourna vers lui, un rictus déformant ses traits. Il sortit soudainement de sa veste un long couteau à cran d'arrêt et il en fit jaillir la lame d'un coup sec. Cette fois, le combat était inégal, et Claude ne voyait pas de quelle manière il allait se sortir de ce pétrin...

Tandis que l'homme au couteau s'avançait lentement vers lui, le sourire cynique aux lèvres, il aperçut le seul moyen de défense qui s'offrait à lui. Saisissant à deux mains le téléphone qui reposait sur une petite table, à côté de l'entrée de la salle de bains, il le souleva et, de toutes ses forces, le lança sur le visage du serveur, qui ne s'attendait pas à cette riposte. L'appareil le frappa de plein fouet, rebondit et tomba au sol en faisant entendre un bruit de clochette percutant, et le récepteur se sépara du reste de l'appareil. Sous le choc, le serveur perdit l'équilibre, échappa son couteau et recula vers la baignoire. Claude n'attendit pas: il lui expédia tout de go un direct au ventre, puis lui ramena un uppercut sur le menton. Le serveur fut alors repoussé sur le lavabo, essaya de se retenir à l'étagère supportant les verres à boire et quelques fioles appartenant à Amelia, mais ne réussit qu'à les accrocher et à les projeter sur le plancher de céramique, et tomba finalement dans la baignoire, où il se heurta la tête contre les robinets; blessé, il s'évanouit, et un filet rouge se répandit dans le tub.

Claude ne perdit pas son sang-froid. Il restait encore l'autre qui gémissait près du bureau. Il se retourna pour sortir de la salle de bains et aller lui donner une bonne leçon, à lui aussi; il passa devant Amelia, dont la respiration revenait à la normale, et il n'eut que le temps de voir l'inconnu qui filait en vitesse, amenant avec lui la serviette de cuir; il l'avait enlevée du tiroir et quittait la chambre, possédant enfin ce qu'il était venu y chercher.

Le journaliste l'accrocha par le col du veston au moment où il sortait de la pièce, mais le fuyard riposta avec un coup de coude brutal porté au thorax. Claude s'arrêta sur place, lâchant sa prise, la douleur le saisissant et le faisant grimacer, alors que l'inconnu détalait à toutes jambes et descendait en vitesse l'escalier menant au rez-de-chaussée. Le jeune homme dut s'appuyer au mur pour se remettre du coup reçu. Péniblement, il revint dans la chambre et alla retrouver Amelia qui, elle aussi, récupérait après l'attaque dont elle avait été la victime. Il la prit par les épaules et l'aida à sortir de la salle de bains; sur le pas de la porte, elle se retourna et, voyant son agresseur qui gisait inconscient dans la baignoire, ainsi que les fioles de parfum brisées au sol, le téléphone séparé en ses deux parties et le tiroir du bureau jeté au plancher, elle s'exclama, avec la voix étreinte d'émotion:

— Mon Dieu... Quel gâchis... C'est terrible!

Puis, se reprenant, elle alla s'asseoir sur le lit, en même temps que le journaliste:

— Mon pauvre ami, qu'est-ce qui se passe ici? Deux fois, on a tenté une attaque contre nous deux; je n'aurais jamais pensé que cette serviette me causerait... heu... nous causerait tant de problèmes...

Elle soupira et se rapprocha de lui, continuant ses réflexions:

— Je me demande si mon père savait bien ce qu'il faisait en me donnant cette serviette... Hum... Je pense que s'il avait su d'avance ce qui se passerait ici, il aurait évité de me la remettre... Pauvre Jonathan!... lui qui ne voulait pas que je me fasse du souci sur son sort!... Me voilà mêlée à quelque chose qui ressemble bien à une histoire d'espionnage... Qu'en pensez-vous, Claude?

— Je ne le sais pas encore, chère Amelia. Il y a trop de détails qui nous manquent pour pouvoir échafauder une hypothèse valable. Mais, chose certaine, votre père ne s'attendait sûrement pas que vous soyez impliquée si dramatiquement dans une telle histoire, comme vous dites... D'après vos propres paroles, il a une grande estime pour vous et vous fait confiance en tout, puisqu'il s'est risqué à briser le secret auquel il était tenu... Non, vraiment, je ne sais que dire... Je ne comprends absolument pas comment des individus, à Montréal, ont réussi à connaître l'importance des documents que vous transportiez, ni pourquoi on a tenté, à deux reprises, de vous les enlever de force... Et cette fois, malheureusement, la tentative a réussi...

Claude se leva et marcha un peu dans la chambre; Amelia en fit autant. Ce faisant, ils virent le truand qui, toujours étendu dans la baignoire, se lamentait de plus belle et tentait, avec difficulté, de se relever de sa fâcheuse position. Claude alla vers lui, accompagné d'Amelia, qui redoutait de voir le blessé reprendre complètement ses esprits et récidiver, malgré sa faiblesse apparente.

— Rien à craindre, Amelia; il a reçu un solide coup sur la tête et il est très mal en point; je ne pense pas qu'il ait l'idée de revenir à la charge, amoché comme il l'est à présent...

— Qu'allons-nous faire, Claude? C'est vraiment une situation... heu... imprévue... Je suis complètement dépassée par tous ces événements qui se produisent depuis hier.

— Bon, reprenons notre calme et notre lucidité... D'abord, appelons la direction, afin qu'on nous envoie un des gérants de l'hôtel et le détective privé de l'établissement... Ensuite, nous aviserons.

Il prit le téléphone et le remit sur la table; l'appareil fonctionnait encore malgré le mauvais traitement qu'il avait reçu. Claude fit mander ces deux personnes, leur disant que quelque chose de grave venait de se produire dans la chambre de la journaliste.

Au bout de quelques instants, les deux hommes furent dans la chambre. Le gérant n'en revenait pas qu'un tel «incident» ait pu se produire, surtout que le «serveur» était totalement inconnu dans le service du personnel. Ce dernier, sitôt revenu à lui, se retrouva menottes aux poings et sous bonne garde, pendant que le détective lui faisait un pansement temporaire à la tête. La police fut alertée, cette fois, et, en attendant qu'elle arrive, le gérant tenta de savoir où était passé le vrai serveur dont le bandit avait pris l'uniforme. Celui-ci leur indiqua le vestiaire où il avait enfermé le propriétaire du costume, après l'avoir surpris et assommé alors qu'il le revêtait. Mais il se refusa à dire quoi que ce soit d'autre et garda un mutisme total.

Claude et Amelia se réconfortaient mutuellement, tentant d'éluder les questions pressantes que le gérant leur posait sans cesse; il aurait bien voulu savoir la raison des agissements des deux voleurs, mais le couple ignorait encore ce dont il s'agissait... ou, du moins, l'idée qu'ils avaient eue tout à l'heure était encore trop vague, trop imprécise, pour être considérée sérieusement.

Enfin, la police arriva discrètement comme l'avait demandé le gérant, afin de ne pas effaroucher inutilement les clients de l'hôtel ni perturber, surtout, le programme d'ouverture du congrès, qui devait avoir lieu dans quelques heures. Le lieutenant-détective Allaire prit l'affaire en mains. Il enregistra la déposition commune du couple, ne comprenant pas les motifs qui avaient poussé ces deux hommes, ainsi que les deux autres de la journée précédente (et qui étaient certainement des complices), à agir comme ils l'avaient fait, et Amelia se garda bien de lui révéler son secret.

Mais, maintenant que sa serviette avait bel et bien été volée, elle était partagée intérieurement, se demandant quel était son devoir: celui de fille honnête avec elle-même, gardant la parole donnée, ou celui de citoyenne dévouée ayant à coeur d'aider les autorités dans leur tâche, même s'il ne s'agissait pas de sa ville natale? Elle était d'autant plus remuée que son confrère québécois avait été la principale victime de tous ces démêlés avec la pègre (elle pensa à cette organisation, à défaut de savoir qui étaient réellement les quatre vauriens), alors qu'elle était plus vraisemblablement la personne visée dans l'affaire. Elle pensa également que Claude n'était déjà plus le simple confrère rencontré le jour précédent, car son coeur lui disait que...

Le lieutenant-détective termina l'interrogatoire et passa la chambre au peigne fin, histoire de découvrir peut-être un indice quelconque, mais le pistolet avait été emporté par le complice du «serveur». De toute façon, la police détenait un suspect, et le lieutenant-détective Allaire mentionna au couple qu'il y aurait certainement bientôt des développements intéressants et qu'il les convoquerait à ce moment. Sur ce, chacun quitta la chambre, et Claude et Amelia purent se remettre de leurs émotions. Le journaliste récupéra un peu de sa bonne humeur et dit:

— Décidément, très chère, nous avons vécu beaucoup de choses depuis vingt-quatre heures. Je ne pensais pas vivre toutes ces aventures en devenant votre escorte personnelle, Amelia... Vous, alors, vous en faites passer de belles à vos chevaliers servants! Ce n'est pas un métier de tout repos que vous avez...

— Oui, c'est vrai, répondit-elle, s'efforçant de sourire; il ne m'est pas arrivé tant de choses au cours de mes reportages précédents. Je suis très désolée pour vous, *dear*. J'espère que vous ne m'en voulez pas trop après tous ces événements terribles, ajouta-t-elle d'un air attristé.

— Mais non, mais non. Cela devait arriver, et c'est arrivé, c'est tout! répondit-il en lui prenant les mains. Ne vous sentez responsable de rien, Amelia; il y a certainement une explication logique à tout cela.

Elle réfléchit un peu, puis se dirigea vers le téléphone; elle appela le standard de l'hôtel et demanda une communication interurbaine avec New York, donnant le nom du professeur Jonathan Rockford comme correspondant, et attendit que l'appel fût placé.

Claude se rapprocha par derrière et la prit par les épaules; malgré tous les faits déroutants qui venaient de se produire, Amelia était calme et gardait la tête froide. Il se permit de lui donner un bref baiser dans le cou, sous l'air faussement réprobateur de la jeune femme; puis le visage d'Amelia s'épanouit et elle dit en anglais:

— *Hello,* papa. C'est bien toi, oui? ... Oui, c'est moi, Amelia; je t'appelle de Montréal pour te faire savoir que je suis bien arrivée, hier... Oui, tout va assez bien, ici. Est-ce que ça va, toi?

Elle entendit son père qui, à l'autre bout du fil, lui répondait, en même temps qu'elle perçut un bruit de vaisselle frappée sur du métal. Jonathan reprit:

— Je suis surpris de recevoir un appel de toi, Amelia. Je me préparais justement à dîner dans la cuisine; j'ai amené le téléphone du living-room dans cette pièce, grâce au long fil que j'y ai fait ajouter, tu te souviens? Mais, dis-donc, pour quelle raison m'appelles-tu? J'espère qu'il ne t'est rien arrivé de grave, ma fille?

— Heu... C'est-à-dire... tu sais, papa, j'ai rencontré le collègue du journal canadien dont je t'ai parlé, tu te rappelles? ... Oui, c'est ça, le correspondant du journal local.. C'est un garçon aimable, et... très charmant, aussi... Oui... Il est même très attaché à son travail, ajouta-t-elle alors que Claude lui caressait gentiment les cheveux.

Elle hésita avant de continuer, s'interrogeant sur la manière de présenter à Jonathan l'incident de l'hôtel; elle ne savait comment il réagirait en l'apprenant. Mais, connaissant son caractère ferme, elle le lui dit presque sans détour:

— Tu sais, papa... j'ai quand même une nouvelle importante à te dire... Voilà... heu... (elle s'éclaircit la voix), la serviette que tu m'avais donnée... eh bien! en fait elle a été... Pour te dire la vérité, papa, la serviette m'a été volée ce matin. Je...

— Quoi! s'exclama Jonathan, manquant de renverser le percolateur. Ne me dis pas que...

— Hélas oui, papa... J'avais pourtant été très prudente depuis mon départ de la maison et j'avais suivi tes conseils à la lettre. Pourtant, ici, à Montréal, on a essayé, à deux reprises, de me l'enlever; et la dernière tentative a réussi.

— Mais voyons, ce n'est pas possible, ma chérie. Il n'y avait que toi et moi qui connaissions son existence. Je te l'ai donnée ici-même, dans le living-room, sans autre témoin pour nous voir ou nous entendre... À moins que...

Jonathan s'interrompit quelques secondes pour réfléchir. Amelia, qui n'entendait plus que le bruit du café bouillonnant dans le percolateur, l'appela plus fort dans le récepteur:

— Allô, papa? Tu es toujours là? Est-ce que tu m'entends bien?

— Oui, oui, Amelia, je suis encore au téléphone, je t'écoute... Que disais-tu?

— Heu... Je me demandais si tu pouvais avoir une idée des auteurs de ce vol... J'espère que tu n'es pas fâché contre moi: je sais l'importance que tu attachais à ces papiers, et je sais aussi qu'ils ne devaient pas être rendus publics. Je me sens coupable de leur perte; je...

— Non, ne t'en fais pas pour ça, Amelia... S'il y a un vrai coupable à blâmer dans toute cette histoire, c'est bien moi. Je n'aurais pas dû t'impliquer dans une affaire qui aura des conséquences si grandes pour l'humanité... Je suis le seul responsable, et c'est sur moi que tu dois rejeter la faute, Amelia chérie... Je ne doute pas de ton honnêteté, loin de là... La situation a pris des proportions auxquelles je ne m'attendais pas... Je vais tenter d'y remédier, ici... Je te le répète, Amelia, ne te fais pas du mauvais sang à cause de ça...

Tout en parlant, Jonathan s'était versé une tasse de café qu'il déposait sur un plateau comprenant un *TV-Dinner* qu'il se préparait à aller manger dans sa salle d'étude tout en y travaillant.

Pendant ce temps, à l'autre bout du fil, Claude, placé derrière Amelia, l'avait entourée avec ses bras, au niveau de la taille, et commençait à la serrer tendrement contre lui, tout en restant silencieux pour ne pas déranger la jeune femme dans son entretien. Elle se sentait bien, ainsi, dans ses bras, et appuya sa tête sur la poitrine de son compagnon; cette sollicitude de sa part et le bonheur naissant qu'elle éprouvait compensaient, d'une certaine façon, la peine qu'elle ressentait en sachant qu'elle venait peut-être de jeter son père dans une situation embarrassante.

Jonathan termina la conversation en essayant de remonter le moral de sa fille:

— Amelia, ne te préoccupe plus de ce qui vient de se produire à Montréal. Tâche de te remettre d'aplomb et oublie cela, même si, comme je m'en doute, ce que je te demande peut être difficile pour toi. Pense maintenant au congrès médical qui doit débuter cet après-midi et prépare-toi en conséquence, afin de pouvoir réaliser un autre de ces reportages sensationnels dont je te sais capable... D'après ce que j'ai cru comprendre, tu aurais l'aide et la collaboration d'un confrère qui t'est sympathique... Profites-en et fais mes salutations à ce journaliste. Maintenant, je te quitte; j'ai beaucoup à faire, ici. Bonne chance, Amelia. *Bye!*

Il raccrocha, un peu trop rapidement au goût d'Amelia. Mais elle savait que son père était surchargé de travail et ne disposait que de peu de moments de loisir. De plus, il venait de la rassurer en lui disant de ne pas s'inquiéter outre mesure avec l'incident de l'hôtel et en lui affirmant qu'il pouvait remettre les choses en ordre.

Elle soupira et se tourna vers Claude, qui la reçut avec un baiser sur le front. Il lui dit:

— Avec toutes ces aventures, nous n'avons pas encore mangé. Ces émotions m'ont creusé l'appétit. Tu viens prendre une bouchée, *honey?*

Elle sourit à ce premier mot gentil qu'il lui eût dit en anglais, depuis son arrivée à Montréal; de plus, elle avait remarqué le tutoiement qui, maintenant, représentait une plus grande intimité entre eux. Elle accepta l'invitation, et le quitta pour un moment. Elle remit de l'ordre dans ses cheveux, se maquilla légèrement, et revint vers Claude. Elle était prête. Ils descendirent au restaurant de l'hôtel et y prirent un repas copieux.

Dans la salle à manger, on sentait l'effervescence du congrès qui allait débuter dans une heure à peine. Plusieurs confrères journalistes et vulgarisateurs scientifiques y discutaient, et les propos allaient bon train. Tout en pensant au congrès, Amelia et Claude échangeaient des regards et des mots qui n'avaient aucun rapport avec les techniques neurophysiologiques de la psychobiologie, qui devaient y être discutées tout à l'heure.

À la fin du dîner, ils sortirent de la salle à manger et se dirigèrent vers celle du congrès. Puis Amelia s'absenta un moment pour aller chercher, dans sa chambre, le matériel nécessaire à son travail: appareil photographique, calepins, crayons, magnétophone, etc., pendant que Claude l'imitait en se rendant à son auto.

Ils revinrent à temps pour l'ouverture de l'assemblée médicale et se placèrent dans les sections réservées aux médias d'information, lesquels, pendant une semaine, renseigneraient le public sur les tenants et les aboutissants de la réunion tant espérée, depuis si longtemps, par certains chercheurs et par quelques groupes sociaux.

CHAPITRE 8

Mardi, 22 juillet
12 h 20
Long Island, New York, États-Unis

Dès qu'il eut reposé le combiné sur la table de la cuisine, Jonathan Rockford devint terriblement inquiet. Il ne pouvait y croire. Alors qu'il avait pris toutes les précautions imaginables pour ne pas ébruiter la chose, ne voilà-t-il pas qu'une fuite, justement, allait saboter le plan si bien réfléchi et méticuleux qu'il avait préparé pour avertir sa fille, à l'insu des autres.

Il ne parvenait pas à accepter la situation. Comment des hommes, et de surcroît résidant à Montréal, avaient-ils pu savoir que sa fille transportait des papiers importants et, fait plus troublant encore, qu'ils étaient dissimulés dans la serviette? Cela semblait vraiment inexplicable! Personne n'avait pu être témoin de la remise des documents à Amelia ni apprendre le contenu de la serviette; personne, réellement... à moins que...

Soudain, l'éclair de vérité surgit dans son cerveau; en une seconde, il devina ce qui avait dû se passer au moment où il avait reçu sa fille et l'avait invitée à discuter un peu avec lui, dans le living-room. Au même instant, il eut la certitude que son intuition (ou plutôt son hypothèse, car ce terme parut plus scientifique à son raisonnement) était la bonne. Il en était même tellement certain qu'il se leva brusquement de la chaise sur laquelle il était assis, dans la cuisine, risquant à nouveau de renverser le percolateur rempli de café bouillant. Il se dirigea vers le living-room mais revint sur ses pas aussitôt. Il fallait qu'il mette d'abord de l'ordre dans ses idées et reprenne le problème au début.

«Bon, pensa-t-il; ON a appris que j'avais remis une serviette à Amelia, contenant des documents en rapport avec le projet mis sur pied par le gouvernement, grâce, assûrément, à un micro-émetteur caché quelque part dans le living-room. Ceux qui ont préparé le terrain devaient connaître assez bien mes habitudes de vie car, en fait, je reçois toujours mes invités dans cette pièce, les autres étant trop encombrées de toutes mes paperasses et peu propices à cela. Donc, logiquement, c'est le living-room qui a été piégé.

«Par le fait même, ON a su que je remettais cette serviette à Amelia et ON a ensuite tenté de la lui enlever... Oui, c'est bien, mais quelque chose cloche, ici! Si l'ON a su qu'Amelia se rendait à l'aéroport Kennedy avec ces papiers, pourquoi a-t-on attendu qu'elle soit arrivée à Montréal pour l'attaquer? Il me semble que cela aurait été plus facile pour ceux qui nous écoutaient de le faire avant même qu'elle arrivât à l'aéroport... À moins que... Oui, c'est probable... ON a certainement voulu l'intercepter bien avant ce moment mais, pour une raison que j'ignore. ON ne l'a pas fait... ou, plutôt, ON l'a fait mais le coup n'a pas réussi. Oui, ce doit être ça, car Amelia ne m'a pas parlé d'une tentative d'enlèvement des documents ici, à New York; donc, elle n'en a pas été consciente...»

À cette dernière pensée, Jonathan frémit en imaginant le sort qui aurait pu être réservé à sa fille, puis il éloigna de lui ces tristes idées. Il avait mieux à faire. Par son esprit méthodique et son habitude à bien poser les inconnues d'un problème technique, il essayait de mettre en place les pièces du puzzle concernant l'attaque dont Amelia avait été la victime à deux occasions. Elle était bien la dernière personne au monde à qui il souhaiterait du mal, et il se morigénait fortement de l'avoir entraînée dans cette malheureuse histoire.

Il se versa une autre tasse de café chaud et poursuivit ses déductions.

«Donc, ma maison est piégée, et cela, même à l'insu des gars de la C.I.A., qui, eux, m'espionnent de l'extérieur, dans leur auto... Bon Dieu! il faut faire quelque chose, avertir le chef de cette section du service des renseignements, même si, pour cela, je dois avouer la faute que j'ai commise en voulant faire partager mon secret à ma chère Amelia...»

Il se leva à nouveau, mais se rassit aussitôt. Il décida d'échafauder une mise en scène pour prendre contact avec les hommes de la C.I.A., sans mettre la puce à l'oreille de ceux qui l'écoutaient secrètement. Il pensa:

«Il faut que je trouve une raison valable, sans éveiller leurs soupçons, pour sortir de la maison et parler aux gars, dehors... Mes «auditeurs» doivent savoir que ma maison est surveillée, sinon ils l'auraient déjà visitée ou même envahie pour y chercher ce qu'ils veulent... Voyons, comment faire, quel truc trouver pour...?»

Il s'arrêta pile: son regard venait de tomber sur le percolateur où bouillonnait encore le café qu'il avait préparé. Une idée lui vint à l'esprit, mais il la repoussa d'abord devant l'effort de volonté qu'elle demanderait. Puis il se rendit compte que c'était là le seul moyen idoine, pour le moment et à cause de sa situation, d'essayer de sauver sa fille et, peut-être, de racheter son erreur auprès des gens du service de renseignements. Résolument, il décida de mettre son plan en action.

Plus loin, les trois révolutionnaires continuaient d'écouter attentivement les allées et venues de Jonathan dans sa demeure. Ils n'avaient pas encore été avertis du succès de la mission de leurs correspondants à Montréal, et ils s'attachaient à suivre de près les moindres paroles du scientifique. Rusty demanda:

— Alors, le vieux est-il toujours dans la cuisine?

— Oui, oui... Et la chance n'est pas avec nous. D'après le bruit que j'entendais avant qu'il ne réponde au téléphone, il devait se préparer un lunch, mais il a emmené l'appareil dans la cuisine, dépassant le champ auditif du micro... et il y avait aussi le café qui pétait à gros bouillons à côté de lui... Merde! je donnerais cher pour savoir qui l'a appelé! Il... Ha! silence!... je pense qu'il revient avec son maudit percolateur et son dîner... On entend la vaisselle qui résonne; il a dû la mettre sur un plateau et...

Soudain, l'homme aux écouteurs et ses deux comparses sursautèrent. Un juron proféré par le savant, puis un bruit de vaisselle tombant à terre et s'y cassant, ainsi que celui d'un récipient rempli de liquide qui éclabousse le sol, s'entendirent dans le système d'écoute, amplifiés par un haut-parleur. Presque aussitôt, ils perçurent un gémissement de douleur assez prononcé, venant du savant. Ce dernier se lamentait en disant:

— Mon Dieu! mon Dieu!... Ah! que j'ai mal au bras!... Je suis brûlé... Il faut faire quelque chose, vite... Ah! que j'ai mal! Je dois aller à l'hôpital, en vitesse.

Il marcha vers la porte, se tenant le bras brûlé par le café bouillant, et l'ouvrit.

Ted l'entendit alors qu'il quittait le living-room et fermait bruyamment la porte. Il dit aux autres:

— Voilà bien une autre affaire, maintenant! Rockford s'est ébouillanté et il va certainement aller demander de l'aide aux gars qui le surveillent...

— Est-ce qu'on tente une visite chez lui, Ted? Ce serait une bonne occasion...

— Non, pas de ça! Un échec, c'est assez! Et puis c'est encore trop risqué, avec les «gorilles»» qui gardent le vieux! On laisse tomber! On aura peut-être l'occasion, plus tard... Et puis nos gars de Montréal ont dû se grouiller le cul, entre-temps. Attendons, c'est le mieux qu'on puisse faire, maintenant...

Pendant ce temps, Jonathan s'approchait de l'auto garée en face de sa demeure. Le conducteur réveilla son compagnon d'un coup de coude dans les côtes; l'homme tressaillit, risquant d'avaler son chewing-gum, et l'autre lui dit:

— Hé, Fred, voilà le professeur... Il a l'air mal en point; qu'est-ce qui lui est arrivé?

Déjà, Jonathan se penchait à la vitre que l'autre avait baissée, et il lui dit, dans un même souffle:

— Écoutez-moi, c'est très important; c'est une question de vie ou de mort pour...

Il ne termina pas sa phrase, et enchaîna aussitôt, ne laissant pas le temps à l'agent de la C.I.A. de placer un mot:

— Vite, s'il vous plaît, appelez d'urgence une ambulance; je me suis ébouillanté au bras... et puis appelez aussi votre chef, ET TOUT DE SUITE, insista-t-il en haussant la voix. Il faut que je lui parle le plus tôt possible, c'est un cas URGENT, entendez-vous... Je le répète, c'est une question de vie ou de mort: vite...

Voyant l'état d'énervement et la mine défaite du savant, le compagnon du conducteur prit le récepteur du téléphone-émetteur de l'auto et sembla hésiter une seconde. Jonathan reprit, plus insistant que jamais:

— Je vous en prie, je connais le nom de votre chef: c'est Wilbur Blakeley; nous nous sommes déjà rencontrés. Avertissez-le au plus vite, c'est grave!

Devant la grimace de douleur de Jonathan, l'agent appela son chef, lui expliquant la situation et lui faisant part de la requête du scientifique. Puis il lui demanda d'envoyer une ambulance pour venir quérir le professeur.

Entre-temps, Jonathan s'était assis sur la banquette arrière, et il attendait l'arrivée de l'ambulance et celle du chef de cette section du service de renseignements. Les agents essayèrent de savoir ce qui s'était passé dans la maison et la raison de cette requête précipitée, mais, devant le silence de Jonathan, ils le laissèrent se reposer et n'insistèrent pas.

Jonathan avait trouvé ce moyen pour pouvoir sortir de sa maison et parler avec eux sans éveiller les soupçons de ceux qui, il en était convaincu, écoutaient la moindre parole prononcée chez lui. Le savant ayant simulé un accident, ses auditeurs cachés penseraient tout simplement qu'il avait contacté ses gardiens pour leur demander de l'aide, ce qui était vrai en partie. Il réfléchit à tout cela et prit son mal en patience en attendant l'arrivée de Wilbur Blakeley, qui depuis près de deux semaines maintenant, gardait sous surveillance constante le domicile de Jonathan pour éviter qu'il ne soit enlevé ou que sa vie ne soit mise en danger.

Comme il le faisait régulièrement, Jonathan, six semaines auparavant, avait quitté la base spéciale où se préparait l'opération Survie, afin de pouvoir venir régler des questions d'ordre professionnel et technique au synchrotron de Brookhaven, près de New York, et, de ce fait, il avait habité dans sa maison de Long Island. Comme la date de l'étape finale de cette opération approchait, il était toujours possible que Jonathan et d'autres scientifiques soient contactés par des agents ennemis, ou deviennent les victimes de rapts politiques, voire y laissent leur vie à la suite d'attentats perpétrés par des groupes d'activistes antiaméricains. Les faits récents survenus aux États-Unis et dans le monde, à cause justement de la politique américaine et de l'insouciance totale des autorités gouvernementales et de plusieurs doctes autorités scientifiques qui se targuaient de tout connaître en matière de sécurité, n'avaient pas aidé à redorer le blason des États-Unis; on avait encore en mémoire les événements tragiques de mars 1979, où l'usine atomique de Three Mile Island, en Pennsylvanie, avait mal fonctionné et avait libéré accidentellement ses mortelles vapeurs radioactives dans les environs, forçant des populations entières à évacuer la région; et pourtant, les «spécialistes», auparavant, avec «preuves» à l'appui, avaient bien assuré qu'une telle catastrophe était une «très forte improbabilité»!

Wilbur Blakeley était le chef de cette section spéciale de surveillance. Rompu à nombre de techniques d'espionnage et de contre-espionnage, habitué à prendre des moyens rapides et efficaces pour mener à bien ses opérations, possédant plusieurs années d'expérience au sein de cette section où, souvent, ses manières particulières de diriger une enquête et de faire parler des suspects n'avaient pas toujours eu l'heur de plaire à ses supérieurs, il maîtrisait parfaitement une situation donnée lorsqu'elle se présentait. Souvent même il débutait une investigation avec des éléments très minces, ou, au contraire, avec plusieurs pièces mêlées d'un puzzle. À la fin, il s'en sortait la plupart du temps avec facilité, et des résultats concrets s'ensuivaient. Il saurait donc certainement remédier à la bévue commise par Jonathan et prendre l'affaire en mains avant qu'elle ne devienne peut-être plus dangereuse pour Amelia.

Le professeur Rockford en était là dans ses réflexions lorsqu'il vit venir l'ambulance qui tournait en sa direction, suivie d'une automobile. Dans celle-ci, deux passagers étaient assis, et Jonathan reconnut l'un d'eux. C'était Wilbur Blakeley, l'homme de la C.I.A. qui, un mois auparavant, lui avait rendu visite une première fois pour discuter avec lui de l'opération Survie, et qui, la semaine précédente, était revenu pour l'avertir de se tenir prêt à un départ précipité, organisé par les services de l'Armée, qui dirigeait les opérations. D'ailleurs, Jonathan s'attendait à cette décision subite, puisqu'il était une des pièces principales dans cette gigantesque partie d'échecs jouée contre un adversaire inconnu pendant près de vingt ans... Et l'«échec et mat» final devait se produire incessamment, selon les calculs des experts qui participaient à cette opération unique dans les annales de l'histoire...

Cette fois, les traits du visage de Wilbur montraient un certain agacement, et reflétaient même le mécontentement d'avoir été dérangé pour rien. Il sortit de l'auto et se dirigea vers celle des deux hommes de sa section, alors que les ambulanciers sortaient la civière d'usage et la tiraient vers l'auto. Wilbur ouvrit la portière et aida Jonathan à sortir en l'apostrophant:

— Professeur Rockford, que vous est-il arrivé? Que diable fabriquez-vous chez vous? Ne pouvez-vous pas...

Jonathan l'interrompit alors que les ambulanciers s'approchaient de lui et lui prodiguaient les premiers soins pour brûlure. Il se tourna vers Wilbur et, le regardant dans les yeux, parvint à lui dire tout, d'une seule traite, en grimaçant de douleur:

— Wilbur, écoutez-moi! Il y va peut-être de la vie de ma fille... à

Montréal. Écoutez... Heu... l'opération en voie de réalisation risque d'être compromise... Écoutez, je dois vous parler seul à seul, dans l'ambulance; accompagnez-moi, je vous dirai tout. Je... Aaahh! quelle douleur!... Je vous ai trompé... du moins, j'ai trompé la vigilance de vos hommes et je me suis laissé aller à un acte... irréfléchi, que je regrette maintenant... Oui... je... je... (il grimaça)... Je dois vous parler... Venez, s'il vous plaît...

Surpris par l'air suppliant du professeur et par le ton sincère de sa voix, Wilbur se radoucit un peu et accompagna Jonathan dans l'ambulance, faisant signe au conducteur de l'auto qui l'avait amené de suivre le véhicule. Ce n'est qu'une fois bien installé à l'intérieur et assuré qu'aucune oreille indiscrète ne pouvait les entendre que Jonathan expliqua tout au chef de la section spéciale. Il lui parla des papiers qu'il avait donnés à Amelia parce qu'elle était sa fille bien-aimée, qu'elle représentait tout pour lui et qu'il avait une confiance absolue en son honnêteté. Il lui avoua le moyen qu'il avait pris pour remettre ces papiers à Amelia et les passer à l'insu de ses hommes, et lui apprit les deux attentats perpétrés contre elle à Montréal. Surtout, il lui décrivit, en insistant bien sur ce point, les moyens que les espions avaient certainement utilisés pour être au courant de tout ce qui s'était déroulé dans sa maison, depuis Dieu sait combien de temps.

Il tenta de justifier ses agissements en lui redisant la confiance qu'il avait en sa fille, et lui mentionna finalement l'astuce trouvée par lui pour entrer en contact avec ses hommes, afin qu'ils l'avertissent de son désir de le rencontrer. Maintenant, Wilbur connaissait les événements survenus à New York et à Montréal.

Au fur et à mesure que Jonathan vidait son sac, Wilbur était passé de la surprise à la stupéfaction, puis à une colère sourde qui montait en lui alors qu'il se rendait compte de la gravité de la situation et du pétrin dans lequel les actes du savant avaient jeté beaucoup de monde: d'abord Jonathan lui-même, qui avait mis le feu aux poudres par la remise de la serviette; puis sa fille, qui avait été la victime innocente des actions de ce groupe d'espions dont les ramifications semblaient s'étendre jusqu'au Canada; et enfin son équipe spéciale, qui n'avait pu empêcher le piégeage de sa maison, malgré la surveillance étroite qu'elle avait exercée. La mise en place du micro-émetteur avait dû être faite après la première visite de Wilbur à Jonathan, le 23 juin précédent; et depuis ce moment les espions avaient écouté ce qui se disait dans la demeure du savant. Logiquement, ils avaient dû entendre alors la conversation qu'il avait eue avec Jonathan, une semaine auparavant, et, la veille, ces espions avaient finalement entendu la conversation entre le scientifique et sa fille, ce qui leur avait fait déclencher toute une manoeuvre, rapide et inattendue, en vue d'enlever la serviette à Amelia, à New York puis à Montréal, où ils avaient certainement des complices d'une autre cellule. Wilbur était presque assuré qu'il avait affaire à des terroristes plutôt qu'à des espions étrangers.

Peu à peu, Wilbur reprit son calme et mit en activité cet esprit de raisonnement froid qui lui était habituel. Des événements dramatiques étaient arrivés, et on ne pouvait plus maintenant changer les faits accomplis. Par contre, on pouvait encore minimiser la suite de ces événements et, en premier lieu, tenter d'empêcher des répercussions qui se révéleraient catastrophiques si les renseignements à propos de l'opération Survie étaient divulgués à tort et à travers dans les médias d'information, ou encore s'ils faisaient le sujet d'un chantage politique auprès du gouvernement.

Malgré son coup de tête passager, Jonathan s'était heureusement repris à temps dans son raisonnement et dans ses sentiments par trop paternalistes envers sa fille. Son patriotisme avait resurgi dans son esprit, et il avait pu avertir les services de Wilbur sans éventer son stratagème auprès des terroristes. Jonathan espérait aussi que la conversation téléphonique entre lui et sa fille, tenue dans la cuisine et couverte par le bruit du percolateur bouillonnant, n'avait pas été captée par les hommes à l'écoute, ce qui donnait à Wilbur un atout de plus dans l'enquête qu'il mènerait, par la suite.

Wilbur prit une décision. Il élaborait déjà un plan d'action et il devait l'exécuter rapidement s'il voulait que ce plan eût quelque chance de succès. Il dit à Jonathan:

— Professeur, ne vous inquiétez pas. Malgré l'imprudence que vous avez eue, et dont vous ne pensiez pas qu'elle aurait des suites si imprévues, vous n'encourrez aucun blâme ni d'accusation de la part de mes services ni de ceux de la C.I.A. Votre participation ultérieure à l'opération Survie est trop importante pour que nous changions à la dernière minute le programme prévu. Je vais voir à ce que cet épisode soit «oublié» et qu'il ne porte pas préjudice à votre carrière. Dans un sens, c'est peut-être un mal pour un bien, car il y a longtemps que mes services se doutaient qu'un plan quelconque de surveillance secrète des savants participant à l'opération Survie serait tenté un jour. En fait, nous attendions qu'un fait précis se produise afin d'agir à notre tour, et, maintenant, l'occasion se présente justement avec cette affaire; nous pourrons certainement aboutir à quelque chose de concret.

Il se tourna et s'adressa au conducteur de l'ambulance:

— Arrêtez ici, tout de suite. Conduisez le professeur Rockford à l'hôpital et traitez-le comme il se doit. Il faut qu'il ait récupéré ses forces et soit remis sur pied samedi prochain, parce qu'il devra ensuite partir en voyage.

Puis, se penchant vers Jonathan et lui serrant la main:

— Ça va, professeur Rockford, tout va s'arranger. La situation va se régler. Reposez-vous et, si tout marche bien, vous pourrez peut-être revoir votre fille au... où vous savez. Comme elle est journaliste scientifique, et qu'elle est déjà mêlée à l'opération Survie sans le savoir elle-même, elle pourrait bien faire partie des représentants des médias d'information que nous avons l'intention d'inviter pour l'annonce publique et officielle de cette opération.

Une dernière fois, il accentua la pression sur le bras valide de Jonathan. Puis l'ambulance arrêta. Il descendit du véhicule et entra aussitôt dans l'auto qui avait suivi derrière, disant à son asssistant:

— O.K., Christopher! Mène-nous en vitesse à notre Q.G., et passe-moi le téléphone: j'avise Rupert pour qu'il aille discrètement surveiller le professeur à l'hôpital, pendant son séjour; on ne sait jamais... Quant à nous, nous avons du pain sur la planche. Écoute-moi bien...

Mardi, 22 juillet
14 h
Long Island, New York, États-Unis

Wilbur avait réuni autour de lui les hommes qui faisaient partie de son équipe. Chacun d'eux avait plus ou moins une qualification précise à l'intérieur du groupe, en plus d'être fin limier comme l'exigeait la première tâche de son métier. Pour ne pas donner l'éveil aux espions, Wilbur avait laissé ses deux hommes à la surveillance de la résidence de Jonathan; de cette façon, ceux qui étaient à l'écoute continueraient de croire à l'accident de Jonathan et ne se douteraient pas que Wilbur préparait une vaste opération de dépistage; s'il eut agi autrement, les terroristes eussent pu avoir des soupçons sur le pseudo-accident et décider de laisser tomber l'écoute électronique... Or, Wilbur avait décidé de leur jouer un tour à sa façon pour les forcer à garder le contact avec leur petit émetteur, même si, pour le moment, il n'y avait plus personne dans la maison de Jonathan.

L'agent de la C.I.A. avait expliqué brièvement à ses hommes les événements des dernières heures, depuis la visite d'Amelia à son père jusqu'à la rencontre de celui-ci dans l'ambulance. Il leur fit bien comprendre la nécessité de trouver au plus vite le nid des terroristes, afin qu'ils ne puissent continuer à nuire, ni mener plus avant leur complot. Le fait que des papiers décrivant l'opération Survie dans son ensemble se promenaient librement à Montréal lui causait une forte inquiétude; cela risquait de provoquer une série d'incidents et de tracas dont le gouvernement américain pouvait fort bien se passer maintenant, impliqué comme il l'était déjà dans une campagne de revalorisation de sa politique auprès du public. Le ministère de la Défense était constamment harcelé par les médias, qui essayaient, par tous les moyens, de tirer les vers du nez aux attachés de presse du ministère et à ceux de la Central Intelligence Agency.

Son plan d'attaque était simple: étant donné que la maison de Rockford avait été piégée par un micro-émetteur, le poste récepteur et les instigateurs de cette manoeuvre devaient se trouver dans un rayon d'action bien délimité, car ce type de micro-émetteur n'avait quand même pas une très vaste portée. Grâce à des véhicules spécialement équipés, ses hommes sillonneraient les rues des quadrilatères voisins, détectant avec les appareils appropriés les émissions et réceptions d'ondes radio de faible puissance, et tentant de délimiter le périmètre à l'intérieur duquel se situait le poste émetteur-récepteur.

L'opération fut mise en branle dans les plus brefs délais. Chez les profanes, personne ne se serait douté que les camions de la compagnie de téléphone, de déménagement Inter-State et de livraison de meubles antiques servaient à la détection et au repérage des ondes radio, et, pour inciter les terroristes à se servir de leur système d'écoute, Wilbur trouva ce moyen: il convoqua d'urgence Judith, la domestique préposée à l'entretien régulier de la maison de Jonathan, et qui était bien évidemment connue de ses services. Il l'enjoignit de se rendre tout de suite à la demeure du savant pour y nettoyer les dégâts causés volontairement par lui, accompagnée d'un de ses hommes. En agissant ainsi, il avait l'espoir que les inconnus gardent ouvert leur système d'émission-réception, pour éventuellement saisir des bribes d'information concernant l'opération Survie, l'agent des services de renseignements faisant la conversation avec Judith pendant qu'elle nettoyait le living-room, forçant ainsi les terroristes à suivre leurs propos. L'agent, d'ailleurs, soulignait souvent et volontairement le travail bien particulier du professeur, sans toutefois jamais mentionner quoi que ce soit de révélateur sur le projet en cours. De toute façon, lui-même ignorait la nature de ce projet, puisque seul un groupe restreint d'agents des services de renseignements en connaissait les détails.

Ted portait une attention soutenue à ces échanges, sans se douter que l'équipe de Wilbur ratissait les environs afin de parvenir à circonscrire le pâté de maisons où lui et ses comparses avaient élu domicile. Les hommes de Wilbur ne tardèrent pas à cerner la zone du rayon d'action du micro-émetteur caché dans le domicile de Jonathan. Puis, par triangulation finale et par élimination des maisons où pouvait se trouver le poste émetteur-récepteur (familles bien connues du quartier, local désaffecté depuis plusieurs mois, édifice en construction), Wilbur et ses hommes furent presque convaincus que la maison située de biais avec une épicerie qui fermait ses portes était bien celle recherchée. Ils en eurent la certitude lorsqu'ils apprirent que la Ford verte et sale qui y était garée avait été remarquée par le mâcheur de chewing-gum dans l'avant-midi de la journée précédente, alors qu'elle passait en trombe devant son nez.

— O.K., les gars, dit Wilbur. Les formalités pour obtenir le droit de perquisitionner chez eux sont en marche. Mais je veux en avoir le coeur net et jeter un coup d'oeil de l'extérieur. Je vais m'approcher de leur maison et aller innocemment fureter autour. On ne sait jamais. Mettez le reste de l'équipe en état d'alerte pour une intervention-choc si le besoin s'en fait sentir. Moi, je tâte le terrain, en attendant.

Le camion camouflé de la compagnie de téléphone tourna plus loin, et Wilbur en descendit, dissimulant le Magnum .357 habituel dont il se servait toujours lors d'une mission de ce genre. Puis, comme s'il était un simple piéton en balade, il déambula sur le trottoir, jetant des regards furtifs à la demeure qui, vue de l'extérieur, était aussi calme en apparence que les autres environnantes et ne permettait pas de deviner qu'à l'intérieur se cachaient fort probablement les hommes recherchés. Alors que Wilbur flânait ainsi, Blacky, revenant de l'épicerie avec les bras chargés de deux sacs de provisions, traversa la rue. Il arrivait sur le trottoir lorsqu'un camion appartenant à la Plastic Manufacturing Company stoppa en pleine rue. Son chauffeur en descendit brusquement et il se dirigea vers Blacky, qui ralentit sa marche en entendant cet homme l'interpeller et lui crier:

— Hé, toi, le nègre! C'est bien toi, hier, qui m'es presque rentré dedans avec ta vieille Ford? T'as presque accroché mon camion et tu t'es retrouvé dans le fossé ensuite... T'as même pas attendu la police... T'as foutu le camp, comme ça, sans t'expliquer... Une chance que j'te rencontre aujourd'hui, hein?...

Tout en l'invectivant fortement, le chauffeur du camion, un costaud dans son genre, s'était rapproché de Blacky et lui donnait des coups sur la poitrine avec le bout des doigts réunis. Il semblait même vouloir le provoquer, fier de sa stature et de sa corpulence, qui dépassaient légèrement celles du Noir. Pendant ce temps, Wilbur avait continué d'avancer et s'était même arrêté pour suivre le déroulement de l'engueulade. Malgré sa retenue, Blacky sentait la colère monter en lui, mais il ne voulait pas causer d'esclandre; il n'était pas dans une situation lui permettant d'attirer l'attention sur lui, et il préféra se retourner pour aller porter les provisions dans la maison.

Mais l'autre ne désarma pas devant tant de couardise. Il accrocha Blacky par le col de sa chemise, le faisant pivoter sur lui-même et, du même coup, lui faisant échapper un des deux sacs qu'il tenait et dont le contenu se répandit au sol.

— Hé, toi, écoute-moi, espèce de... renchérit le camionneur. Tu veux que je te la casse, ta sale gueule de gros nègre?

Blacky ne perdit pas une seconde: il décocha un violent coup de coude dans l'abdomen de son adversaire, et lui rabattit sur la tête son autre sac de provisions; le camionneur, étourdi, chancela un peu, mais reprit vite son équilibre et empoigna à la gorge le Noir, qui laissa tomber l'autre sac.

Devant la tournure des événements, Wilbur s'élança vers les deux hommes pour tenter de les séparer. Blacky, complètement enragé, croyant peut-être que le camionneur recevait du renfort, réagit par instinct: vivement, il sortit de son pantalon un pistolet et, sans réfléchir, lui tira deux balles à bout portant dans le ventre. Les projectiles le traversèrent de part en part et le sang gicla de son ventre crevé. Le Blanc émit un râle de surprise, la bouche grande ouverte, les yeux exorbités, serrant à deux mains son ventre ensanglanté. Il tituba vers l'arrière, tenta de s'accrocher à une boîte distributrice de journaux, s'affala dessus; cette dernière, entraînée par le poids du blessé, se renversa à terre avec l'homme, qui se cogna durement le front sur le macadam. En moins de rien, le trottoir était teinté de rouge...

Wilbur n'attendit pas la suite: il sortit son Magnum .357 et courut vers le Noir, qui, en moins de deux, avait sauté dans la Ford, s'était mis au volant et avait embrayé. Il démarra en trombe et, sans souci du camionneur qui agonisait, il lui passa dessus, faisant jaillir le sang des deux blessures béantes. Il vira rapidement pour contourner par l'arrière le camion toujours arrêté en pleine rue, et, voyant Wilbur qui courait vers lui l'arme à la main, il tira par la vitre de gauche deux coups en sa direction. Mal ajustés, ils n'atteignirent pas l'agent de la C.I.A., et Wilbur poursuivit sa course vers l'auto, qui, ayant fini de contourner le gros véhicule, repartait à pleine puissance, sur la voie de gauche, devant Wilbur qui avait bifurqué dans la rue. Il n'eut que le temps de bien viser le pare-brise arrière de l'auto, dont les pneus crissaient et chauffaient sur le sol: il écarta les jambes et, tenant l'arme à deux mains à bout de bras, il tira une seule fois...

Il sentit le contrecoup dans ses bras, alors que la grosse cartouche perforait la vitre arrière et s'écrasait dans la tête de Blacky, écrabouillant le cerveau, faisant éclater les os, projetant le sang en toutes directions et éclaboussant le pare-brise avant et la banquette. Sous l'impact et par réaction nerveuse, le pied de Blacky poussa sur l'accélérateur; l'auto, déviant de sa route, exécuta un long virage qui l'amena vers la grande vitrine de l'épicerie. Elle s'y fracassa dans un bruit percutant de verre brisé et de métal écorché. Elle continua sur sa lancée et s'arrêta enfin sur un large comptoir où le choc projeta partout sur le plancher des pots de confitures, des canettes de bières, des boîtes de conserve...

Mais, alors que des passants, surpris puis apeurés par ce drame soudain, couraient en tous sens, Wilbur entendit un autre bruit de verre brisé. Il vit tout à coup le canon d'une M-1 qui sortait de la porte d'entrée de la maison, juste à côté de la fenêtre panoramique formant les trois quarts de la façade de la demeure. Il n'eut que le temps de se jeter derrière le gros camion de la Plastic Manufacturing Company: une rafale de balles arrosa le véhicule mais la remorque le protégea. Le bruit caractéristique des balles faisant ricochet ou s'enfonçant dans le métal s'entendit plusieurs fois.

Aussitôt, venant de la direction d'où Wilbur était parti, surgirent trois automobiles dont l'une appartenant à la police locale. En moins de rien, elles prenaient position stratégiquement, devant et autour de la maison, dans le but d'assiéger ses occupants. Les hommes de Wilbur s'accroupirent à côté de leurs véhicules, alors que les policiers tentaient une approche par le côté. La fusillade reprit de plus belle. Wilbur, toujours caché par le camion et isolé des autres, cria à ses hommes, alors qu'une accalmie survenait:

— Je passe devant le camion et je me précipite à l'entrée. Couvrez-moi dans... dans vingt secondes...

— Attendez, Blakeley, cria son assistant; l'équipe locale de S.W.A.T. a été alertée. Ces gars-là vont s'en occuper...

— Non, cria-t-il. Cette histoire concerne les fédéraux. J'y vais tout de suite. Il ne faut pas leur donner la chance de se défendre, ou de brûler des papiers importants... J'y vais dans... dix secondes...

Il n'attendit pas la réponse. Par le côté, il longea le camion jusque vers la cabine, se rapprochant plus ainsi de l'entrée, qui lui faisait presque face maintenant.

Son assistant avait raison: il ne pouvait pas couvrir cette distance, si courte soit-elle et même en courant, sans risquer de se faire descendre par l'homme à la mitraillette. Une idée lui vint. Au point où il en était, aussi bien risquer le tout pour le tout; et au diable les formalités: il s'expliquerait en temps et lieu... Il monta carrément dans la cabine et mit en marche le moteur, qui toussa puis tourna à plein régime. Wilbur embraya. Il avança de plusieurs mètres et s'arrêta. Ses hommes et les policiers se demandaient ce qu'il avait en tête. Ce n'est que lorsque son assistant le vit reculer en accélérant, la remorque dirigée vers le devant de la maison, qu'il s'exclama:

— Oh non, pas vrai! Il ne va pas faire ça!...

Mais il le fit, vraiment... Le camion, reculant toujours, bifurqua sur la gauche, monta sur le trottoir, traversa en vitesse la pelouse, puis accrocha le petit panneau du *Keep off the grass.* L'arrière du camion fut presque en ligne droite avec la fenêtre panoramique, à côté de la porte d'entrée. En même temps, Wilbur sauta du camion en marche et courut vers l'entrée de la maison.

Au même moment, Rusty dirigea le tir de son arme sur les larges portes doubles de l'arrière du poids lourd. Les projectiles s'y aplatirent dans un bruit de tôle enfoncée et écorchée, mais n'arrêtèrent pas la course du camion. Il percuta la fenêtre et entra de plein fouet dans le living-room, brisant la vitre en mille morceaux et projetant les éclats partout dans la pièce, puis accrocha une table et deux chaises, écrasa un canapé et renversa une lampe sur pied; il arracha aussi le tapis, démolit la bibliothèque, qui contenait des livres et des magazines, et emboutit finalement un aquarium, qui éjecta à toute volée les poissons frétillants qu'il contenait.

Rusty avait eu le temps de se jeter à terre, à l'autre bout de la pièce, évitant d'être pris dans la tourmente. Il resta étendu au sol, à côté d'une autre bibliothèque en bois, sur les étagères de laquelle s'empilaient des revues et des bouquins. Tout étourdi, il se releva lentement. Il n'était pas encore revenu de sa surprise lorsque la porte d'entrée s'ouvrit brusquement, après qu'un coup de feu d'une arme puissante eut brisé la serrure. Promptement, Wilbur surgit dans la pièce, brandissant à bout de bras son Magnum tenu à pleines mains. Il mit un genou à terre et, tout essoufflé, cria:

— Ne bouge pas! Tu es en état d'arrestation!

L'autre ne l'écouta pas: de la main droite, il saisit sa mitraillette et la braqua vers Wilbur. L'agent de la C.I.A. tira un coup qui arracha presque l'épaule de Rusty. Sous l'impact, il fut projeté sur la bibliothèque, qui chancela et s'abattit, entraînant dans sa chute la pile de livres et de revues. Mais Rusty n'abandonna pas: pris d'une envie soudaine de tuer cet homme, qui était, pour lui, le représentant type du serviteur fidèle et dévoué de cette idéologie américaine qu'il abhorrait, il eut la force de tirer une rafale mal ajustée, avec son bras encore valide; les balles sifflèrent aux oreilles de Wilbur, puis fracassèrent un tourne-disque placé dans le coin de la pièce. Wilbur répondit aussitôt et son .357 cracha une autre balle, atteignant Rusty en pleine face. L'agent américain n'eut que le temps de voir une grande éclaboussure rouge qui jaillissait du visage du terroriste, en même temps que celui-ci était rejeté vers l'arrière dans l'escalier menant au sous-sol, en arrosant de son sang les marches et le plancher de l'étage inférieur.

Wilbur se releva péniblement et en laissant échapper un soupir de mécontentement. Dehors, les sirènes d'ambulance faisaient entendre leur hurlement sinistre. Puis ses hommes entrèrent en même temps qu'arrivait l'équipe de S.W.A.T. La police locale était décontenancée; une telle manière d'agir était inconcevable, et le terrain ressemblait plus à un chantier de démolition qu'à une maison assiégée; de la poussière flottait partout sur le plancher, le camion et ce qui restait du mobilier; tout était bouleversé, démoli, écrasé... Les voisins commençaient à s'entasser sur la propriété et ils n'en revenaient pas qu'une telle action brutale eût pu être accomplie par les autorités fédérales. Les opinions diverses et nombreuses venaient de partout, blâmant ou approuvant les moyens drastiques pris pour mener à bien cette opération de démantèlement d'un réseau de malfaiteurs. Bref, on se serait cru à la foire.

Un des hommes de Wilbur l'appela et le fit descendre à l'étage inférieur. Il s'y rendit, se frayant un chemin dans le fouillis des meubles brisés et renversés. Il enjamba précautionneusement le corps de Rusty, dont les cheveux étaient un mélange pâteux de sang coagulé et de poussière; en voyant son visage défiguré, Wilbur exprima une grimace de répulsion bien vite réprimée: il en avait vu d'autres dans sa vie. Malgré tout, devant ce corps désarticulé, le visage méconnaissable et «emporté» par le coup de feu, la tête qui faisait un angle droit avec les épaules, suite à la chute brutale dans l'escalier où Rusty s'était brisé le cou, Wilbur ne put s'empêcher de s'exclamer:

— Quel sacré bordel ici-dedans!

Christopher le fit pénétrer dans une des deux pièces du sous-sol, que son équipe fouillait soigneusement pendant qu'il examinait Rusty. Là se trouvait une presse à imprimer démontable. Empilés sur des étagères, des tracts fraîchement imprimés exprimaient la haine et le dégoût pour la politique du gouvernement des États-Unis appliquée à l'intérieur et à l'extérieur du pays. Également, ici et là, s'entassaient pêle-mêle d'autres tracts et des prospectus aux propos nettement subversifs et antiaméricains, dénonçant, attaquant et calomniant des personnages importants du gouvernement et des dirigeants de la C.I.A., ainsi que des gens bien connus dans les domaines de l'économie, du commerce et de l'industrie.

— Eh oui! dit Wilbur, c'est bien ça! Nous avons affaire à un groupe que la seule mention du nom «États-Unis» fait sortir de ses gonds et lui fait vomir les pires insultes sur le pays. Et pourtant, bon Dieu! ils y vivent aux États-Unis ces maudits révolutionnaires. Ils ont la liberté de parole, ils peuvent y résider en paix, ils ont la possibilité d'y travailler sans contrainte, ils participent aux activités en vue de l'expansion du pays et ils bénéficient de libertés civiles qui sont primordiales dans une démocratie: de plus, ils ne sont pas obligés d'observer des lois et des règlements brimant la liberté individuelle; bref, ils ont tout ce qu'ils désirent et ils nous poignardent dans le dos... Merde, alors!

Mais un appel le sortit de ses réflexions. Christopher lui demandait de passer dans la pièce d'à côté. Il traversa et resta surpris: étendu au sol près d'un poste émetteur-récepteur, Ted gisait, la tête maculée de sang et reposant sur son bras, tenant dans la main droite un pistolet au canon encore chaud.

— Voici notre homme, dit Christopher en se penchant à côté de lui; Il a dû tenter de se suicider avec cette arme lorsqu'il a vu que la maison était cernée. Mais je pense qu'il a raté son coup car il respire encore; dans son énervement, il aura mal ajusté son arme, ou aura oublié qu'il portait des écouteurs, que sais-je? car la balle semble n'avoir qu'effleuré sa tempe. Par contre, il a été commotionné et il est inconscient pour le moment...

— C'est bon, dit Wilbur, nous avons au moins un suspect; s'il peut revenir à lui et nous raconter toute son histoire, nous aurons enfin des renseignements précieux et pourrons agir en conséquence pour sortir la fille Rockford des griffes de ces bandits à Montréal. O.K.! notre boulot ne fait que commencer... On va avoir des heures supplémentaires à se taper, les gars!...

CHAPITRE 9

Mardi, 22 juillet
14 h
Hôtel Reine-Élisabeth, Montréal, Québec

Tandis qu'à New York ces événements s'étaient déroulés, à Montréal, dans l'après-midi, s'était ouvert le congrès médical tant attendu et si désiré par nombre de spécialistes et par des chercheurs aux vues «humanitaires», soucieux de faire le point sur certains aspects de l'expérimentation médicale en psychobiologie.

Les participants au congrès étaient nombreux, et il ne s'écoula pas beaucoup de temps avant que les sièges réservés à ceux-ci ne soient tous occupés. Chacun se hâtait d'aller prendre sa place, et, déjà, par les conversations animées qui provoquaient un murmure dans la vaste salle de conférence, on sentait que l'atmosphère était bien remplie de cet esprit de discussion et de critique cher aux orateurs, qui en auraient long à dire à leurs confrères au cours des jours à venir.

Les représentants des médias d'information s'étaient dirigés vers les sections expressément préparées pour eux, sur les côtés de la salle et à l'avant, permettant aux photographes et aux cameramen de la télévision de mieux suivre tous les débats et les interventions.

Enfin, les cérémonies officielles d'ouverture eurent lieu, comprenant les allocutions de bienvenue et la présentation des activités; suivit le message du président de l'Association internationale des neurophysiologistes et neurochirurgiens, association qui se préoccupait de l'utilité des techniques neurophysiologiques dans l'expérimentation scientifique, puis parlèrent des personnages tous plus importants les uns que les autres, exposant le programme des prochains jours. Bref, cette première journée en fut plutôt une de mise au point sur le déroulement du congrès et d'introduction générale au thème qui devait être élaboré par des chercheurs qualifiés en ce domaine, qu'ils soient favorables ou opposés aux moyens et techniques utilisés en médecine moderne. Le modérateur clarifia nettement les points à discuter par les conférenciers attitrés, en leur tenant ce discours:

— Les chercheurs en médecine expérimentale doivent-ils s'imposer des limites morales dans leurs tests sur des cobayes humains? La médecine expérimentale et les autres disciplines de recherche scientifique ayant l'homme comme sujet d'étude doivent-elles prendre en considération l'aspect humanitaire rattaché aux expériences qui, de nos jours et de plus en plus souvent, sont tentées sur l'être humain dans le but de connaître les possibilités d'adaptation, de résistance et d'endurance à des perturbations ou à des dérèglements de l'organisme et du métabolisme? Ou au contraire ne doivent-elles seulement tenir compte dans ces expériences que des résultats qui s'ensuivront? En particulier, les expériences réalisées avec des techniques neurophysiologiques pour contrôler les émotions et les réactions humaines par stimulation ou activation de certaines zones du cortex cérébral où sont situés les centres moteurs causant ces réactions, comme la peur, la joie, la douleur, le rire, la panique, sont-elles justifiables par les seules informations qu'en tire la science? En général, la médecine moderne s'est toujours servie de ces techniques dans un but thérapeutique, mais, au cours des dernières années, des entorses au code éthique et des abus dans l'expérimentation ont occasionné des débats orageux et des prises de position diverses au sein du corps médical, en certains pays. Ce congrès a aussi pour but de permettre à des spécialistes de différentes branches de la recherche médicale de décrire les méthodes employées. Par la suite, les périodes de discussion libre tenteront de déterminer s'il y a lieu de poursuivre ces expériences à seule fin d'accélérer l'évolution de la science en matière de connaissance de la nature humaine, ou au contraire de les condamner sans équivoque à cause des abus perpétrés au détriment de la personne humaine...

À cause de la répartition des places réservées aux médias d'information, Claude n'avait pu se joindre à Amelia pour couvrir le congrès mais, de toute façon, c'était là le moindre de ses tracas: leur travail commun allait demander toute leur attention, et il n'était pas question de se permettre des distractions pendant les discours et les exposés des conférenciers. C'est donc en vrais professionnels que les deux journalistes accomplirent leur tâche, en cette première journée de travail, et la réunion se termina sur un rappel de l'horaire du lendemain par le modérateur.

Les conversations se poursuivirent pendant quelques minutes, puis tous se dispersèrent. Claude rejoignit Amelia, et ils prirent un souper léger. Ils se quittèrent ensuite dans le grand hall de l'hôtel.

Claude lui dit, en lui caressant la joue:

— Bonne nuit, trésor... Dors bien.

Elle embrassa la paume de sa main, et se dirigea vers l'ascenseur pour réintégrer sa chambre. Claude revint à son appartement, le coeur réjoui.

Amelia devait encore préparer son article sur les activités de cette première journée; lorsqu'elle aurait écrit les textes présentant le programme de chaque jour, elle en ferait un tout plus homogène et facile à suivre qui servirait de fond pour son grand reportage sur le congrès. Claude, lui, écrirait ses articles au jour le jour, pour l'édition du lendemain de son journal, et, ainsi, il aurait fort à faire pour bien donner aux lecteurs un compte rendu simple et fidèle de ce qui s'était dit ou avait été fait au cours de la journée écoulée.

Très préoccupés par leur travail respectif, les deux amoureux s'attelèrent chacun à leur tâche, puis allèrent se reposer afin d'être bien d'attaque le lendemain...

Du mercredi, 23 juillet, au samedi, 26 juillet
Quelque part à Long Island...

Wilbur fulminait. Depuis sa capture, la veille, le terroriste n'avait pas encore récupéré ses esprits. La commotion l'avait jeté dans l'inconscience, et le médecin n'était pas encore parvenu à le ranimer. Wilbur bouillait d'impatience en allant et venant dans son bureau, comme un ours en cage. Christopher et les hommes de l'équipe spéciale étaient eux aussi agités, car cette situation n'aboutissait à rien: deux des terroristes avaient été tués au cours de la fusillade forcée, et le troisième n'en menait pas large. Certes, les agents avaient bien découvert, dans le sous-sol de leur repaire, un tas de papiers et de documents intéressants qui leur avaient permis de rattacher la cellule à une certaine organisation internationale aux buts subversifs qui utilisait tous les moyens violents possibles pour faire parler d'elle et contrecarrer les démarches de paix entreprises par les États-Unis en collaboration avec divers organismes sociaux ou humanitaires. Mais le point principal n'avait toujours pas été éclairci: il restait à connaître le nom de leurs correspondants à Montréal, et l'endroit où cette cellule locale avait établi son quartier général.

Les hommes de Wilbur menèrent une enquête discrète dans les environs de la maison des terroristes, et firent savoir tous les renseignements connus sur les suspects. Ils avaient l'espoir de découvrir un indice quelconque qui les aurait mis sur une piste, mais en vain: ils firent chou blanc sur toute la ligne, et la police reçut l'ordre de tempérer l'affaire, car elle avait causé un certain émoi dans le quartier, et le mercredi se termina ainsi...

La journée de jeudi s'écoula sans apporter de changement notable à la discussion, et la nuit de jeudi à vendredi ne la modifia en rien non plus. Mais, le vendredi matin, Wilbur reçut un appel de l'hôpital où le prisonnier était gardé en observation. Ce dernier avait repris connaissance, mais était encore affaibli et inquiet de se voir ainsi retenu dans une chambre d'hôpital, sous la surveillance constante d'un civil qui lui tenait compagnie, et qui venait justement d'appeler quelqu'un au téléphone.

En vitesse, Wilbur enfila son veston et, avec deux «gorilles», se rendit à l'hôpital. À cause de l'heure matinale, il eut à faire face à une certaine réticence de la part du médecin-chef de la section où était gardé le prisonnier, mais Wilbur se servit de sa force de persuasion et pénétra dans la chambre. L'homme, plus conscient que précédemment et toujours aussi surpris de voir la condition dans laquelle il se trouvait alors qu'il croyait avoir mis fin à ses jours, était devenu nerveux, et sa nervosité augmenta lorsqu'il vit entrer le personnage imposant qui, lentement, se dirigeait vers lui.

— Alors, dit Wilbur, on récupère? C'est bon signe. Tu sais que tu nous as fait faire du sang de punaise, toi, avec ta syncope! Nous autres, on n'a pas seulement ça à faire, attendre le bon plaisir de monsieur... Au fait, comment tu t'appelles?

— Heu... Ted, oui, Ted, c'est mon nom... Je...

Mais il reprit aussitôt ses esprits et, dévisageant Wilbur avec un air dur, il lui jeta:

— Je sais qui vous êtes... Vous êtes un de ces sales fédéraux qui espionnaient Rockford depuis plus de deux semaines... Qu'est-ce qui s'est passé...? Qu'est-ce que vous avez fait aux camarades...?

Il réfléchit un peu, puis reprit, les yeux grands ouverts et les traits reflétant la surprise apeurée qui montait en lui:

— C'est ça, bande de salauds... Vous avez descendu Blacky et Rusty sans les avertir... Oui, c'est bien ça, hein...? Vous nous avez attaqués brutalement, sans même nous donner une chance de nous en sortir... Mais vous ne m'aurez pas comme ça, espèce de vendu; j'ai mes droits et...

À ce moment, Wilbur riposta. Il avait laissé le gars déblatérer tout ce qu'il avait sur le coeur, mais maintenant c'en était assez. Il le saisit brusquement par le col de sa jaquette d'hôpital, tordit le tissu, et, regardant Ted droit dans les yeux, il lui cracha presque au visage:

— Tes droits! Tes droits! Tu sais où je me les fourre, tes droits? Dans le cul, tes droits!... Et maintenant, ferme ta grande gueule et écoute-moi car je ne répéterai pas deux fois ce que j'ai à te dire... espèce d'enfant de salaud!

Devant la réaction intempestive de Wilbur, le médecin-chef, qui était entré dans la chambre avec les hommes, s'avança pour protester, mais Wilbur fit un signe à Christopher, et celui-ci, poliment mais fermement, fit sortir le médecin malgré les protestations de ce dernier, qui, furieux, décida d'aller tout raconter au directeur de l'hôpital.

La porte fut refermée complètement, et Christopher se tint dans le couloir. Ted, plus agité que jamais et le coeur battant la chamade, vit le visage contracté de Wilbur qui se rapprochait encore de lui, encadré de ses deux hommes. L'agent le saisit à la cheville et lui dit:

— Maintenant, parle... Tu as certainement des choses à me dire, non?

À ce moment, Ted sut qu'il allait passer un mauvais quart d'heure...

Le directeur sursauta en entendant les propos du médecin-chef, qui, tout essoufflé, la colère se peignant sur son visage, lui révélait les actes impensables perpétrés par les agents de la C.I.A. Non seulement son médecin-chef avait-il eu à se plier aux mesures de sécurité exigées par ce Wilbur, à savoir laisser continuellement un de ses hommes dans la chambre même du patient, mais voilà que ces messieurs se permettaient d'outrepasser le règlement concernant le nombre de personnes permises pour la visite des malades et faisaient fi de toute compassion humaine en voulant intimider cet homme! Mais cela ne se passerait certainement pas ainsi dans son hôpital!

Il se leva, suivi du médecin-chef, et sortit de son bureau. En chemin, il demanda à l'infirmière en chef de se joindre à eux, lui expliquant brièvement la situation. Comme toujours, les ascenseurs furent lents à venir à leur étage puis à les déposer sur celui où était située la chambre du patient, et de précieuses minutes s'écoulèrent. Le trio enfin arriva devant la porte de la chambre, et l'assistant de Wilbur voulut s'interposer; mais, devant l'air furibond du directeur, il s'écarta, avec un sourire au coin des lèvres, et laissa entrer les trois personnes.

Le directeur pénétra dans la pièce au moment où Wilbur semblait tapoter amicalement la joue de Ted. Ce dernier, les yeux sortis de la tête, le visage tout rouge, paraissait avoir de la difficulté à respirer. Il inspirait et expirait bruyamment, comme s'il tentait de reprendre son souffle. Le médecin s'avança vers le patient suffocant; celui-ci se tenait la jambe gauche, où une surface bleuie était nettement visible sur la cheville, preuve évidente qu'une forte pression s'était exercée à cet endroit. Le directeur regarda le cou du patient, où une zone foncée y formait comme un collier rougeâtre, puis examina la jambe du malade; plus furieux encore, il se tourna d'un seul mouvement vers Wilbur et lui lança:

— Mais vous êtes fou! Vous avez tenté d'étrangler cet homme!... Et vous lui avez aussi tordu la cheville. En voilà des procédés barbares! C'est vous qui êtes responsable de ces sévices?

— Qui? Moi? répondit Wilbur, évasivement, le visage exprimant l'air le plus innocent au monde, comme si son interlocuteur n'existait même pas.

— Oui, vous! Ce n'est pas à un inconnu que je parle. Je...

— Ha! tiens! Il y a des inconnus, ici? demanda-t-il à un de ses hommes.

Ce dernier, en réponse, haussa les épaules, faisant une moue d'incompréhension.

Le directeur resta interloqué. Il ne s'attendait pas à cette réaction. Il hésita un instant, puis, tâtant à nouveau la cheville du patient, il reprit à l'adresse de Wilbur:

— Mais ça ne se passera pas comme ça, je vous le garantis! Vos supérieurs vont en entendre parler et...

— C'est ça, interrompit Wilbur. Informez-en donc aussi le pape, pendant que vous y êtes: il viendra peut-être en personne remonter le moral de ce pauvre petit estropié...

Puis, devant l'air figé du personnel médical, estomaqué par son impertinence, Wilbur dit à Christopher, qui venait d'entrer:

— Toi, reste ici et surveille notre homme; t'en fais pas avec les jérémiades du directeur, l'affaire va se tasser. Moi, je retourne au bureau avec Burt et Gary; j'ai les détails que je voulais; le petit malin a répondu à mes questions polies. O.K., l'affaire promet... Grouillons-nous!

Il retourna à son bureau. Il n'avait pas tellement dormi la nuit précédente, mais le coup en valait la peine. Il connaissait au moins le nom du correspondant à Montréal et le numéro de téléphone pour le joindre. C'était déjà ça d'acquis, et il était maintenant déterminé à aller jusqu'au bout des choses pour savoir le fin mot de l'histoire. Et merde pour les civilités et les formalités d'usage! Le gibier était trop gros, et, avec les difficultés nouvelles qui s'ajoutaient à tout moment, cela risquait de compromettre un projet déjà assez compliqué en lui-même.

Il ne perdit pas de temps. Il appela le Q.G. de la Gendarmerie royale du Canada à Montréal, et expliqua la situation, sans révéler la nature même de l'opération Survie, mettant surtout en évidence le fait que l'homme capturé par ses services s'occupait d'activités terroristes aux États-Unis; il ajouta qu'une cellule semblable à celle de New York existait certainement à Montréal et risquait de devenir active dans les prochains jours. Il donna le nom et le numéro de téléphone du correspondant canadien établi à Montréal et qui était fort probablement aussi un membre actif de cette cellule canadienne, reliée à l'organisation subversive, qui avait des ramifications un peu partout en Amérique.

Il n'en fallait pas plus pour que le caporal Phaneuf, de la Gendarmerie royale du Canada, prenne l'affaire au sérieux... et en mains. Il ouvrit son enquête sur-le-champ, car le terrorisme, au pays, c'était quelque chose de grave, et il n'était pas question de perdre du temps! Il mit immédiatement la machine policière en branle, chargea ses hommes de l'affaire, et fit rechercher le suspect canadien, dont le nom était déjà connu de la G.R.C., en qualité d'activiste militant au sein d'associations québécoises aux tendances révolutionnaires. Sa photo était aussi dans le fichier, et la G.R.C. fit parvenir tous ces détails aux postes de police locaux et à ceux de la Sûreté du Québec.

Les résultats ne tardèrent pas à se produire. Le Q.G. de la police de Montréal reçut ces avis de recherche, et le lieutenant-détective Allaire en prit connaissance. Il avisa tout de suite la G.R.C. que, justement, la police détenait dans ses locaux le suspect recherché, mais en tant qu'accusé de voies de fait sur la personne et de tentative d'assassinat. Le caporal Phaneuf le remercia de sa collaboration efficace et lui dit de tenir le prisonnier prêt pour un transfert dans les heures à venir.

Aux petites heures du samedi matin, Wilbur fut averti par la G.R.C. que le suspect canadien était déjà détenu par la police de Montréal. Wilbur laissa éclater sa joie, après ces longues heures où il s'était morfondu et au cours desquelles il s'était demandé s'il arriverait à un résultat probant. Il en avait eu des maux d'estomac, même s'il était habitué à ces attentes et à ces périodes d'incertitude. Mais, enfin, le hasard le servait bien, une fois encore.

«Après tout, se disait-il comme pour justifier ses actes, ce sont des criminels que nous pourchassons, et c'est un grand bien pour l'humanité si l'on peut les empêcher de nuire.»

Il s'habilla en vitesse et lança à son dévoué assistant, revenu au bureau après qu'un collègue l'eut remplacé dans sa tâche de gardien:

— Christopher, je pars pour Montréal. La police canadienne détient notre homme. Je vais aller rencontrer un caporal de la Gendarmerie royale, et nous pourrons cueillir ensuite le bonhomme. Avertis le bureau de la G.R.C. à Dorval, et dis à ce caporal que j'arriverai par le prochain vol de la Eastern Airlines.

— O.K., *boss,* je m'occupe des détails; allez-y et ramenez-nous le tordu...

Wilbur fit un signe de la main et dévala l'escalier en enfilant son veston. Il sauta dans l'auto de Gary et lui dit:

— À J.F.K. au plus vite! J'ai juste le temps de prendre le vol en partance pour Montréal si je veux arriver tôt ce matin. Vas-y.

L'auto démarra en trombe et roula à toute vitesse vers l'aéroport en faisant entendre sa sirène. Wilbur réfléchissait et était satisfait. Ses services n'avaient pas chômé, en fin de compte.

L'auto avala les kilomètres qui la séparaient de l'aéroport. Malgré l'évolution de la situation, Wilbur s'attendait au pire, sachant par expérience qu'un pépin pouvait toujours survenir en dernière minute.

Mais tout se passa bien. Il arriva à temps pour acheter un ticket et prendre d'urgence une place à bord du vol en instance de départ. C'est en courant qu'il entra dans l'avion, tout essoufflé, et il s'installa dans le siège que l'hôtesse lui indiqua. Puis, ne pouvant accélérer le déroulement des événements, il se cala dans son siège confortable et en profita pour prendre quelques brefs moments de repos après les heures actives et fatigantes qu'il venait de vivre.

Entre-temps, Christopher téléphona au bureau principal de la G.R.C. à Dorval, informant les agents canadiens de l'arrivée de Wilbur par le dernier vol de la Eastern. Le caporal Phaneuf en prit note et assura son collègue américain qu'il recevrait lui-même l'agent des services de renseignements à sa descente d'avion. La communication terminée, ce dernier prit les mesures qui s'imposaient. Avec un confrère, il se rendit à la barrière d'arrivée des vols en provenance de New York et attendit. Enfin, l'avion se posa sur la piste, et, quelques minutes plus tard, le caporal souhaitait la bienvenue à l'Américain.

Sitôt le contact établi, Wilbur et les deux agents canadiens partirent tout de suite en direction du Q.G. de la police de Montréal. Le lieutenant Allaire les reçut et les conduisit à la cellule du prisonnier, qui avait encore un pansement à l'arrière de la tête, là où sa nuque avait heurté violemment les robinets de la baignoire dans la chambre d'hôtel d'Amelia. L'échange ne fut qu'une simple affaire de routine, et la G.R.C. ramena le détenu à ses propres quartiers généraux.

Le caporal Phaneuf fit bien remarquer au lieutenant Allaire que le cas entourant ce terroriste pourrait avoir des répercussions internationales très graves si la G.R.C. ne s'en occupait pas tout de suite, et qu'il fallait garder le plus grand silence sur celui-ci: pas de nouvelles données au public et, surtout, pas de révélations aux journaux ou à la télévision, car il pourrait y avoir distorsion des faits et cela augmenterait les difficultés auxquelles les services de la G.R.C. et de la C.I.A. avaient déjà à faire face.

Bref, tout se fit rapidement, sans éclat, et c'est à l'insu de tous que le prisonnier fut ramené en grand secret dans les locaux de la G.R.C., où un interrogatoire serré et spécial l'y attendait...

CHAPITRE 10

Du mercredi, 23 juillet, au dimanche, 27 juillet
Montréal, Québec

Alors que l'affaire de New York battait son plein et qu'elle se poursuivait jusqu'à Montréal, dans cette dernière ville le congrès médical se déroulait et captait l'attention d'une partie de la population, qui avait hâte d'en connaître les résultats et de voir quels aspects positifs en sortiraient.

Comme Claude l'avait deviné, les discours, exposés et conférences avaient été parfois très enflammés et, surtout, reflétaient bien la très grande diversité des idées qui prévalaient dans le milieu médical. Les arguments, raisons et excuses avancés pour justifier ou condamner un point de vue étaient nombreux et, parfois, les raisonnements d'un spécialiste étaient repris en détail par un adversaire pour exprimer un point de vue diamétralement opposé au sien, pour en faire ressortir les côtés faibles ou pour le réfuter.

De plus, les exposés étaient souvent complexes dans leur énoncé même et, dans ce cas, les brochures et feuillets explicatifs en français, en anglais et en d'autres langues étaient les bienvenus, de même que les quelques films et diaporamas qui avaient été projetés afin de faciliter la compréhension des sujets discutés. Même pour des chroniqueurs scientifiques, comme l'étaient Claude et bon nombre de confrères, la tâche était souvent ardue pour la transcription et la vulgarisation des matières présentées par tous ces «bonzes» du corps médical dont certains constituaient l'élite même de la Corporation.

L'ajournement de la session se fit dans une atmosphère assez bruyante, en ce début de soirée de vendredi. Beaucoup étaient fatigués et se préparaient à aller passer une bonne nuit de sommeil, suivie de deux jours à l'extérieur de l'hôtel, avant la reprise du congrès, le lundi suivant; la réunion devait se terminer définitivement le mercredi midi, 30 juillet.

Les journalistes de la presse écrite se dépêchèrent de préparer leur papier avant l'heure de tombée obligatoire pour la remise des textes devant paraître dans les éditions du lendemain, et le cliquetis des dactylographes devait être le bruit le plus répandu à l'étage de l'hôtel qui leur était réservé, ou dans les bureaux mêmes des journaux concernés.

Claude s'étira longuement, savourant pleinement ce moment de détente. Il cligna des yeux, puis se les massa légèrement avec les jointures des majeurs repliés. Il regarda Amelia, qui, plus loin, remettait son magnétophone à cassette dans une petite mallette, ainsi qu'un crayon et un calepin de notes. Il se leva, s'étira encore, et se dirigea résolument vers sa consoeur.

Elle fut ravie de le voir approcher et lui fit signe de la main. Il la lui prit dans les siennes et l'embrassa doucement en disant:

— On mange ensemble, ce soir? Un bon repas et un petit remontant nous feront du bien... Tu viens...?

— Heu... oui, j'y vais; tu sais, je suis un peu fatiguée et j'ai le goût de me reposer... Mais allons d'abord souper: j'ai très faim!

Elle lui prit la main, et tous deux marchèrent vers les ascenseurs, à l'extérieur de la salle de conférence. Ils descendirent à la salle à manger et se dirigèrent vers la section des tables réservées aux gens de la presse. Il leur était souvent difficile de trouver des places libres, avec la cohue qui envahissait la salle après chaque séance de la matinée et de l'après-midi. Heureusement, cette fois encore, Claude dénicha une bonne table. Ils s'y installèrent rapidement et commandèrent le repas.

Ils discutèrent d'abord du congrès, puis, au fur et à mesure que le souper avançait, leurs propos devinrent plus généraux. Claude et Amelia parlèrent de leurs activités autres que professionnelles et de leurs goûts en matière de récréation et de divertissement. Claude lui fit part de son intérêt pour les recherches effectuées en parapsychologie et en ufologie, deux sujets encore tabous pour la science contemporaine à cause de l'impossibilité actuelle d'examiner et d'étudier complètement TOUS les phénomènes qui s'y rapportaient.

Au dessert et pendant le digestif, la conversation devint plus intime. Claude mentionna que sa vie amoureuse était calme et son coeur en veilleuse, malgré ses sorties avec la gent féminine; il lui dit qu'il n'avait pas encore rencontré la compagne avec qui partager sa vie, dans ce monde où la violence et la haine semblaient avoir malheureusement éclipsé tout sentiment d'amour entre les humains.

— Mais, ajouta-t-il, depuis le début de cette semaine, les choses ont changé radicalement, ma chère Amelia... et tu es certainement la cause principal de ce... ce «changement psychologique et de comportement dans ma personne»... pour utiliser une expression qui a été servie à toutes les sauces cette semaine...

Ils rirent tous deux de cette remarque, et, après avoir bu leur digestif, Claude enchaîna:

— Et toi-même, ma chère, tu as dû en briser, des coeurs, au cours de ta carrière si active et si riche en rencontres intéressantes?

— Heu... non, pas réellement, Claude. Tu sais, j'ai toujours été tellement occupée par ce travail, justement, que je n'ai pas vraiment eu le temps ni l'opportunité de changer de milieu... ni de me distraire... Oh! tu sais, en ce qui concerne les distractions et les sorties, les occasions n'ont pas manqué avec mes confrères et tous les hommes que j'ai interviewés! Mais, honnêtement, Claude, je n'ai encore jamais ressenti pour eux ce que j'éprouve maintenant pour toi... et je suis bien sincère quand je te dis cela... chéri...

Elle le regarda tendrement, et, pendant quelques instants, ils ne dirent mot tous deux.

Comme l'heure avançait, ils réglèrent la note, tout en demandant des reçus afin de se faire rembourser ultérieurement par leur journal respectif. Claude accompagna Amelia jusqu'à la porte de sa chambre, tous deux ayant pris leur temps pour s'y rendre. Alors que la jeune femme sortait sa clef, Claude la prit par les épaules et lui demanda:

— Dis... As-tu des projets pour ce week-end? Les deux prochaines journées s'annoncent belles, d'après la météo, et, si tu le voulais, nous pourrions en profiter pour sortir ensemble... dans une ambiance différente, pour une fois.

— Bien... Heu... Je n'avais pas tellement pensé à ça, Claude; tu me prends un peu par surprise. Je ne sais pas si, vraiment, je peux... Je n'ai pas apporté de vêtements en conséquence.

— Bah! Tu sais, tu n'as pas à t'en faire pour cela; ce ne sera pas une grande sortie d'apparat... Et puis nous n'irons pas à un endroit sophistiqué. J'ai déjà trouvé le site où nous pourrions réellement nous reposer et goûter la nature dans sa totalité.

Voyant qu'elle hésitait encore sur la décision à prendre, il la regarda plus tendrement. Il se pencha vers elle et dit, sur un ton plus bas et en lui caressant la joue:

— Nous serions si bien tous les deux... Nous passerions notre week-end «dans le Nord», comme on dit couramment au Québec; plus particulièrement, nous irions dans la région de Sainte-Adèle. Si tu n'as jamais vu ça, ma chérie, cela en vaut la peine: la campagne resplendissante sous le chaud soleil d'été, les paysages colorés des «pays d'en haut», l'atmosphère saine et vivifiante des grands espaces verts, bref, la nature dans toute sa beauté et son enchantement, qui laissent un souvenir inoubliable dans la mémoire de tous ceux qui y séjournent pour quelque temps... Et puis je suis sûr que tu ne le regretteras pas: tu en reviendras fraîche et dispose pour la fin du congrès...

Il laissa un couple entrer dans une des chambres de l'étage, donnant une apparence anodine à leur conversation, puis, à nouveau, il regarda Amelia dans les yeux et ajouta:

— Accepte mon invitation, ma chérie; tu sais, je... je t'aime... vraiment... et je suis sûr que toi aussi tu ressens la même chose pour moi... Cette sortie nous permettra de mieux nous connaître, d'être enfin seuls dans un contexte différent de celui du congrès, et de nous éloigner de ce milieu stressant qui nous a gardé les nerfs tendus pendant quatre jours...

Elle le regarda et, cette fois, son coeur parla. Elle le prit par le cou et ajouta, tout bas, pour que lui seul l'entende:

— Tu sais, mon chéri, moi aussi je t'aime vraiment... Et je n'aurais pas cru que cela m'arriverait, cette semaine... et si rapidement... Et puis, tous ces événements dramatiques que nous avons vécus ensemble... ces émotions que nous avons partagées... tout cela... je... je...

Elle n'en dit pas plus: Claude l'avait entourée de ses bras et, tendrement, lui donnait un long baiser. Amelia, qui attendait ce moment, se fit plus câline et se pressa contre lui. Claude sentit son corps souple et aux rondeurs bien fermes se tasser contre le sien. Il entendit Amelia qui soupirait de bonheur dans ses bras et il insista encore, se collant plus énergiquement contre elle; il sentit le mouvement de sa poitrine dû à sa respiration légèrement accentuée.

Lentement, ses mains descendirent au niveau des reins et il augmenta son étreinte. En même temps, il écarta les lèvres d'Amelia avec les siennes, et, doucement, sensuellement, sa langue chercha celle de la jeune femme. Son émoi devint un peu plus perceptible, et Amelia s'en rendit compte. Voluptueusement, elle répondit au baiser de son compagnon, puis, le repoussant gentiment et le fixant toujours dans les yeux avec son regard langoureux, elle dit:

— Mon chéri, sois gentil, maintenant... Nous avons tous deux un travail urgent à compléter... et à préparer pour lundi prochain... Oh! chéri, bien sûr, pouvoir passer le week-end avec toi est mon plus cher désir! Mais ce soir nous devons travailler... Retourne à ton appartement et, demain matin, reviens me chercher à... heu... disons à neuf heures; ça te va? Je déjeunerai ici, avant le départ.

— Certainement, mon amour; tu verras, nous aurons deux jours fantastiques à nous offrir; c'est le plus bel endroit du monde pour y partager notre bonheur!

Il l'embrassa à nouveau, lui caressa les cheveux, et s'en fut. Plus que jamais, il avait une raison de vivre, d'être heureux, et, lorsque ce foutu congrès serait terminé, il se rendrait à New York avec Amelia pour l'aider à solutionner le mystère entourant son père, quand bien même il devrait remuer ciel et terre pour ce faire...

Il revint à son appartement et mit de l'ordre dans ses affaires personnelles. Puis, reléguant Amelia ailleurs dans son esprit, il prépara et compléta son article pour le lendemain. Tard dans la nuit, il se coucha, ne permettant qu'à ce moment au visage d'Amelia de reprendre sa place première dans ses pensées.

Le lendemain matin, il était au rendez-vous. Il avait pris son petit déjeuner avant de partir, et se sentait en pleine forme. Il arriva à la chambre d'Amelia alors qu'elle se donnait un dernier coup de brosse dans les cheveux. Elle avait revêtu une blouse fleurie, de tissu léger et transparent, et à l'encolure très évasée; serrée à la taille, cette blouse faisait bien ressortir sa poitrine généreuse dont on voyait la courbure supérieure dans le large décolleté. Elle avait aussi changé de jupe, et celle-ci permettait d'admirer ses jambes au galbe séduisant. Enfin, un bandeau coloré et noué derrière la tête retenait ensemble ses cheveux réunis.

— Voilà, dit-elle, je suis prête pour cette sortie. Je n'apporte pas autre chose car, de toute façon, ma valise ne contenait pas beaucoup de vêtements. Je pense qu'habillée comme ça je ne suis pas si mal... Qu'en dis-tu?

— Tu es belle à croquer, ma chérie, lui répondit-il.

Il savoura cet instant où, enfin, Amelia avait laissé un peu plus libre cours à ses goûts vestimentaires; elle se sentait beaucoup plus à l'aise et faisait montre d'un certain désir de plaire à son compagnon; elle voulait se présenter sous un jour différent et faire ressortir un autre aspect de sa personnalité.

Elle enserra Claude dans ses bras et l'embrassa longuement. Puis le journaliste la prit par la main, et tous deux sortirent de l'hôtel. Ils se rendirent au parking et montèrent dans la Honda. Le coeur joyeux en cette belle matinée chaude et ensoleillée, ils partirent... Pour deux jours au moins, ils allaient oublier les tracas de l'humanité et penser un peu à eux. Ils sortirent de la ville et, empruntant l'autoroute, roulèrent vers le Nord. Comme Claude l'avait dit à Amelia, il avait l'intention de lui faire visiter les endroits les plus pittoresques de cette partie du Québec, là où, immanquablement, se retrouvaient les familles et les couples désireux de passer un week-end tranquille et reposant.

Tôt au début de l'après-midi, ils parvinrent à dénicher un motel paisible dans un coin merveilleux et montagneux de la région de Sainte-Adèle, puis, pendant le reste de la journée, libres comme le vent, ils se promenèrent dans les environs. Ils prenaient leur temps, goûtant pleinement ce bonheur qui, sans se faire annoncer, venait de faire son entrée dans leur vie commune. Ils savaient que quelque chose avait changé leur train de vie habituel et que, désormais, cette vie n'aurait plus de sens s'ils devaient un jour se séparer.

Claude se rendait aussi compte que, dorénavant, il ne pourrait plus se montrer insouciant devant l'avenir, et il réfléchissait aux nouvelles responsabilités auxquelles il avait à faire face, maintenant qu'il avait connu Amelia; il savourait cette félicité nouvelle et, en même temps, il désirait ardemment qu'Amelia soit heureuse avec lui. Tout en se renouvelant leur serment d'amour, ils étaient conscients que le futur ne serait désormais plus le même pour eux...

La soirée arriva plus vite qu'ils ne s'y attendaient, et ils revinrent au motel. La température était douce, un vent léger bruissait dans les arbres, le ciel passa du bleu clair au bleu foncé, puis au mauve, et les rayons du soleil couchant rosirent pendant quelques minutes les rares nuages qui stagnaient dans le ciel. Les étoiles, déjà légèrement visibles, devinrent plus nombreuses et brillantes, puis piquetèrent bientôt la voûte céleste de points blancs très scintillants.

Dans cette douce ambiance propice aux grandes révélations, Claude et Amelia n'avaient d'yeux que pour eux seuls; c'est à peine s'ils parlèrent de leurs déboires passés lorsque Amelia aborda la question de son départ prochain et de sa certitude de ne pas retrouver son père à son domicile, lorsqu'elle retournerait à New York. Ils s'interrogèrent sur la nature de l'opération Survie et sur la raison qui avait poussé des inconnus à lui enlever de force sa serviette. Les papiers contenus à l'intérieur devaient être d'un intérêt hors du commun pour qu'on les eût ravis à sa propriétaire.

Bientôt, ils éloignèrent de leur esprit ces pensées moroses, et Claude commanda une bouteille de champagne et deux coupes, afin de le déguster lentement avec Amelia, tout en se promenant avec elle dans les parages, sous la blanche clarté lunaire qui inondait le paysage. Leur promenade dura un bon moment; ils ne tenaient pas compte de la nuit qui venait, étant légèrement enivrés par les effluves savoureux du champagne. Puis, tendrement enlacés, ils revinrent à leur chambre...

Ils y entrèrent et s'avancèrent vers la fenêtre, où les rideaux ouverts laissaient pénétrer la clarté lunaire de cette belle nuit ensorcelante. Claude déposa la bouteille de champagne sur une petite table placée à côté du lit, ouvrit la radio et sélectionna un poste où jouait une musique d'ambiance. Il tira ensemble les rideaux de la fenêtre, diminuant ainsi l'intensité de la lueur lunaire; une douce pénombre envahit alors la chambre. Amelia, qui se tenait toujours près de Claude, déposa les deux coupes à côté de la bouteille de Mum's, puis se tourna vers le jeune homme; elle passa ses bras derrière la nuque de Claude, la tenant emprisonnée entre ses mains jointes. Elle se colla à lui et, tout doucement, langoureusement, se mit à suivre la cadence de la musique qui, par ses accords mélodieux, incitait bien à se laisser bercer et à rêver. Son compagnon entoura sa taille avec ses bras et, accompagnant son mouvement, la serra tendrement contre lui. Elle appuya la tête sur son épaule, et il sentit dans son cou ses cheveux soyeux qui glissaient et qui frôlaient sa joue. Il sentit aussi son corps gracieux qui pressait le sien.

Amelia était une femme très séduisante et désirable, et tout son charme se manifestait pleinement en cette occasion. Depuis le début du congrès, elle n'avait eu de cesse que d'accomplir parfaitement la tâche qui lui avait été confiée par son magazine et, jusqu'à ce jour, elle n'avait pu faire vraiment ressortir cette féminité que Claude découvrait maintenant de plus en plus, car son travail avait requis d'elle une attitude assez rigide, voire distante, avec le public et ses confrères.

Mais, en ce moment particulier et dans l'atmosphère troublante qui, peu à peu, gagnait leur esprit et faisait battre leur coeur, Claude ne pouvait faire autrement que de se laisser subjuguer par Amelia, alors qu'amoureusement il lui chuchotait à l'oreille les paroles de la chanson que, par hasard, la radio diffusait justement à ce moment: *Falling in Love with You*.

Ils continuèrent de danser au son feutré de la musique, et le journaliste dirigea lentement le pas vers le grand lit invitant. Arrivé tout près de la table de chevet, il vida le reste de la bouteille de champagne dans une coupe, qu'il remplit à ras bord et présenta à Amelia. Elle releva légèrement la tête de l'épaule de Claude et but la coupe presque au complet, lui laissant à peine un doigt de la boisson dorée. Il avala la gorgée mais, grisé par l'effet du champagne, il en échappa les dernières gouttes dans les cheveux d'Amelia. Elle le regarda dans les yeux avec un air qui se voulait être de reproche, et, à ce moment, un mince filet de lumière lui éclaira le visage. Il la vit, radieuse, merveilleuse, dans cette atmosphère envoûtante, en cet instant où leurs deux coeurs battaient intensément à l'unisson; les yeux d'Amelia reflétaient une passion grandissante pour lui, ses beaux cheveux lisses et soyeux encadrant son joli visage.

Claude le lui enserra tendrement dans ses mains et approcha sa bouche de celle d'Amelia, entrouverte et impatiente. Il lui dit, sur un ton à peine perceptible:

— Chérie, je t'aime...

Et un long baiser brûlant les unit.

Ils prolongèrent ce moment inoubliable, se serrant plus fortement l'un contre l'autre, et le journaliste sentit qu'Amelia, avec sa langue humide et goûtant le champagne, cherchait avidement la sienne... Elle respirait fortement: sa poitrine frémissait sur son torse, et il sentait son coeur battre à grands coups. Elle devenait plus ardente, plus insistante, et il se rendit compte qu'elle tentait de desserrer la ceinture de son pantalon. Il s'écarta d'elle un peu pour lui faciliter la tâche, et elle y parvint sans difficulté. La blouse d'Amelia était trempée de sueur malgré l'air climatisé qui rafraîchissait un peu l'atmosphère. Le tissu collait à sa poitrine, et celle-ci était maintenant bien visible à travers la soie moite. Amelia ne portait, sous sa blouse, qu'un mince et étroit soutien-gorge couleur chair, et ses deux seins fermes et bien découpés saillaient d'une manière provocante.

Elle embrassa encore Claude et fit glisser son pantalon; il répondit aux avances de la jeune femme et, lentement, déboutonna sa blouse et lui caressa la poitrine alors que, de l'autre main, il descendait la fermeture éclair de sa jupe à la hauteur des fesses, qu'il caressa également. En moins de rien, la jupe aussi se retrouvait au plancher; il dégrafa son soutien-gorge, qu'il jeta négligemment sur le lit, alors qu'Amelia lui enlevait sa chemise à son tour. Il dénoua le bandeau, et ses cheveux se libérèrent, la rendant plus adorable encore.

Ils se retrouvèrent presque nus. Amelia réitérait de plus en plus ses caresses, et il y répondait fougueusement. Leurs corps se touchaient, se frôlaient, et il connut une pulsion qui montait en lui. Elle s'en rendit compte en ressentant bien la poussée qui s'exerçait sur son pubis. Elle se fit plus féline encore, et, doucement, tout doucement pour faire durer le plaisir, elle lui enleva son caleçon et le fit glisser.

Claude était en pleine euphorie. Il avait peine à garder tous ses esprits sous l'effet persistant du champagne. Amelia, amoureuse, passionnée, l'invitait à faire des folies par ses caresses répétées. Il ne se retint plus: tout en enserrant Amelia dans ses bras, il s'étendit sur le lit, la jeune femme le suivant dans son mouvement. Ils s'allongèrent côte à côte et se faisant face, ne prenant même pas la peine de relever le drap qui couvrait le lit. Il aimait Amelia, il la voulait, il la désirait; il lui enleva son slip, et ils furent enfin tous deux complètement nus. Rien, maintenant, ne les empêchait de goûter pleinement des joies intenses.

Ils savouraient les plus grandes délices de l'amour dans une frénésie peu commune, mais ils savaient que leur passion débordante était l'expression d'un sentiment beaucoup plus profond et partagé entre eux. Ils s'étaient rencontrés à l'occasion d'une réunion sociale peu propice à l'éclosion de leur amour, mais les événements dramatiques qu'ils avaient vécus ensemble les avaient rapprochés plus rapidement et intimement qu'en toute autre circonstance. Ils s'étaient découvert des goûts et des intérêts semblables, une manière identique de vivre et de considérer l'avenir sous ses meilleures facettes, et tous ces éléments réunis leur montraient bien qu'ils étaient destinés l'un à l'autre. Ils se livraient sans contrainte à leurs ébats; le monde entier n'existait plus pour eux; ils éprouvaient des plaisirs insoupçonnés et ils étaient tout feu tout flamme dans leurs étreintes...

Claude s'était couché sur Amelia et la recouvrait; sa peau douce et satinée glissait sur son corps; Amelia lui communiquait ses désirs et ses émotions par ses soupirs profonds, par ses jambes élancées qui l'enserraient et le caressaient, par son ventre palpitant, par ses seins raffermis qu'il écrasait de son poids. Avec son bas-ventre, il entretenait un mouvement de va-et-vient, et Amelia sentait intensément son pénis qui, lentement, voluptueusement, s'enfonçait dans son duvet soyeux, cherchant à la pénétrer, mais ne faisant que l'exciter davantage à chaque tentative.

La pulsion grandissait, et Claude tentait de retenir le plus longtemps possible cette sensation violente qui montait en lui et qui le faisait presque haleter, désirant la transmettre à Amelia au moment où elle-même serait prête et ne pourrait plus attendre l'orgasme. Dans l'euphorie qui la gagnait, elle l'agrippa soudainement au niveau des reins, incrustant presque ses ongles dans sa chair, et, ne pouvant plus attendre davantage, elle le tira à elle et son membre viril entra dans son nid douillet. Elle continua elle-même le mouvement de va-et-vient, et, alors que l'extase approchait, elle l'enserra fortement avec les jambes, dans un dernier soubresaut.

Claude ne pouvait plus se retenir: il sentit son pénis qui éjaculait dans son intérieur chaud, humide et glissant... et il y répandit sa semence en quelques coups brefs et rapides, avec des mouvements pelviens saccadés, l'orgasme atteignant son point culminant. Claude la serra fortement à son tour, la caressa partout, lui pétrit la poitrine à pleines mains; Amelia répondit de tout son être, tous ses sens en émoi.

Peu à peu, l'euphorie se dissipa et ils reprirent leurs esprits; la détente revint sur leurs visages, et, rassasiés d'amour et exténués, ils relaxèrent dans un sommeil récupérateur, agrémenté des rêves les plus idylliques...

Tard le lendemain matin, le journaliste fut le premier à se réveiller. Couché sur le ventre, il tenait, de sa main gauche, l'épaule droite d'Amelia, son bras reposant sur la poitrine de sa compagne qui, presque imperceptiblement, se soulevait régulièrement. Il avait la tête enfouie dans ses cheveux répandus sur l'oreiller, et il respirait dans ceux-ci l'odeur du champagne qu'il avait renversé la veille. Il ne pouvait se décider à se lever, tant la joie qu'il avait éprouvée était encore toute fraîche à sa mémoire; et il savait que, désormais, ce bonheur allait durer. Il ne cessait de louer le destin qui lui avait fait rencontrer la jeune femme et il se jura en lui-même que rien, maintenant, ne viendrait plus les séparer ni, surtout, perturber la vie de sa bien-aimée. Il la regarda avec amour, puis il l'embrassa tendrement sur la bouche et sur chacun des deux mamelons qui, fièrement, se dressaient bien droits; il caressa la frisure de son triangle duveteux et y enfouit son visage pour y déposer un autre baiser.

Enfin, il se leva et se dirigea vers la salle de bains. Les émotions fortes épuisent un peu, pensa-t-il, et il fit couler la douche, réglant la température de l'eau. Il revint dans la chambre à coucher et ne put qu'admirer une nouvelle fois le corps invitant d'Amelia qui, couchée nue sur le dos, le regardait en souriant, encore plongée dans un demi-sommeil. Il s'approcha d'elle, l'embrassa et la souleva dans ses bras. Elle se blottit contre sa poitrine et le prit par le cou. Tout en la transportant, il la pressait contre lui, et sa peau veloutée lui donnait de doux frissons.

Dans la salle de bains, il la déposa sur la carpette de caoutchouc, et elle l'embrassa longuement. Puis, ensemble, ils passèrent sous la douche. L'eau les réveilla complètement, et ils commencèrent à se rappeler les bons moments de la veille. Amelia prit le savon et lava son compagnon; Claude fit de même avec elle, et l'eau savonneuse se répandit sur eux; les caresses qu'ils se prodiguaient en même temps n'en étaient que plus suaves: elles procuraient à Claude une jouissance nouvelle, et, lorsque son corps frôla celui d'Amelia, il réagit en conséquence. Amelia lui sourit et le taquina sur cette autre démonstration de l'effet qu'elle produisait sur lui.

Il se rapprocha encore plus, alors qu'Amelia, appuyée sur le mur, lui frottait le dos et l'excitait en rapprochant et éloignant ses cuisses, y enserrant son pénis en érection. Mais la matinée était déjà avancée, et Amelia fut la première à le faire remarquer à Claude, alors qu'il insistait pour mener plus loin sa tentative. Elle lui dit en lui donnant un baiser:

— Allons, sois sage! Il est temps de penser à ce que nous allons faire aujourd'hui; le congrès continue demain. Viens, *darling,* nous devons manger, maintenant...

— Bon, c'est bien, je baisse pavillon, dit-il en riant de cette comparaison. Allons dîner. D'ailleurs, il est presque midi et il faudra quitter bientôt cette chambre.

Il l'embrassa à nouveau, sous l'eau qui continuait à tomber, et il ferma la douche. Ils séchèrent leurs corps ruisselants et, en moins de rien, se retrouvèrent dans la chambre. Ils s'habillèrent en vitesse, puis ils sortirent. Ils descendirent à la réception du motel, remirent la clef de la chambre et se dirigèrent vers le restaurant, où déjà une foule animée faisait honneur aux mets variés et succulents distribués par des serveuses empressées.

Après avoir mangé un bon repas qui leur redonna toute leur vigueur, ils quittèrent le motel situé dans ce décor si enchanteur et revinrent à Montréal. Ils devaient encore préparer un certain horaire pour le lendemain et planifier leurs activités pour les trois derniers jours du congrès, le temps passé ensemble leur ayant presque fait oublier cette tâche impérative.

Claude ramena sa compagne au Reine-Élisabeth. Il arrêta l'auto devant l'entrée et laissa tourner le moteur. Un long baiser fut échangé, et Amelia lui dit, en lui caressant les cheveux:

— Bonne journée, *darling*. Ne travaille pas trop fort, quand même!

Elle lui donna un autre baiser à la sauvette et sortit. Il lui fit un dernier signe de la main et partit. Tout en revenant à son appartement, il avait en tête les images de cette folle nuit d'amour. Il sourit en pensant à Amelia, puis un souci soudain lui rida le front: il ne pouvait s'empêcher de penser aux tentatives d'enlèvement de la serviette; la dernière de ces tentatives avait réussi, et tous deux ne savaient toujours pas ce que cette damnée serviette contenait de si mystérieux ni de si important, pour qu'à deux reprises on les ait attaqués. Heureusement, la police détenait un témoin précieux en rapport avec l'affaire, et la vérité se saurait certainement bientôt.

Pris d'une impulsion subite, il décida qu'il brusquerait les événements, le lendemain. Il n'attendrait pas que le lieutenant Allaire prenne contact avec lui pour le tenir au courant du déroulement de l'enquête en cours. Non. Demain, en matinée, il irait lui-même au bureau du lieutenant et le forcerait à agir plus rapidement... et plus efficacement.

Sa décision était prise. Satisfait, il accéléra et rentra au bercail. En fin d'après-midi et en soirée, il organisa l'horaire de ses activités, tout en sachant qu'Amelia, de son côté, en faisait autant. En fin de soirée, il l'appela pour lui faire part de sa décision et lui demander de l'attendre au Reine-Élisabeth, alors qu'il irait voir le lieutenant Allaire. Il lui dirait ensuite les résultats de sa visite. Elle tenta de l'inciter à la patience, mais Claude ne revint pas sur sa décision. Finalement, elle lui souhaita du succès, et ils se quittèrent par de doux propos que seuls les amoureux sont à même de comprendre. La nuit leur porta conseil et leur permit en même temps de bien se reposer.

CHAPITRE 11

Lundi, 28 juillet
8 h
Montréal, Québec

Claude se réveilla de lui-même avant que la musique de sa radio ne le fît. Il avait bien dormi et, la veille, il s'était autosuggestionné pour que, vers les huit heures du matin, il sortît de son sommeil. Cela lui réussissait toujours et, de plus, la résolution prise la journée précédente avait ajouté un élément au conditionnement de son subconscient.

Il se leva alerte et bien déterminé à suivre sa décision jusqu'au bout. Rapidement, il prit son petit déjeuner, s'habilla et quitta l'appartement. Il alla chercher son auto dans le parking souterrain et fila vers le quartier général de la police de Montréal pour y rencontrer le lieutenant Allaire et connaître l'évolution de l'affaire en cours. Que diable! Après tout, il était le principal intéressé dans cette histoire, et il ne partirait pas du bureau du lieutenant sans savoir au moins à quoi il avait été indirectement mêlé. Il avait bien conscience qu'en réalité Amelia devait être la personne visée, depuis que son père lui avait remis cet énigmatique rapport à New York; mais, du fait qu'elle et lui étaient maintenant liés par un sort commun, il se disait qu'il était dans son droit le plus légitime en voulant apprendre la vérité sur ces deux attentats.

Très décidé à ne pas s'en laisser imposer par les autorités, il arriva au Q.G. de la police. Il gara sa voiture, en sortit et, après avoir bien toussé pour s'éclaircir la voix, il entra dans l'édifice. Il n'eut pas de difficulté à exposer à l'officier qui le reçut la raison de sa visite. Comme il s'y attendait, il eut cependant à faire face à un refus net à sa requête: il n'était pas question d'être reçu par le lieutenant sans rendez-vous préalable. Et, pour ce faire, il y avait un tas de formalités à suivre par la voie hiérarchique normale.

Finalement, à force d'insister, il força l'officier à en référer immédiatement au lieutenant-détective Allaire, qui, au soulagement de

Claude, accepta de le recevoir personnellement dans son bureau, si cela pouvait calmer son agitation. Claude le salua et aborda directement le sujet, après s'être assis dans un fauteuil qui faisait face à celui du lieutenant. Il ne prit pas de détour et lui demanda d'être franc et précis avec lui: l'affaire progressait-elle ou fallait-il attendre encore avant de savoir la vérité sur tout cela? Il n'alla pas plus loin car, pour mettre fin à cette conversation qui risquait de s'éterniser, le lieutenant lui dit calmement, en le regardant bien dans les yeux:

— Bon. Autant être honnête avec vous. Il semble que cette affaire soit plus sérieuse que nous ne l'avions pensé au tout début. Elle a des implications à un échelon supérieur, et il pourrait même être question de terrorisme international. La G.R.C. est venue chercher le suspect, samedi, en compagnie d'un agent de la C.I.A. Il est accusé d'un délit autrement plus grave que celui d'attentat sur la personne de...

Se ravisant soudain, le lieutenant prit un air plus soupçonneux et dit, d'un ton bien mesuré, comme pour atténuer l'effet des paroles qu'il venait de prononcer:

— Mais je vous en ai déjà trop dit. Oubliez tout ça et laissez tomber; moi-même, j'ai reçu des ordres à cet effet, venant des autorités supérieures, afin que l'affaire soit oubliée et non ébruitée par la presse...

Claude reçut cette révélation avec étonnement; ainsi donc, il ne s'était pas trompé dans ses déductions: il y avait nettement quelque chose qui dépassait un simple cas de police municipale. Mais il dut se résigner: il savait qu'il n'obtiendrait aucun autre renseignement de la part du lieutenant Allaire; l'affaire s'arrêtait à son niveau et prenait une tout autre direction.

— Eh bien! dit Claude, au moins, je sais à quoi m'en tenir! Je ne pensais jamais qu'un jour je serais été mêlé à ce genre d'histoire... Excusez-moi pour mon emportement de tout à l'heure.

— Je comprends votre situation... et votre réaction, vu les circonstances... De toute façon, attendez les événements et laissez agir la G.R.C. Vous aurez peut-être bientôt des nouvelles.

Les deux hommes se levèrent et se serrèrent la main. Claude sortit. Sa visite n'avait pas eu le résultat escompté, mais elle n'avait pas été totalement inutile non plus. Il avait maintenant une idée du complot auquel il était mêlé, et il savait que les services de renseignements et d'espionnage américains et la Gendarmerie royale du Canada travaillaient de concert dans cette affaire.

— Eh bien! s'exclama-t-il en entrant dans sa voiture, je me demande ce qu'Amelia va penser de ça, lorsque je lui raconterai...

Il prit la direction du centre-ville et se dirigea vers l'hôtel, où il arriverait à temps pour la session de l'après-midi, constituée, comme toujours, de discours et de débats sur les techniques neurophysiologiques et l'opportunité de leur utilisation dans la seule recherche expérimentale.

Du dimanche, 27 juillet, au mercredi, 30 juillet
Locaux de la Gendarmerie royale du Canada
Montréal, Québec

Wilbur était satisfait. Grâce à la collaboration de la police fédérale du Canada, il avait pu mettre la main au collet d'un des complices canadiens de la cellule newyorkaise, membre de cette organisation vouée au terrorisme et à la subversion, principalement aux Etats-Unis. Quelques-unes de ces cellules, mieux équipées et plus actives que les autres, étaient malheureusement parvenues à infiltrer des membres à l'intérieur de certains ministères du gouvernement américain et à placer des micro-émetteurs dans des bureaux en vue de l'écoute électronique. Heureusement, ces irrégularités ne se retrouvaient qu'à des niveaux inférieurs, et le dépistage pouvait s'effectuer assez facilement.

L'équipe d'hommes sûrs que Wilbur dirigeait était efficace et elle menait avec soin la mission de surveillance des savants impliqués dans l'opération Survie, en voie de réalisation depuis quelques jours déjà. Mais, malgré les précautions prises et en dépit de sa vigilance, Wilbur n'avait pu empêcher la mise en place d'un dispositif d'écoute dans la maison du professeur Rockford, à Long Island. Et ce dernier, trop confiant, avait donné à sa fille la serviette qui avait déclenché toute cette affaire.

Mais, ce que le professeur Rockford ignorait, pour des raisons de sécurité, c'était le fait qu'Amelia, comme plusieurs personnes de sa profession, avait été choisie pour faire partie des représentants des médias d'information devant participer à l'opération Survie, et ce, avant même qu'il eût l'intention de révéler à sa fille la teneur du projet; ainsi, ils se seraient retrouvés tous deux sur le site au moment de la phase finale de l'opération. La jeune femme devait être contactée dès son retour aux États-Unis, après être allée assister au congrès médical tenu à Montréal. Dans un sens, les actes du professeur Rockford n'avaient fait que précipiter les choses, en permettant à une organisation terroriste de venir mêler les cartes davantage.

Wilbur lui-même venait seulement d'être informé du choix de la jeune femme, alors qu'il finissait d'envoyer à ses supérieurs, à Washington, les détails des faits survenus à New York d'abord, puis à Montréal. Après que Ted eut fait des aveux forcés, et suite à l'arrestation du complice canadien, Wilbur avait pu reconstituer l'enchaînement des événements s'étant déroulés au cours des derniers jours. Le puzzle était en voie d'achèvement: il ne restait à Wilbur qu'une pièce majeure à trouver, et tout serait terminé.

Maintenant que Wilbur avait expliqué aux autorités l'importance et l'urgence de la situation, l'agent de la C.I.A. avait reçu toute liberté d'action pour faire parler son homme. Et il savait que dans toutes les polices du monde, et surtout dans toute affaire de terrorisme, les moyens les plus radicaux et les plus sévères devaient être employés pour délier la langue des plus résistants, et le prisonnier était justement de cette catégorie. Pendant les jours qui suivirent, un interrogatoire serré et continu tint constamment le prisonnier sur le qui-vive et sous une tension insupportable. «Il doit parler... et il parlera» se disait Wilbur. La résistance humaine a ses limites, et même les plus coriaces ou les plus endurcis finissent par lâcher. Et Wilbur était certain qu'il lâcherait et lui dirait tout ce qu'il désirait savoir en plus du numéro de téléphone qu'il connaissait déjà grâce aux révélations du complice américain, et qui avait permis à la G.R.C. de situer le district de Montréal auquel correspondait ce numéro.

Malgré tout, la vérité ne fut connue complètement que tard dans la nuit de mardi. Fatigués, Wilbur et les hommes de l'équipe spéciale se détendirent enfin; ils savaient à présent où était exactement situé le repaire du groupe local, les noms d'autres complices canadiens et américains et leurs manières de procéder en diverses activités, les noms de certains protecteurs qui les aidaient financièrement, et, à la surprise de la G.R.C., le prisonnier mentionna également quels ministères du gouvernement canadien avaient déjà été noyautés par leur organisation, et donna même les noms des sympathisants à leur cause attachés à des postes importants de l'administration fédérale... Il y aurait certainement des démissions au sein du gouvernement canadien prochainement... Le travail de ces nouveaux incorruptibles avait porté fruit. La grosse pièce manquante du puzzle était trouvée, et il ne restait plus qu'à la mettre en place...

L'homme de la C.I.A. mit aussitôt en oeuvre un plan d'action. Il était possible que la maison hébergeant la cellule montréalaise soit maintenant inoccupée, mais il se pouvait aussi que des membres y soient encore, ne serait-ce que pour déménager leurs pénates ailleurs. Pour réaliser une descente surprise, la collaboration de la police locale serait demandée; il fallait que le plan soit au point et que le piège se referme soudainement sur sa proie.

Cela ne tarda pas. Wilbur et le caporal Phaneuf mirent en branle la manoeuvre, et, au matin du mercredi, la place était discrètement cernée.

La cellule avait son repaire à Westmount, dans une maison située sur une des nombreuses rues qui serpentent sur le flanc du mont Royal, dans l'ouest de Montréal. La demeure était placée sur le coin de deux rues qui s'incurvaient en descendant le long de la montagne. Plusieurs arbres taillés et des haies entretenues enjolivaient les environs, et, comme toujours dans ce quartier résidentiel huppé et cossu, l'atmosphère était très calme en ce début de matinée. D'ailleurs, les poids lourds y étaient interdits, ainsi que tout autre agent perturbateur qui aurait dérangé la tranquillité de ses paisibles citoyens...

Pour le moment, tout était calme, et les autos de la police s'étaient placées stratégiquement dans les rues avoisinantes, cernant le périmètre où s'élevait la maison des suspects; la zone ainsi délimitée comprenait aussi quelques autres résidences luxueuses, dont l'architecture et la décoration extérieure reflétaient bien la haute classe des gens de ce quartier bien particulier de l'ouest de Montréal.

Wilbur et le caporal Phaneuf s'étaient approchés silencieusement, et, pour le moment, ils se tenaient tous deux accroupis près d'une haie d'arbustes, au coin des deux rues qui se trouvait en diagonale avec celui du repaire des terroristes. L'agent de la G.R.C. appela par walkie-talkie un des sergents de police qui faisait partie de l'escouade spéciale, et le cercle des hommes armés se resserra autour de la demeure.

Le caporal Phaneuf regarda Wilbur et lui dit:

— Voilà! L'opération est en cours. Mais... attention! Il faudrait qu'elle réussisse sans faire trop de bruit, dans les deux sens du mot! Je connais les manières efficaces des Américains pour mener une opération de ce genre... Quand même! Il s'agit de Westmount, la ville la plus sélecte de Montréal, et je n'aurais jamais pensé que des terroristes y auraient installé une cellule...

— Westmount, mon oeil! répondit Wilbur, du tac au tac, exaspéré par les propos de l'officier canadien. Nous avons affaire à des détraqués qui, justement, se foutent éperdument de ces considérations, et ils ont probablement choisi ce secteur pour ne pas être importunés par les voisins. Je ne serais même pas surpris d'apprendre qu'ils bénéficient d'une certaine protection et de l'aide financière de quelqu'un de haut placé, tellement leur cellule a été bien implantée dans cette ville; n'oubliez pas les révélations que nous a faites le suspect, hein?... Mais je parle trop; avançons!

Au même moment, venant de la maison, un bruit se fit entendre, ressemblant à celui d'une porte de garage qui s'ouvre, et Wilbur prêta l'oreille.

— Merde! Quelqu'un se prépare à partir! s'exclama-t-il.

Il n'attendit pas. Se tenant courbé, il traversa rapidement la rue, directement sur le côté qui faisait face à la maison, et se cacha derrière un arbre.

Il avait deviné juste.

Une Chevrolet bleue s'avançait dans l'allée du garage, accolé au côté gauche de la maison, et la porte finissait de se lever, grâce à un système de commande automatique. L'auto roula encore un peu, et le conducteur actionna à nouveau le mécanisme, afin de refermer la porte du garage; celle-ci redescendit, fermant complètement l'entrée. Le conducteur se préparait à repartir, lorsqu'il resta cloué à son siège.

Wilbur n'avait pas attendu.

Voyant qu'un de ces terroristes allait lui filer entre les doigts, il s'était résolument avancé vers l'auto dans la rue, et, se plantant carrément devant le véhicule, il pointa son Magnum vers le pare-brise, criant en même temps:

— Vous êtes en état d'arrestation; ne bougez pas!

L'autre ne prêta même pas attention à ce que Wilbur lui disait: il embraya à fond et lança la Chevrolet sur l'agent américain. Wilbur n'eut que le temps de s'écarter et, perdant l'équilibre, tomba au sol. En crissant, l'auto vira sur les chapeaux de roues et partit à plein régime.

Mais les policiers s'étaient avancés, eux aussi, et le caporal Phaneuf lui bloqua le chemin à l'intersection des deux rues. Le conducteur tourna à nouveau à gauche, fit presque demi-tour, et l'auto monta sur le trottoir. Elle passa à travers la rangée d'arbustes qui entourait la pelouse et s'arrêta pile devant la façade de la demeure, tout près d'une fenêtre fermée.

Wilbur s'était relevé et courait vers la maison. Il se colla à la porte du garage et regarda l'homme au volant de la Chevrolet. Subitement, celui-ci passa par-dessus la banquette et se laissa tomber sur la banquette arrière, semblant chercher quelque chose sous la banquette avant. Wilbur se risqua à découvert et, accroupi, s'approcha de l'auto, la longeant près du siège du conducteur, lequel, enfin, avait trouvé ce qu'il cherchait.

L'homme sortit de la Chevrolet, du côté de la maison, et se tint debout entre celle-ci et l'auto, s'appuyant sur le capot. Il vit le caporal Phaneuf qui traversait la rue avec d'autres policiers afin de cerner la résidence. L'homme leva alors une mitraillette, et, plaçant un chargeur dans l'arme, la posa sur le toit de l'auto et la pointa en direction des policiers. Il lâcha une rafale. Le caporal Phaneuf n'eut que le temps de s'aplatir au sol et d'éviter les projectiles, mais trois policiers furent fauchés en plein élan et s'abattirent dans la rue, le corps transpercé de balles.

Devant le massacre, Wilbur n'hésita plus: il se releva de sa position accroupie qui l'avait dissimulé aux yeux du terroriste, recula vivement et ajusta son arme. Le révolutionnaire le vit, mais pas assez tôt. Alors même qu'il modifiait son angle de tir, Wilbur tira et la balle l'accrocha en plein front, où elle fit un trou béant en même temps que le sang giclait et que des morceaux de la boîte crânienne jaillissaient. L'impact le projeta sur la fenêtre, et il y défonça la vitre dans un bruit de verre brisé.

Au même moment, la contre-attaque eut lieu brutalement, sans se faire annoncer. De la fenêtre située à l'étage et de celle, fracassée, du rez-de-chaussée, une fusillade éclata, venant de trois autres membres de la cellule qui se préparaient eux aussi à quitter définitivement la place, après avoir réuni ou détruit des papiers et des documents révélateurs sur leur organisation et son fonctionnement, à Montréal; malheureusement pour eux, la manoeuvre de Wilbur et du caporal Phaneuf les avait pris au dépourvu, et, maintenant, ils devaient défendre leur peau.

Wilbur ne put que battre en retraite, et parvint à rejoindre le reste de la brigade policière.

La fusillade avait causé un émoi dans le quartier. Aux fenêtres des maisons voisines, les gens avaient regardé rapidement ce qui se passait à l'extérieur, surpris et courroucés que l'atmosphère de paix de leur coin habituellement si calme ait été troublée. Mais devant le risque de danger, ils se tenaient cois dans leurs demeures, attendant que le vacarme fût terminé.

Soudain, les événements prirent une tournure différente. Alors que l'équipe de policiers entourait la maison et que celle-ci était criblée de projectiles venant de trois côtés à la fois, le caporal Phaneuf vit un homme sauter par la fenêtre du rez-de-chaussée et monter dans l'auto arrêtée, dont les portières, les vitres et l'aile arrière, du côté gauche, avaient subi l'effet de la fusillade déchaînée. L'homme se coucha presque sur la banquette avant et, ne perdant pas une seconde, remit le moteur en marche, grâce à la clef de contact qui était restée enfoncée dans son orifice. Il embraya et, se tenant toujours couché sur le siège, démarra à moyenne vitesse, dirigeant l'auto à l'aveuglette, sans trop savoir où il allait. En même temps qu'il effectuait cette manoeuvre, une rafale de balles, venant de la fenêtre de l'étage supérieur, faucha un policier qui s'était avancé vers l'auto. Il tomba sur le dos, la poitrine percée de part en part, le sang rougissant l'herbe d'un vert éclatant sous la clarté du soleil qui montait de plus en plus dans le ciel.

En voyant le policier, victime du devoir, mourir ainsi sous les balles d'assassins, le caporal Phaneuf fut saisi d'une colère violente. Ne tenant plus compte de la situation critique, il se mit à courir vers l'auto à son tour, au risque de se faire toucher par les projectiles qui sifflaient à ses oreilles.

La Chevrolet roula plus vite, et le conducteur partit dans la direction opposée à celle qu'avait prise son compagnon, la première fois. Elle roula sur la pelouse de la maison et continua sur celle de la résidence voisine, défonçant la clôture de bois qui séparait les deux propriétés. Puis, espérant que le danger était écarté, l'homme au volant se releva et s'assit sur le siège; il augmenta la vitesse de l'auto et, la menant dans la rue en passant à travers une autre section de la clôture fleurie, partit en trombe.

Le caporal Phaneuf avait presque rejoint la voiture au moment où l'homme mettait les gaz, et il fut laissé sur place, fort aigri de n'avoir pu l'attraper à temps. Voyant filer l'auto, il n'eut plus le choix et eut une réaction rapide: avec sa mitraillette qu'il tenait toujours, il ajusta les pneus arrière et décocha une rafale jusqu'à ce que le chargeur soit vidé de sa réserve de projectiles. Ceux-ci pénétrèrent dans l'aile, s'enfoncèrent dans la valise arrière de la Chevrolet, brisèrent les phares et les clignotants et crevèrent les pneus arrière de l'auto à plusieurs endroits, alors que celle-ci entamait le virage d'une rue, plus loin. Les pneus s'effritèrent en lambeaux qui s'éparpillèrent dans la rue, et la Chevrolet continua son chemin sur les jantes, alors qu'elle tournait à pleine vitesse dans le virage.

La friction des jantes sur l'asphalte provoqua des étincelles qui jaillirent avec un bruit de grincement métallique et fit dévier la voiture. Le conducteur tenta de la ramener sur la bonne voie, mais elle n'obéit pas et frappa de plein fouet une boîte à lettres des postes canadiennes, la renversant sur le trottoir en l'éventrant presque. Le conducteur donna un coup de volant sur la gauche, et la Chevrolet, emportée par la vitesse et la pente, vira brusquement sur ce côté. L'homme voulut freiner, mais il était trop tard: l'auto monta sur le trottoir, le traversa et continua sur sa lancée. Elle dévala la pente abrupte du flanc de la montagne, sur lequel sinuait la route, fauchant des arbustes qui y poussaient, rebondissant sur des pierres jalonnant la pente, et se dirigeant tête première dans une autre rue, située plus bas.

L'horreur se peignit sur le visage du conducteur lorsque l'auto piqua du nez dans le fossé de cette rue, tassant la partie avant du véhicule dans un bruit métallique infernal; emportée par son élan, la voiture tomba sur le toit, dans le sens de la longueur, coinçant l'homme au volant. Le conducteur, écrasé par le poids du véhicule, se frappa durement la tête sur le toit aplati, se fendant le crâne sous le choc... Un pneu se détacha de son essieu et roula sur la route, et une des portières sortit de ses gonds et s'abattit au sol. Bientôt, l'huile et le sang se mêlèrent dans une large flaque, alors que le terroriste agonisait dans la Chevrolet démantibulée.

L'agent canadien vint rejoindre l'équipe qui poursuivait l'assaut de la maison, au moment où la police, cessant la fusillade, utilisait les gaz lacrymogènes. La maison fut bientôt envahie par les vapeurs suffocantes, obligeant ses locataires à prendre une décision radicale: puisqu'ils ne pouvaient pas s'échapper, ils mourraient sur place, plutôt que de tomber entre les mains des représentants de l'ordre.

Wilbur et le caporal Phaneuf entendirent deux coups de feu, les derniers qui furent tirés...

Lorsque le calme revint et que les gaz furent dissipés, ils pénétrèrent dans la demeure. Comme il s'y attendait, Wilbur trouva les cadavres des deux hommes, qui s'étaient suicidés.

«Décidément, pensa-t-il, c'est une manie qu'ils ont tous de se suicider quand tout flanche dans leur baraque!»

En fouillant les pièces du rez-de-chaussée, la cave et le grenier, ils découvrirent, là aussi, de la littérature à caractère révolutionnaire, un certain petit livre rouge originaire de l'Est, des armes et, finalement, dans un casier métallique qu'ils défoncèrent, la fameuse serviette de cuir, celle qui avait occasionné tant de démarches et causé tellement de problèmes à l'équipe de Wilbur.

Il l'ouvrit, alors que le caporal Phaneuf se tenait à côté de lui, et il y trouva un dossier portant une étiquette collée sur la couverture cartonnée. Une inscription y était écrite, à la main: «À Amelia. À lire seulement le mercredi, 30 juillet, après la fermeture du congrès médical tenu à Montréal.»

— Eh bien, dit Wilbur, nous sommes arrivés à temps. J'ai enfin récupéré ces papiers. Je ne pense pas que ces terroristes aient eu le temps de profiter de leur prise et de préparer un plan quelconque pour s'en servir contre le gouvernement. Ils devaient être trop occupés à déménager leurs effectifs ailleurs, suite au démantèlement de leur cellule de New York. Ils devaient avoir senti la soupe chaude et n'ont pas pris de mesure pour utiliser ce dossier comme ils l'espéraient. Bon, c'est une excellente nouvelle! Je crois que nous pouvons classer l'affaire... du moins celle de Montréal...

Puis, voyant le caporal Phaneuf qui semblait douter de la valeur des documents retrouvés, il ajouta:

— Félicitations, caporal Phaneuf! Vous avez brillamment réussi cette opération et magnifiquement exécuté le travail... ce qui est tout à votre honneur. Maintenant, retournons à vos locaux; je devrai avertir Washington du succès de ma... heu, de notre mission, ici, et ensuite prendre contact avec Miss Rockford pour l'aviser de tout ceci. La pauvre fille! Elle doit se faire du souci avec cette histoire, surtout que son père en est le principal responsable, d'une certaine façon. Allons, en route; il ne faut pas perdre de temps...

Wilbur et le caporal Phaneuf quittèrent l'endroit, alors que les policiers continuaient à ratisser les pièces de la maison. De nombreux résidents de Westmount paradaient aux alentours, chacun y allant de ses propos sur cet événement qui avait changé leur routine de vie paisible...

Mercredi, 30 juillet
Midi
Hôtel Reine-Élisabeth, Montréal, Québec

Le congrès prit fin dans un tonnerre d'applaudissements suivant le discours de fermeture du président de l'Association internationale des neurophysiologistes et des neurochirurgiens. Les participants avaient été nombreux, les exposés fort intéressants et très techniques, quoique souvent contradictoires, et les prises de position variées, opposées et, à l'occasion, enflammées. Et, comme souvent dans ce genre de réunion, les conclusions sur les thèmes présentés avaient été plus ou moins définitives, car il était toujours difficile de préciser exactement les bornes que les chercheurs ne devaient pas dépasser dans leur expérimentation scientifique, ou de délimiter correctement le champ de leurs activités en laboratoire.

Claude avait pris en note les dernières paroles du président de l'Association et, furtivement, s'était approché d'Amelia. Il lui avait susurré quelques mots à l'oreille et elle avait fermé son magnétophone, se préparant à suivre Claude qui l'invitait à quitter la salle avant que la foule ne les retardât. Discrètement, ils s'étaient éclipsés, et tous deux, maintenant, marchaient vers la sortie. Claude amena sa compagne au parking et, tout en s'y dirigeant, il lui expliqua le motif de son empressement:

— Voici. Après le résultat plutôt négatif que j'ai eu avec le lieutenant Allaire, je suis bien décidé à tirer le fin mot de cette histoire. Je suis sûr qu'il y a anguille sous roche, et je suis prêt à aller jusqu'au bout.

— Mais chéri! Que peux-tu faire d'autre que ce que tu as déjà fait? La police elle-même t'a affirmé qu'elle ne devait pas s'occuper de l'affaire... C'est trop... heu... trop gros pour relever seulement des autorités locales...

— Bien! Puisque la G.R.C. est dans le coup, je ne me gênerai pas. Je vais aller directement à ses locaux et, coûte que coûte, je saurai bien de quoi il retourne!

Amelia était surprise de voir tant d'esprit de détermination chez son compagnon. Certes, à venir jusqu'à maintenant, elle avait pu apprécier les différentes facettes de son caractère, mais elle découvrait un nouvel aspect de sa personnalité, qu'elle approuvait en son for intérieur. Elle aussi aurait aimé savoir les raisons des actes de violence perpétrés contre eux, la semaine précédente. Puisque le congrès était terminé, elle avait donc toute liberté d'agir pour découvrir la vérité en relation avec son père, et, pour ce motif, elle accepta d'aider Claude dans son entreprise hasardeuse.

L'auto sortit du stationnement et fila bon train. Les paroles du lieutenant Allaire avaient causé une forte impression sur le journaliste et l'avaient piqué au vif. Le moment en était aux explications finales. Claude et Amelia arrivèrent à l'édifice où étaient réunis les divers départements de la G.R.C. et, sans perdre une seconde, ils coururent presque vers celui concernant particulièrement leur cas.

L'officier de service les reçut fort aimablement mais, bientôt, devant l'insistance et le ton impératif du journaliste, la conversation s'anima, à un point tel que l'officier se préparait à éconduire tout simplement le couple, en insistant sur le fait que, puisqu'ils n'avaient pas été avisés officiellement du déroulement de l'affaire, ils n'avaient pas à s'en mêler d'eux-mêmes, ni surtout à venir en ces lieux pour essayer de brusquer les choses.

Au moment où Claude allait rétorquer à nouveau, un groupe d'hommes entra dans le hall, et Amelia resta figée sur place. Un de ces hommes, habillé en civil, avait une mine triomphante, et son visage lui était très familier; c'était celui-là même qui, un peu plus d'un mois auparavant, avait été reçu par son père, à sa demeure privée de Long Island. Elle resta bouche bée, devant Claude qui ne comprenait toujours pas ce qui se passait, et l'inconnu fut le premier à prendre la parole, en anglais:

— Miss Rockford, je suis enchanté de vous rencontrer... même si je ne m'attendais pas à vous voir ici même, surtout en cet instant.

Puis, devant l'air ahuri de tous ceux qui occupaient la pièce, Wilbur reprit:

— Excusez-moi: je vois que vous tous, ici, avez besoin d'un peu d'explications sur ce qui s'est passé ces derniers jours.

S'adressant au caporal Phaneuf, qui, galamment, se présentait à Amelia, il dit:

— S'il vous plaît, voulez-vous montrer à Miss Rockford ce que nous avons déniché dans cette maison de Westmount... Oh! soyez sans crainte! vous pouvez le faire sans danger: elle est la première personne impliquée dans cette histoire... et son compagnon partagera bientôt avec elle la suite des événements.

Devant les paroles énigmatiques et assez directes de Wilbur, Claude et Amelia froncèrent les sourcils. Et lorsqu'une grosse valise fut ouverte par l'agent de la G.R.C., Amelia ne put s'empêcher de s'exclamer en voyant l'objet qu'il en sortait:

— Mon Dieu! Mais... c'est la serviette que mon père m'avait donnée à New York...

— Miss Rockford, je comprends votre surprise, dit Wilbur. Comme je viens de le dire, il serait préférable que je vous raconte en détail les événements qui m'ont fait venir à Montréal. Si vous le voulez bien, nous allons passer dans la pièce voisine: nous y serons plus à l'aise pour discuter calmement.

Sur ces mots, le groupe traversa dans le bureau adjacent. Le caporal Phaneuf invita le couple à prendre siège, puis lui-même et Wilbur s'assirent en face d'eux. L'Américain leur raconta toute l'histoire, à partir du moment où la jeune femme avait reçu de son père les documents, jusqu'à celui de la reprise de la serviette, à Westmount. Il expliqua que l'organisation avait volé les papiers pour tenter de dévoiler, à leur façon négative, le projet entrepris conjointement par l'Armée et le gouvernement américains. Ce projet, s'il avait été connu avant le moment prévu, aurait placé les États-Unis dans une situation embarrassante, en n'étant pas présenté correctement au public ni, surtout, dans une optique favorable au gouvernement de ce pays.

Le projet en était néanmoins rendu à son avant-dernière phase; dans quelques jours, la population commencerait à apprendre la nature et le but de l'opération Survie, puisque tous les médias d'information étaient appelés à collaborer avec la communauté scientifique pour en montrer l'historique et décrire les étapes qui avaient conduit à sa création; par la suite, ils annonceraient au monde la découverte qui était à l'origine de toute cette opération.

En entendant les propos de Wilbur, Claude et Amelia s'interrogèrent du regard. La jeune femme savait que son père était intimement mêlé à ce fameux projet, et qu'il avait risqué beaucoup en voulant l'informer prématurément. Wilbur termina son histoire et regarda Amelia directement dans les yeux. Tout en continuant de lui parler, il jetait de temps en temps un coup d'oeil à Claude, pour bien lui signifier que ces propos s'adressaient autant à lui qu'à elle:

— Miss Rockford, ainsi que vous, Monsieur Tremblay, allez devoir m'accompagner aux États-Unis. En qualité de représentants de la presse écrite, dans la catégorie des vulgarisateurs scientifiques, vous allez faire partie du groupe d'informateurs qui auront pour tâche d'élaborer, avec les scientifiques choisis également dans ce but, la série de reportages et de nouvelles destinés à la préparation psychologique du public pour les révélations qui lui seront faites, plus tard, sur l'opération Survie. Vous, Miss Rockford, avez été selectionnée dans votre catégorie parce que votre nom est connu dans le domaine, parce que votre père est un des principaux responsables de ce projet, et surtout parce que vous avez la compétence requise. Quant à votre compagnon, il a été choisi à cause des mêmes raisons professionnelles que les vôtres, mais dans la catégorie canadienne. De la même façon, des spécialistes d'autres catégories de médias d'information et de nationalités différentes ont été ou seront approchés par la C.I.A. pour se joindre à ce groupe définitif. Par ailleurs, Miss Rockford, je ne pense pas que vous accepteriez de bonne grâce de vous séparer de... de votre compagnon, maintenant que vous le connaissez... heu... un peu mieux qu'à votre arrivée; est-ce que je me trompe?

Devant le sourire de connivence du couple, Wilbur se permit lui aussi un mince sourire, puis, reprenant son air autoritaire, il enchaîna:

— De toute façon, un certain nombre de ceux qui ont été triés pour former le groupe spécial sont des couples dont la spécialité de l'un et de l'autre entre en ligne de compte dans la détermination des catégories de spécialistes que le gouvernement veut réunir pour cette opération, que ce soit dans le domaine des sciences ou dans celui de l'information...

Au fur et à mesure que Wilbur les informait, Claude et Amelia devenaient de plus en plus intrigués. À la pause que l'Américain fit, Amelia demanda d'un coup:

— Vous voulez que nous vous suivions aux États-Unis; mais pour quelle destination, au juste?

Et Claude, renchérissant sur la question d'Amelia, ajouta:

— Et quelle est donc la nature de ce secret incroyable qui cause tout ce remue-ménage au sein du gouvernement, de la C.I.A. et de l'Armée américaine?

Wilbur les regarda tous deux de côté et, se massant la nuque avec la main et s'étirant en même temps, il se leva. Puis, se penchant vers le couple, il dit:

— Ça, vous le saurez justement en temps et lieu. Même moi, qui avais la tâche de surveiller votre père, Miss Rockford, je n'en sais pas plus qu'il n'en faut. Mais, d'après les derniers entretiens que j'ai eus avec Washington, je peux vous dire qu'il est question d'un événement tellement fantastique que tout ce «remue-ménage», comme vous dites, Monsieur Tremblay, est nécessaire et justifié par les circonstances.

Puis, sans transition, il demanda à Amelia:

— Miss Rockford, voulez-vous vraiment revoir votre père le plus tôt possible?

Devant le sursaut de la jeune femme, Claude se leva à son tour et dit à Wilbur:

— Monsieur Blakeley, puisque nous avons déjà été «sélectionnés» par vos services, et puisque, d'après ce qu'il me semble, nous ne pouvons pas tellement refuser cette invitation, je pense alors qu'Amelia et moi-même sommes prêts à nous jeter dans cette aventure. Personnellement, je n'ai rien qui me retienne ici dans le moment, et, franchement, j'avoue que tout cela m'intrigue et même aiguise fortement ma curiosité. Et puis, si le professeur Rockford est déjà sur place, je pense que seulement ce fait constitue la meilleure raison pour vous accompagner.

Amelia se leva elle aussi et, prenant la main de Claude, lui adressa un sourire qui exprimait bien la pensée qu'elle avait pour le journaliste en ce moment. Wilbur les regarda et sourit à nouveau. Le caporal Phaneuf fut le dernier à se lever et invita alors Amelia et Claude à passer dans la pièce voisine avec Wilbur, qui s'occupa des formalités pour le départ. Il leur dit que leurs journaux respectifs seraient avisés par son service des changements de dernière minute, à propos de ce «voyage éclair» aux États-Unis. La C.I.A. savait s'y prendre pour expliquer les choses à n'importe qui; d'autre part, sur les lieux mêmes de la première étape de l'opération Survie, là où les divers spécialistes se retrouveraient tous ensemble, des vêtements de rechange et les commodités domestiques seraient disponibles. Il n'y avait donc pas à s'inquiéter de ces détails.

En peu de temps, tout fut réglé. Depuis une semaine, Claude et Amelia avaient passé par toute la gamme des sentiments, et le destin semblait leur réserver des émotions plus fortes encore. Mais, maintenant, ils étaient deux pour partager ces émotions, et l'avenir leur souriait pleinement...

Une heure plus tard, ils étaient en route pour les États-Unis, vers une destination ignorée et un but inconnu, là où le sort même de l'humanité serait décidé d'une manière irréversible...

CHAPITRE 12

Semaine du 27 juillet au 2 août

Pendant ce temps, dans une chambre du Grand Hôtel, à Washington, un homme réfléchissait aux événements des derniers jours, qui l'avaient amené dans la capitale fédérale américaine. C'était Michael Finlay, animateur de l'émission de télévision *The Science, the World and You,* qui était la mieux cotée parmi celles du genre présentées aux différents réseaux américains. Ce type d'émission de présentation et de vulgarisation de sujets scientifiques contemporains intéressait une bonne partie de la population, en particulier ceux qui suivaient fidèlement les développements de la recherche en diverses disciplines scientifiques.

Depuis plusieurs années, Michael s'était fait connaître lui-même en qualité d'animateur averti et consciencieux, et sa propre cote d'écoute avait été en grandissant. Son succès venait surtout de sa personnalité engageante et du fait qu'il savait mettre en confiance et à l'aise les personnes qu'il interviewait.

Il se rappelait justement l'interview qu'il avait eue avec un des invités, lors de la dernière émission. Celui-ci, un anthropologue français bien connu, avait été prié de faire part aux téléspectateurs américains de ses récentes découvertes, ainsi que de parler d'une théorie personnelle à propos de l'évolution de l'homme. Cette théorie était d'ailleurs jugée révolutionnaire dans les milieux de la recherche anthropologique; elle avait causé d'assez forts remous parmi ses collègues, car elle remettait en cause les hypothèses avancées sur l'origine de la violence chez l'homme préhistorique et chez son descendant direct, l'homme moderne.

Le professeur Jouvet ne s'était pas fait prier. Il avait d'abord narré les faits marquants ayant conduit à la découverte d'ossements humains qui, par la suite, avaient permis d'ajouter des éléments nouveaux à la connaissance de l'histoire de l'homme préhistorique. Puis il avait parlé de la période de l'homme de Cro-Magnon, qui, d'après lui, avait été une étape décisive pour le comportement belliqueux futur de l'être humain. À la demande de Michael, il avait expliqué rapidement le contenu de son dernier volume publié: *Le Paléolithique revu... et corrigé.*

— Puisque vous m'en donnez l'occasion, avait-il dit, qu'il me soit donc permis ici de résumer ma pensée, pour le bénéfice de vos téléspectateurs. Je suis convaincu qu'il s'est produit un événement d'importance, à l'époque de l'homme de Cro-Magnon, qui a ensuite causé chez ses descendants une évolution autrement différente de celle à laquelle il était normalement destiné, et que cette situation s'est perpétuée d'une manière «non naturelle», si je puis dire, jusqu'à la période de l'homme moderne. Lorsque l'on examine minutieusement les changements évolutifs de l'homme, depuis sa plus ancienne origine en tant que primate, on se rend compte qu'il a toujours vécu assez paisiblement avec ses semblables, qu'il a découvert plusieurs secrets de la nature, qu'il a su en tirer avantage pour lui, qu'il a vécu en bon voisinage avec ses frères, et ce, jusqu'à la période du paléolithique, il y a 30 000 ans. À ce moment, l'homme vivait en tribu, les cinq continents étaient peuplés, et la race humaine assurait sa suprématie, sans guerres ni massacres. Puis, tout à coup, alors que rien ne semble expliquer ce changement soudain, il devient l'être le plus belliqueux de la création. Il mène des luttes incessantes à ses semblables, il les combat partout où il les trouve, et alors commence la période la plus noire de son histoire... Alors, je dis, et ceci au risque de m'attirer les foudres de mes collègues et des psychologues, qui ne basent leurs explications du phénomène de la violence accrue dans le monde que sur les seules recherches contemporaines, je dis que la cause de cette déviation de comportement est très certainement extérieure à l'homme; en d'autres mots, il n'est pas le seul coupable de cette voie criminelle qu'il a prise à un moment de son histoire. Et j'irais même plus loin en affirmant qu'il n'est assurément pas le premier responsable de cet état de choses. L'être humain est fort certainement la malheureuse victime d'une certaine expérience, et la violence qui grandit dans le monde d'aujourd'hui en est la preuve la plus évidente...

Sur ces paroles énigmatiques de l'anthropologue, l'émission s'était terminée. Mais une surprise attendait celui-ci, ainsi que Michael Finlay. Ils avaient été alors approchés par deux agents de la C.I.A., à la sortie du studio d'enregistrement, et avaient été presque forcés de les accompagner à Washington, après avoir appris d'eux que leur présence y était requise pour participer, chacun dans sa spécialité, à un projet d'envergure réalisé par le gouvernement américain.

Aussi, se retrouvaient-ils tous deux, maintenant, au Grand Hôtel, attendant la suite des événements...

* * * *

Charles Magor faisait de même, dans sa chambre d'hôtel, étendu sur son lit et pensant à l'aventure inusitée qui venait de lui arriver...

Il était un exobiologiste canadien très versé dans sa spécialité. Depuis plus de vingt ans, il avait choisi cette carrière, et, au fil des années, les recherches qu'il avait poursuivies dans ce domaine, souventes fois confirmées par les analyses effectuées en laboratoire sur les micro-organismes trouvés dans certaines météorites tombées du ciel, l'avaient convaincu que la vie existait certainement sur d'autres planètes.

Parallèlement, il s'était intéressé d'assez près à un autre type de recherche de vie extra-terrestre dans l'univers. Quoique nouvelle encore, comparativement aux autres disciplines scientifiques, celle-ci captivait de plus en plus un nombre grandissant de chercheurs indépendants ou rattachés à des centres de recherche.

Le professeur Charles Magor s'était donc fortement renseigné sur le sujet, qu'un des chercheurs les plus qualifiés des années 60 avait défini comme étant «le plus grand problème scientifique de notre temps». Par l'analyse minutieuse des rapports de cas d'observation d'objets volants non identifiés survenus dans tous les pays du monde, par l'investigation serrée et rigoureuse des cas effectuée sur les sites mêmes où des atterrissages avaient eu lieu, et par la lecture des nombreux dossiers, volumes et revues sérieusement documentés sur la question, il en était finalement venu à la conclusion que le phénomène O.V.N.I. était absolument réel et authentique, et devait être considéré comme un sujet valable d'étude par les scientifiques.

Au cours des années, il s'était convaincu que le problème méritait vraiment une approche scientifique, faite sans émotivité et dépourvue d'idées préconçues, quoique, en son for intérieur, d'après les nombreuses caractéristiques du phénomène, si variées dans leur nature, il fût porté à envisager l'hypothèse de l'origine extra-terrestre comme étant la plus hautement probable. Mais il avait encore quelques réserves sur l'acceptation totale de cette hypothèse.

Sa réputation de chercheur consciencieux avait grandi, et, récemment, il avait publié un livre important sur la question, qui comptait parmi les ouvrages de référence par excellence dans la littérature publiée sur le phénomène O.V.N.I. Le professeur Magor était d'autant plus fier de sa situation que le centre privé de recherches qu'il avait créé groupait de vrais chercheurs scientifiques qui avaient eu l'honnêteté et le courage d'ouvrir le dossier, de connaître les faits, de lire les résultats des enquêtes effectuées sur des sites d'atterrissages d'O.V.N.I., et d'étudier l'ensemble des autres phénomènes qui s'y rattachaient.

Il avait donc raison d'être satisfait de cette étape nouvelle dans son cheminement vers la découverte de la vérité, grâce à sa quête constante d'éléments nouveaux pouvant compléter l'impressionnant dossier de l'«ufologie». Ce dernier terme avait été créé et accepté mondialement pour désigner spécifiquement cette branche de la recherche contemporaine; le sigle anglais V.F.O., signifiant *Unidentified Flying Objects,* était à l'origine de ce néologisme.

Le lundi soir précédent, le professeur venait juste de terminer une conférence de présentation des différents aspects de l'ufologie, lorsque, à la fin de la période de questions, deux hommes l'avaient abordé brusquement et lui avaient presque ordonné de les accompagner à Washington.

On ne lui avait révélé que le strict nécessaire, en lui disant seulement qu'en sa qualité d'exobiologiste et de chercheur en ufologie il avait été désigné pour se joindre à un groupe de scientifiques qui auraient à prendre bientôt des décisions importantes, à l'intérieur d'un projet dirigé par le gouvernement des États-Unis.

Bon gré mal gré, il les avait suivis jusqu'à la capitale fédérale américaine où, après diverses procédures, il se retrouvait maintenant dans cet hôtel, cogitant.

* * * *

Adolf Steiner, lui, faisait les cent pas dans sa chambre. Fort connu dans les milieux européens en sa qualité de réalisateur de films documentaires, il avait récemment décroché un contrat avec la National Geographic Society. Depuis près de dix ans, il avait fait un bon nombre de ces films documentaires, tant pour son compte que pour celui d'organismes scientifiques reconnus, et ses longs métrages d'information comptaient parmi les modèles du genre. Son nom n'avait pas tardé à être connu, et, aujourd'hui, il ne craignait plus pour son avenir, qui s'annonçait fort brillant.

Mais il n'avait même pas eu le temps de se mettre à l'oeuvre: quelques jours auparavant, deux hommes étaient venus le voir chez lui, à Francfort-sur-le-Main, en Allemagne. Ils s'étaient présentés et identifiés comme étant des agents du service des renseignements du gouvernement américain. Après quelques brèves paroles échangées, ils avaient réussi à le convaincre de partir avec eux pour l'Amérique. Ils lui avaient dit que son talent lui permettrait de collaborer avec une équipe réunissant des représentants des divers médias, en vue d'un vaste programme d'information publique sur un problème qui mettait en jeu le destin de l'humanité.

Quelques heures plus tard, il se retrouvait donc en plein ciel, à bord d'un Boeing 747, en route vers les États-Unis...

* * * *

Le révérend Thomas Osborne était un homme assez particulier. Ministre d'une paroisse du Devonshire, il avait souvent été amené à côtoyer l'étrange et l'inconnu, dans cette région reculée de l'Angleterre, car le folklore y est riche en légendes où l'occulte et le mystère jouent un rôle de premier plan.

Certes, il savait que des phénomènes inconnus, reliés au psychisme de l'homme et à ses facultés spirituelles, existaient vraiment et étaient étudiés par des organismes sérieux dispersés un peu partout dans le monde, et en particulier en Angleterre. Au cours des années, les chercheurs avaient prouvé, hors de tout doute, que l'esprit humain recelait des ressources insoupçonnées, lesquelles permettraient à l'homme, dans un lointain avenir, de maîtriser encore plus la matière et l'univers, voire même de posséder des pouvoirs qui, alors, le rendraient vraiment supérieur aux autres créatures.

Cela, il le savait, car il avait suivi de près les études et les expériences effectuées en parapsychologie, ce nouveau domaine de la recherche contemporaine, que des scientifiques à l'esprit ouvert abordaient maintenant en toute sérénité, alors que certains de leurs confrères ne tenaient absolument pas à discuter du sujet, sous le fallacieux prétexte qu'il contrevenait à tous les dogmes scientifiques.

Le révérend Osborne connaissait la polémique qui existait entre les tenants des deux écoles qui défendaient ou condamnaient ces phénomènes dits «paranormaux», et, lui-même avait publié, à diverses occasions, des articles dans les revues des organisations s'intéressant au sujet, présentant calmement et sans émotivité les points forts et les côtés faibles de chacun des deux partis antagonistes.

Mais, en réalité, son intérêt se portait beaucoup plus sur le caractère des membres de ces sociétés secrètes qui pullulaient en Angleterre, particulièrement de celles qui se disaient être vouées à Satan et qui faisaient appel aux «forces occultes» au cours de leurs cérémonies. Il avait passé de longues années à étudier de près les cas de ces personnes qui, régulièrement, faisaient la manchette des journaux à cause de leurs actes horribles, souvent exécutés à la suite d'une impulsion subite, d'après les dires mêmes de leurs auteurs qui, par la suite, avaient tenté d'expliquer leur comportement et leurs raisons d'avoir agi ainsi. Il avait compilé des statistiques impressionnantes sur ces cas où, pendant des cérémonies nocturnes comme celles qui se déroulaient souvent dans sa région, les officiants et les membres de la communauté se livraient aux pires excès et débordements sexuels, sous prétexte de communiquer plus directement avec les puissances des ténèbres; ces cérémonies débutaient ou se terminaient immanquablement par un sacrifice sanglant, la victime étant le plus souvent un jeune enfant innocent.

Son livre récent avait fait sensation dans certains milieux de la recherche psychologique, car le révérend Osborne énonçait sa thèse avec de nombreuses preuves à l'appui, décrivant bien précisément sa pensée. Pour lui, il ne faisait aucun doute que les sacrificateurs de ces cérémonies agissaient sous le contrôle d'une force extérieure à leur esprit, ou que, plus exactement, leur action criminelle se produisait à cause d'un choc psychique survenant soudainement dans leur cerveau. Certes, il ne rejetait pas le fait que les participants à ces assemblées étaient déjà dans une atmosphère propice à cet acte monstrueux, au moment choisi, puisque ces rites étaient précédés de réunions de préparation et d'initiation aux exercices à venir; mais il n'en restait pas moins convaincu que de telles réunions n'avaient pas assez de pouvoir de persuasion pour transformer une personne normale en un criminel sanguinaire, et ce, en l'espace de quelques secondes.

Les cas qu'il avait cités et qu'il décrivait dans son ouvrage mettaient en évidence ce fait que des personnes dont la vie de tous les jours était des plus respectables devenaient tout à coup les auteurs de crimes crapuleux. En d'autres mots, bon nombre de ces crimes étaient perpétrés par des gens inoffensifs, ce qui faisait dire au révérend Osborne que cet état de violence généralisé dans le monde entier ne pouvait être que le résultat d'une force extérieure à l'homme... et imprévisible dans ses attaques contre lui...

Et le clergyman était même convaincu que les théories classiques des psychologues et des sociologues n'expliquaient pas TOUTES les causes de cette violence dans notre société, ni, surtout, cet aspect inhabituel du comportement des assassins de dernière minute...

Pour toutes ces raisons, il avait été «invité», lui aussi, à se rendre en Amérique, sans toutefois comprendre le motif qui poussait le gouvernement américain à agir ainsi. Tout ce qu'il apprit de ses «anges gardiens» fut qu'il allait se joindre à une équipe spéciale qui avait pour but de préparer un plan d'action en vue d'annoncer à la civilisation contemporaine la plus stupéfiante nouvelle de toute l'histoire de l'humanité...

* * * *

Ninotchka Ivanovitch Alexandroïevskaïa avait débuté son cours de géologie en présentant les principales régions de la Terre qui, de nos jours, sont bien connues à cause de leurs particularités géologiques. Elle s'était principalement attardée sur les procédés de détermination de l'âge des matériaux constituant la croûte terrestre, grâce auxquels la science pouvait fixer assez facilement les périodes importantes qui s'étaient succédé au cours de l'évolution du globe.

Elle avait fait suivre cet exposé par la présentation d'un film documentaire montrant un autre aspect de cette étude: la formation de cratères météoriques, que l'on trouve en certaines régions de notre planète. Plus précisément, elle avait décrit deux zones, bien connues par leurs caractéristiques, dont l'une était située en Asie, et l'autre en Amérique. D'abord, celle de la taïga sibérienne, où, le 30 juin 1908, une météorite géante s'écrasa, en Sibérie occidentale, dévastant les environs sur des dizaines de milliers d'hectares; puis celle de l'ouest des États-Unis d'Amérique, comprenant le fameux Meteor Crater de l'État d'Arizona, dont la naissance remontait à environ 30 000 ans, d'après les estimations des spécialistes.

Ninotchka avait dit à ses élèves:

— Ce dernier cratère mesure 1 200 mètres de diamètre et a une profondeur de 180 mètres. Les géologues qui l'ont examiné ont découvert des milliers de roches, de diverses dimensions, composées en majorité de fer météorique. Ces experts ont déterminé que la chute de la météorite qui l'a formé date de l'époque préhistorique. C'est grâce au climat sec de l'Arizona que cette formation a été... ou plutôt *avait été* si bien gardée au cours des millénaires qui suivirent sa naissance. J'en parle au passé car ce cratère a été modifié par les Américains, il y a vingt ans, et ce, pour une raison qui n'a jamais été connue véritablement. Au XXe siècle, il était devenu un site touristique très visité, quoique peu étudié par les hommes de science. Mais, depuis vingt ans, il semble que la situation ait changé.

Le film cessa, et la lumière revint dans l'auditorium. Ninotchka continua:

— Comme je viens de vous le dire, une activité inhabituelle a été notée aux environs du cratère, et cette activité a même donné lieu à l'implantation d'un camp militaire permanent autour du site. Faut-il croire que l'Amérique veut maintenant garder jalousement pour elle seule ce spécimen géologique, quitte à faire appel à son armée pour en défendre l'accès? Je l'ignore, car peu d'informations sur l'évolution de cette situation nous sont parvenues au cours des récentes années, malgré les demandes réitérées de notre Académie des Sciences de Leningrad, pour savoir le sort réservé au Meteor Crater...

Elle termina et sortit de l'auditorium. Ce fut son dernier cours de géologie donné à l'université de Moscou. Des agents du K.G.B. l'abordèrent et lui firent savoir que sa présence était nécessaire à Washington, où un congrès spécial se tenait d'urgence. Malgré la tension politique qui régnait fortement entre les deux Grands, l'U.R.S.S. avait été invitée à y déléguer un géologue émérite qui, de surcroît, fût membre de l'Académie des Sciences de Leningrad. Et comme Ninotchka répondait à ces exigences, elle avait été choisie par les services secrets russes pour cette mission, car on savait qu'elle saurait représenter dignement son pays.

Ne pouvant d'ailleurs discuter aucunement les ordres du Parti, Ninotchka accompagna les deux agents soviétiques jusqu'à un point secret de rendez-vous, où, à nouveau, elle fut escortée par d'autres agents, mais ceux-ci étant expressément venus des États-Unis pour l'amener à Washington...

* * * *

Jean-Étienne et Gabrielle habitaient une coquette maison de la campagne française dans l'Isère, près de Grenoble, où chacun travaillait dans un journal. Ils se préparaient à partir afin de profiter pleinement des quelques jours de vacances qu'ils devaient prendre ensemble.

Deux semaines auparavant, le journaliste avait assisté à l'assemblée des psychologues américains, qui avaient discuté du phénomène de l'accroissement de la violence depuis le début du XXe siècle. Puis, après être allé à Montréal pour visiter des proches, il était revenu en France, où il se promettait de passer de bonnes vacances en compagnie de Gabrielle.

Cette dernière s'occupait de la chronique politique de son journal et, plus spécifiquement, des nouvelles traitant des événements importants entourant l'activité et les manoeuvres militaires qui se déroulaient en diverses régions du globe. Elle couvrait surtout la politique américaine et s'intéressait aux faits résultant des prises de position et des décisions des hommes d'État de ce pays, en s'attachant à décrire les conséquences, néfastes pour certaines contrées, de l'ingérence américaine. Ses articles percutants sur cet aspect de la question l'avaient fait connaître dans cette branche du journalisme, et elle continuait à suivre de près les faits et gestes du gouvernement américain, afin de montrer aux lecteurs l'inutilité de projets gouvernementaux entrepris dans des pays étrangers sous l'égide américaine, bien souvent au détriment de la politique interne de ces pays.

Au moment où les deux journalistes mettaient la dernière main à leurs préparatifs, le timbre de la porte résonna. Jean-Étienne alla ouvrir. Sur le perron, deux hommes devisaient entre eux, en anglais. Voyant Jean-Étienne, un des deux demanda en français, avec un fort accent:

— Vous êtes bien Monsieur Jean-Étienne de la Durantaye, journaliste à *Sciences contemporaines?*

— Oui, c'est moi, en effet, répondit-il, étonné. Que puis-je pour vous?

L'autre sembla satisfait, puis, voyant Gabrielle qui s'avançait à son tour, demanda à brûle-pourpoint:

— Votre nom est bien Gabrielle Bournelle, journaliste à la section politique de *Tous en lutte?*

Surprise par le ton direct de l'inconnu, elle hésita un moment avant de répondre; puis, devant le silence de l'homme, elle dit:

— Oui, je suis bien cette personne. Mais vous, qui êtes-vous?

— Ah! Je m'excuse!... Nous avons oublié de nous identifier.

Il se nomma en montrant un sceau de la C.I.A. placé à l'intérieur d'un petit étui de cuir. Devant l'air décontenancé de Gabrielle, il ajouta:

— Ne craignez rien, Miss Bournelle... Nous ne sommes pas venus en France pour vous arrêter, mais bien pour vous inviter, vous et votre compagnon, à nous raccompagner en Amérique, afin de participer à un projet en voie de réalisation dans ce pays. Nos services vous connaissent et suivent d'assez près votre travail au sein du journal *Tous en lutte.* Nous savons aussi votre opinion à propos des activités et des manoeuvres du gouvernement américain, particulièrement en ce qui a trait à ce que vous appelez «l'ingérence politique américaine» en pays étranger, que vous désapprouvez et que vous n'hésitez pas à dénoncer d'une manière assez virulente dans vos articles. Mais, aujourd'hui, ce même gouvernement vous donne maintenant la possibilité de prouver au monde que, en d'autres occasions, il peut agir différemment et réaliser des projets nettement plus... heu... plus humanitaires... comme vous vous en rendrez compte bientôt... Le projet actuel vous permettra, en tant que journaliste, de collaborer avec une équipe chargée d'élaborer un vaste programme d'information publique, concernant un événement d'intérêt mondial, qui risque de bouleverser les gens s'ils ne sont pas avertis progressivement, ou s'ils le sont sans une certaine préparation psychologique.

Jean-Étienne et sa compagne se regardèrent, leur mine reflétant le doute sur les paroles prononcées par leur interlocuteur. Celui-ci, voyant qu'ils montraient de la réticence à accepter ses propos, renchérit aussitôt:

— Je sais que ce que je vous dis paraît incroyable, et même mystérieux, mais c'est la stricte vérité... D'ailleurs, pour vous convaincre de l'importance de ce projet, et pour lever le doute sur nos intentions, je peux vous dire que plusieurs de vos confrères sont déjà en route pour l'Amérique. Ils ont accepté la proposition après que nous les eûmes renseignés un peu plus sur cette mission. Nous le ferons pour vous aussi lorsque nous serons en route vers Washington.

Il attendit quelques secondes, afin de laisser le temps à ses paroles de produire leur effet. Les deux journalistes, voyant qu'il ne semblait pas y avoir d'autre solution, se résolurent à répondre positivement à l'invitation forcée des agents américains...

Quelques heures plus tard, ils posaient le pied sur le sol d'Amérique et entreprenaient cette nouvelle étape qui allait les mener vers le but ultime de tout ce déploiement de force et de cerveaux réunis pour la réalisation de la mission la plus extraordinaire jamais confiée à un groupe d'hommes et de femmes, dans toute l'histoire de l'humanité...

* * * *

À peu de chose près, l'historien belge Van Den Bruch avait été invité aux États-Unis de la même façon que ses collègues. Pour lui également, les explications avaient été très laconiques au moment où il avait été abordé par deux agents de la C.I.A. Il sut quand même que ses travaux étaient à la base du choix de sa personne. Son cas aussi était assez particulier.

Après maintes années d'étude sur l'histoire des peuples et sur leur évolution, il était parvenu à certaines conclusions dignes d'attention de la part de ceux qui s'intéressaient aux sciences humaines. Par tous les moyens, il approfondissait les antécédents historiques des peuples, car il ne parvenait pas à expliquer le fait qu'ils avaient été continuellement en lutte les uns contre les autres, et ce, depuis la période préhistorique.

Ses recherches l'avaient fortement ébranlé, et il espérait bien, un jour ou l'autre, être en mesure de faire la lumière sur cette caractéristique qu'il qualifiait d'universelle, parce qu'elle se retrouvait dans toutes les nations, et particulièrement depuis le début des années 1900...

Cet élément inexplicable pour lui et pour d'autres de ses confrères constituait la pierre d'angle de son argumentation lorsqu'il donnait ses conférences sur l'énigme de *L'Homme belliqueux à travers les âges.* Il mettait en évidence ce point capital que le caractère vindicatif ou meurtrier de l'homme se retrouvait dans toutes les races, quels que fussent l'époque et le milieu. Et il montrait bien les différences de moeurs, de traits physiques et de coutumes des nombreuses ethnies que l'on trouve sur Terre présentement, mais il le faisait sans intention raciste ni dans le but de rabaisser ou de dévaloriser l'un ou l'autre des groupes raciaux de la population terrestre.

Au contraire, il affirmait au public qu'*aucun* de ceux-ci en particulier ne détenait le monopole des actes violents perpétrés au cours de l'histoire de l'homme. Ces actes se rencontraient indifféremment chez toutes les races et les ethnies. Il n'y avait donc aucune raison de blâmer inconsidérément telle nation ou telle autre, ni de la tenir responsable de la situation internationale que, à juste titre et malgré tout, on pouvait décrire comme étant très explosive, en cette fin du XXe siècle.

Van Den Bruch pensait à tout cela en sirotant tranquillement son café au lait, confortablement installé dans le fauteuil rembourré placé près du mur de sa chambre d'hôtel à Washington. Fatigué par le long voyage assez éreintant qu'il venait d'effectuer à la sauvette, sans préparation aucune, il ne tarda pas à être gagné par le sommeil, et il se laissa aller dans les bras de Morphée...

* * * *

Au cours de cette même semaine, en Amérique et en Europe, de nombreux autres spécialistes reçurent ainsi la visite d'envoyés spéciaux de la C.I.A., chargés de regrouper l'élite de l'intelligentsia scientifique et de l'information, qui aurait à réaliser, de façon définitive, la fameuse opération Survie dont l'issue déciderait irrémédiablement du destin de l'humanité...

Pendant ce temps, et plus furieusement que jamais, la violence se répandait dans le monde, divisant les humains et semant la mort partout où elle éclatait..., alors qu'en même temps la Machine infernale approchait de son déclin...

CHAPITRE 13

Mercredi, 30 juillet

(D'après UPI) — Dans les milieux journalistiques généralement bien informés, on rapporte qu'une opération militaire de grande envergure est présentement en cours, organisée par les services de renseignements du gouvernement américain et par l'Armée de terre et l'Armée de l'air des États-Unis. Une activité inhabituelle a été remarquée au sein de ces services, et des mouvements de troupes ont effectivement eu lieu à certaines bases militaires, notamment aux environs des villes de Phoenix, Tucson et Flagstaff, en Arizona.

Jeudi, 31 juillet

(D'après UPI) — Malgré le plus grand secret entourant ces activités, des rumeurs persistantes ont circulé, dans les milieux de l'information, à l'effet que les services de renseignements du gouvernement américain, en collaboration avec l'Armée de terre et l'Armée de l'air des États-Unis, auraient organisé une vaste opération d'«enlèvement» de personnalités du monde scientifique et de représentants de divers médias d'information, afin de les amener dans un endroit secret, en vue de l'élaboration d'un programme d'information sur un événement important survenu aux États-Unis il y aurait fort longtemps...

D'autres informations ayant filtré des milieux gouvernementaux font également état d'une sorte de «préparation psychologique» du public à l'annonce d'une nouvelle qui risquerait d'avoir des suites désastreuses sur la population si elle venait à être connue brutalement.

D'autre part, de nombreuses protestations ont été envoyées à Washington par divers organismes scientifiques auxquels appartenaient les personnalités «enlevées»; ces protestations n'ont pas encore reçu de réponse précise ni de démenti officiel de la part du gouvernement américain, ce qui laisse supposer que ce gouvernement est réellement impliqué dans une opération à l'échelle internationale.

Vendredi, 1er août

(D'après UPI) — Des télégrammes et des lettres demandant des explications franches et claires au président des États-Unis ont été envoyés en grand nombre à la Maison-Blanche, et l'on s'attend que des déclarations importantes aient lieu prochainement, sur l'opération militaire entreprise depuis quelques jours par deux des armées des États-Unis, en collaboration avec les services secrets de ce pays.

D'autres groupes antiaméricains ont défilé dans les rues de Montréal, de Paris, de Rome et de Barcelone, dont les banderoles et les tracts importants ayant eu lieu en différents pays d'Europe. Des centres de recherche et des organismes scientifiques américains ont été la cible de manifestations, et divers projectiles ont été lancés sur les édifices et sur la police, qui était intervenue pour disperser la foule. Des échauffourées ont suivi, et plusieurs arrestations ont été faites par la suite. Des accusations de voies de fait sur la propriété privée et sur celle de l'État seront portées contre les auteurs des actes de violence.

D'autres groupes antiaméricains ont défilé dans les rues de Montréal, de Paris, de Rome et de Barcelone, dont les banderoles et les tracts dénonçaient sans détour l'ingérence du gouvernement américain dans les affaires politiques des autres pays. À Montréal, des représentants du Parti communiste se sont joints aux manifestants, ainsi que des groupes marxistes-léninistes. Pendant ce temps, à Saint-Bruno, les Bérets-Blancs organisent un pèlerinage à la Sainte Vierge pour attirer la bénédiction de Dieu sur ce pauvre Québec déchiré et Lui demander d'exterminer tous les défenseurs des politiques athées qui pullulent dans ce Québec devenant de plus en plus incroyant et «communiste»...

Vendredi, 1er août, en soirée

(D'après UPI) — Suite aux événements survenus ces derniers jours, relativement aux nombreuses manifestations antiaméricaines organisées dans différentes villes, nous tiendrons nos lecteurs au courant des informations que nous pourrons glaner, au fur et à mesure de l'évolution de la situation; mais déjà, nous pouvons nous poser la question, et nous la posons également aux lecteurs: se peut-il qu'il y ait une relation entre toutes les manoeuvres militaires effectuées à Washington, cet après-midi, et les enlèvements rapportés en divers pays et réalisés fort certainement par un service spécial de la C.I.A.?

La porte reste ouverte à toutes les suppositions...

DEUXIÈME PARTIE

CHAPITRE 14

Vendredi, 1er août
15 h
Grand Hôtel, Washington, D.C., États-Unis

Claude reposait calmement dans le grand lit d'une chambre du Grand Hôtel, à Washington. Il était assis nu, le dos appuyé sur un oreiller placé derrière lui, et il réfléchissait.

Les épisodes éprouvants des derniers jours lui revenaient en mémoire; pendant qu'Amelia finissait de se doucher dans la salle de bains, il revoyait en pensée tout ce qui s'était passé après la rencontre avec l'agent de la G.R.C. et avec celui des services secrets américains, à Montréal, l'après-midi du 30 juillet. Après qu'Amelia et lui eurent entendu les déclarations de Wilbur, ils étaient restés prostrés pendant quelques instants. Lorsque Claude avait récupéré ses esprits, il avait regardé l'agent américain bien en face; ce dernier paraissait sincère et avait certainement révélé tout ce que lui-même savait sur la situation: il relevait d'autorités supérieures, et sa mission devait s'arrêter là.

Amelia et Claude s'étaient donc résolus à le suivre, surtout après qu'il eut dit à la journaliste que son père l'attendait «là-bas» et qu'il lui donnerait le fin mot de l'histoire, le moment venu. Le couple avait dû prendre sa décision très rapidement, et il ne leur avait pas même été permis de retourner chacun à son appartement pour y prendre des vêtements pour le voyage. Wilbur avait dit que cela comportait des risques et qu'il ne voulait pas que de nouveaux incidents surgissent dans l'affaire en cours, car elle était déjà assez critique en elle-même. Il avait assuré Claude et Amelia qu'ils trouveraient des vêtements de rechange dès leur arrivée à destination.

Le départ de Montréal s'effectua donc en vitesse, en cette fin de mercredi après-midi. Le caporal Phaneuf avait accompagné l'Américain et le couple jusqu'à la piste, où un avion en partance pour New York était prêt à décoller. On aviserait le patron de Claude de son départ impromptu, en lui laissant entendre qu'une mission urgente requérait ce dernier à New York, où il devait raccompagner la fille du savant et prendre contact avec lui; mais on se garderait bien de mentionner la destination finale du couple, pour ne pas mettre la puce à l'oreille du directeur ou des journalistes de *L'Informateur,* fins limiers lorsqu'une histoire inhabituelle se produisait.

Près d'une heure après le départ, l'avion se posait à l'aéroport international John F. Kennedy, où un transfert immédiat et spécial se fit pour Washington. De Montréal, Wilbur avait auparavant communiqué avec son bureau de NewYork, afin que cette opération s'effectuât dès l'arrivée à New York des trois personnes. Ce second vol ne dura pas longtemps, et l'arrivée à l'aéroport de Washington eut lieu dans le plus grand calme.

À leur descente d'avion, une auto les accueillit aussitôt. Il sembla à Claude qu'elle était immatriculée aux initiales du gouvernement américain, mais il n'en fut pas certain. Le couple et l'Américain y montèrent. Elle les emmena ensuite à cette première étape du voyage, au Grand Hôtel de Washington, où une surprise de taille attendait Amelia et Claude. En approchant de l'hôtel, ils remarquèrent d'abord des jeeps de l'Armée de terre américaine, stationnées aux quatre coins du quadrilatère que formait à lui seul l'imposant édifice. Claude vit aussi que d'autres véhicules et des camions de l'Armée étaient alignés sur la grande place devant l'hôtel. Des autos, garées dans un parking extérieur, devaient appartenir aux services de renseignements du gouvernement, et leurs occupants, qui allaient et venaient entre le parking et l'édifice, paraissaient être fort occupés à accomplir une opération de grande envergure.

L'auto se dirigea vers l'entrée du parking intérieur, et Claude vit un poste de garde militaire qui s'élevait devant et à côté de celle-ci, constitué d'un réseau de fils barbelés tendus entre des tréteaux en forme de X et disposés en une double rangée circulaire autour de l'entrée de l'allée conduisant au parking souterrain. Des soldats en arme surveillaient tout véhicule qui en approchait, et un militaire s'avança devant l'auto. L'homme au volant baissa la vitre de la portière et sortit de sa poche une carte plastifiée, la montrant à l'officier qui venait de s'incliner pour lui parler. Le militaire regarda la carte, jeta un coup d'oeil à l'Américain et au couple, puis dit au conducteur:

— Tout est en ordre... Descendez au second niveau, à la section 22.

Il salua et retourna près du poste de garde. Claude trouva étrange que le militaire salue ainsi le conducteur habillé en civil, mais il ne put approfondir le fait, car l'agent américain,qui, jusque-là, les avait accompagnés, se retourna vers le couple assis à l'arrière et dit, plus particulièrement à Amelia:

— O.K., ma mission se termine ici; maintenant, ce sont les services de l'Armée qui prennent la relève. Veuillez suivre le major Danforth et, s'il vous plaît, collaborer avec lui de la même manière que vous l'avez fait avec moi. Tout est en ordre, vous n'avez rien à craindre; on vous expliquera tout, bientôt, soyez-en certains.

Il sortit, puis marcha vers une auto où deux hommes attendaient sur la banquette avant. Claude ne put rien voir d'autre, car le véhicule conduit par le major reprit sa route, traversa la barrière de fils barbelés et descendit dans l'allée souterraine.

Ainsi, pensa Claude, ce conducteur n'est pas seulement attaché aux services de l'Armée; il en fait partie et détient même un grade élevé. Eh bien! Pour qu'un major de l'Armée américaine se déplace en personne pour nous accueillir à l'aéroport, il faut vraiment que l'affaire soit d'une importance capitale; et puis le père d'Amelia joue certainement un rôle primordial dans tout ça! Hé diable! Dans quoi donc me suis-je fourré, et pourquoi m'y a-t-on fourré, justement?

Il ne put continuer ses réflexions, car Amelia, qui était restée muette et abasourdie autant que son compagnon, lui demanda tout bas:

— *Darling,* qu'est-ce qui se passe ici? Pourquoi sommes-nous gardés dans le secret? Et qu'est-ce que mon père fait avec l'Armée? Est-ce que l'opération Survie est...

Elle n'en dit pas plus: l'auto venait d'arrêter dans un box numéroté qui lui avait été assigné par l'officier de l'extérieur, et le major sortit. Galamment, il ouvrit la portière et, s'adressant toujours et surtout à Amelia, il lui dit:

— Miss Rockford... ainsi que vous, Monsieur Tremblay... veuillez me suivre, s'il vous plaît.

Ne pouvant agir autrement, le couple obéit, et ils se dirigèrent vers l'ascenseur du parking, qui les emmena ensuite au rez-de-chaussée. Les portes s'ouvrirent, et une seconde surprise figea sur place le couple lorsqu'il aborda le grand hall d'entrée. Vraiment, on se serait cru en plein état de siège, tant le spectacle était ahurissant, avec l'animation et le bruit confus qui régnaient dans la place.

Debout près de certaines colonnades de soutien du hall, des soldats en position de repos, les jambes écartées et le fusil-mitrailleur baissé, surveillaient attentivement les allées et venues d'une foule de gens qui entraient et sortaient. Près du guichet de la réception et du comptoir de location des chambres, un autre poste de garde se dressait, formé d'une longue table placée devant la réception et en arrière de laquelle trois officiers vérifiaient les papiers et documents de nouveaux arrivants qui, régulièrement, faisaient leur entrée dans le hall, seuls ou, le plus souvent, escortés par des militaires. Ils estampillaient ces papiers, les confrontaient avec d'autres, en gardaient certains, ou en remettaient des différents aux arrivants. Ces derniers étaient ensuite dirigés vers les ascenseurs, où un officier les accompagnait pour, vraisemblablement, les mener à leur chambre, située à l'un ou l'autre étage de l'hôtel. Quelques officiers, le brassard typique de la *Military Police* entourant leur bras, renseignaient également d'autres militaires qui arrivaient avec leurs «visiteurs», ou les renvoyaient à l'extérieur avec des ordres que Dieu seul pouvait connaître.

Claude et Amelia attendaient debout, ébahis et ne disant mot. Ils se demandaient ce qui pouvait nécessiter tant de précautions, dans cet hôtel et alentour, de la part de l'Armée. Mais ils n'eurent pas le loisir d'épiloguer plus avant: le major Danforth les invita à l'accompagner à la table où les trois officiers, diligemment, continuaient leur tâche avec circonspection. Ils le suivirent, et le major se présenta, montrant ses papiers d'identification. L'enregistrement des formalités ne dura que quelques secondes, et déjà le couple se préparait à s'éloigner, lorsque Claude entendit soudain:

— Eh, Claude, mon pote! Qu'est-ce que tu fous dans ce merdier? Bon Dieu de bon Dieu!

Surpris, il se retourna et resta figé sur place: Jean-Étienne, son confrère français, était là, à deux mètres de lui, et attendait qu'un officier estampillât les formulaires qu'un militaire lui avait remis. Le Québécois marcha vers son ami et lui tapa dans le dos:

— Sacré bonhomme! Toi aussi, tu es mêlé à tout ça! Eh bien! Si je m'attendais à ça! Qu'est-ce que tu fais ici? Je te croyais parti pour la France.

Puis, s'apercevant que Jean-Étienne était accompagné d'une jeune femme, il s'arrêta pile et la regarda. Jean-Étienne, se tournant vers elle, dit:

— Je te présente Gabrielle; elle et moi avons été interceptés en Isère, ce matin, alors que nous nous préparions à prendre des vacances bien méritées...

Claude serra la main que Gabrielle lui tendait, se nomma et, à son tour, se tourna vers Amelia, qui avait suivi la scène de loin. Ils se rapprochèrent d'elle, et Claude dit:

— Heu... je vous présente Amelia Rockford, envoyée spéciale du magazine *New Sciences of Today* et, depuis peu, ma fiancée...

Le couple français lui serra la main, et, pendant quelques instants, la conversation devint plus chaleureuse. Puis Jean-Étienne demanda:

— Tu y comprends quelque chose, toi, à ce foutu bordel? Les Américains nous piquent un peu partout, comme ça, sans tambour ni trompette, et nous expédient ici, presque sans explication... Ça sent le complot militaire à plein nez! Et, crois-moi, je l'ai fin, le nez, justement, quand il y a de la combine politique dans l'air! Tu veux que je te dise? Eh bien, pour moi, il ne fait aucun doute: il y a...

À ce moment, le major Danforth, qui s'était entretenu avec un des officiers de la table, revint vers eux et leur dit, toujours en anglais:

— Excusez-moi de vous interrompre, Mesdames et Messieurs, mais des chambres vous ont été réservées, et je dois vous y conduire; par hasard, il se trouve que vous, Monsieur de la Durantaye, ainsi que votre compagne, avez une chambre connexe à celle de votre ami, Monsieur Tremblay, et de Mademoiselle Rockford. Vous pourrez donc continuer cette conversation une fois que vous vous serez installés, si vous le voulez. Mais avant toute chose, veuillez épingler sur vos vêtements ces cartes plastifiées; elles vous identifieront à tout moment et vous seront utiles si vous devez vous promener dans l'hôtel, ou visiter des confrères dans leurs chambres.

Puis, se tournant vers les deux jeunes femmes, il reprit:

— Mesdames, et vous aussi, Messieurs, veuillez me suivre, s'il vous plaît.

Il les précéda, et les deux couples lui emboîtèrent le pas.

Le major Danforth les fit passer dans l'ascenseur, appuya sur le bouton, et les cinq se retrouvèrent finalement au quatrième étage. Les portes s'ouvrirent, le major s'écarta pour laisser sortir les journalistes, puis sortit à son tour. Les deux couples le suivirent ensuite jusqu'à ce que le militaire leur dise:

— Voici vos chambres respectives, Messieurs de la Durantaye et Tremblay.

Il leur présenta les clefs de chacune des deux chambres puis ajouta:

— Vous êtes logés à l'étage réservé aux représentants des médias d'information, dans la catégorie de la presse écrite; les autres étages reçoivent les représentants du cinéma d'information, de la radio et de la télévision, ainsi que les membres de la communauté scientifique, répartis eux aussi en catégories; bientôt, vous tous collaborerez ensemble pour la réalisation finale de l'opération Survie, dont vous avez déjà quelques éléments d'information. En temps et lieu, vous serez renseignés complètement sur celle-ci. Sachez aussi que l'hôtel, à l'extérieur et à l'intérieur, est étroitement surveillé et que, chaque fois que vous aurez à vous déplacer dans le périmètre qui l'entoure, vous devrez porter sur vous ces cartes d'identité; autrement, vous pourriez vous attirer des ennuis. Mais, excusez-moi, j'ai beaucoup de travail qui m'attend; passez une bonne nuit, Mesdames, Messieurs...

Au moment où le major se retournait, Claude l'arrêta brusquement et lui demanda:

— Heu... pardonnez-moi si je vous parle ainsi, mais à quoi devons-nous l'honneur d'avoir été reçus à l'aéroport puis escortés jusqu'ici par un major de l'Armée?

L'autre hésita un peu avant de répondre; il regarda Amelia, puis il dit:

— Bien... Le père de Miss Rockford travaille avec nous dans le cadre de l'opération Survie... et cela, depuis plusieurs mois déjà... et même depuis beaucoup plus longtemps. De plus, nous sommes d'assez bons amis, et c'est lui qui a insisté pour que je m'occupe personnellement de vous deux, après que l'Armée eut été avertie par les services de renseignements du gouvernement que Miss Rockford avait été impliquée bien malgré elle dans une affaire de terrorisme...

Il termina en s'adressant à Amelia:

— Mais maintenant que cette affaire est réglée et que votre père est en sécurité à... à la base de l'opération Survie, tout est revenu dans l'ordre. D'ailleurs, Miss Rockford, vous reverrez bientôt votre père: il va très bien et vous attend là-bas. Mais, encore une fois, excusez-moi: je dois absolument vous quitter maintenant; bonne nuit, à nouveau...

Sur ce, il claqua presque les talons et s'en fut définitivement.

Amelia avait écouté le major sans broncher; ce n'est que lorsque ce dernier fut entré dans l'ascenseur qu'elle se tourna vers Claude, tout étonnée, comme si elle ne croyait pas vraiment ce que l'officier avait révélé. Claude la prit par les épaules et lui dit:

— T'en fais pas, chérie; nous saurons bien la vérité complète dans quelque temps... Allez, viens...

Les deux Français se rendirent compte qu'un drame plus profond qu'il ne le paraissait devait avoir uni Claude et Amelia; aussi Gabrielle dit-elle:

— Bon, nous vous laissons... pour le moment. Nous aurons bien le temps de mettre de l'ordre dans nos idées. Bonne nuit à vous deux; reposez-vous bien.

Les deux couples entrèrent dans leurs chambres respectives. Déjà la soirée était entamée, et la fatigue se faisait sentir. Claude et Amelia avaient à nouveau passé une journée fertile en événements, dont le moindre, pour la jeune femme, n'avait pas été d'apprendre que son père jouait un rôle important et actif dans l'opération Survie. Elle n'en revenait pas encore et se sentait totalement dépaysée. Claude l'enserra tendrement dans ses bras et l'embrassa longuement. Ils restèrent ainsi, un long moment, dans les bras l'un de l'autre; puis, le sommeil les gagnant lentement, ils résolurent de se coucher et de prendre un repos bien mérité.

En bas, dans le hall et à l'extérieur, l'activité militaire se poursuivait; des hommes et des femmes arrivaient, escortés par un officier qui, immanquablement, leur faisait suivre les habituelles procédures d'enregistrement d'identité, de profession, et autres détails personnels; ils venaient de différents pays, étaient spécialistes en diverses disciplines scientifiques, et ils avaient tous été abordés puis invités à accompagner les agents des services de renseignements du gouvernement, sans avoir reçu tellement d'explications sur les motifs de leurs agissements; bon gré mal gré, ils avaient dû venir à Washington, où, à leur arrivée, ils étaient confiés aux soins des officiers de l'Armée, qui prenait alors l'affaire en mains.

Le sommeil fut réparateur, et ce n'est que tard dans la matinée du lendemain que les deux journalistes se réveillèrent, en meilleure condition physique et morale que la veille. Le service d'ordre régnait partout dans l'hôtel. Après qu'ils se furent habillés, Amelia et Claude sortirent de leur chambre pour aller prendre une bouchée. À l'entrée du restaurant, un militaire jeta un coup d'oeil à leur carte plastifiée et les laissa pénétrer. Ils prirent place à une table et se sustentèrent. Lorsqu'ils eurent terminé, ils décidèrent de remonter à leur chambre.

Alors qu'ils sortaient de la salle à manger, ils virent leurs amis français qui arrivaient pour leur petit déjeuner. Ils se saluèrent et se mirent d'accord pour se retrouver une heure plus tard dans un des fumoirs de l'hôtel, où ils planifieraient la journée en fonction de la liberté relative qui leur serait allouée.

Les deux couples avaient senti un lien amical passer entre eux, et une certaine solidarité les gardait maintenant réunis dans cet hôtel où, pratiquement, chacun était inconnu aux autres, sauf certaines personnalités du monde scientifique, qui se connaissaient déjà parce qu'elles avaient travaillé ensemble ou s'étaient rencontrées lors de congrès mondiaux. Bien entendu, les représentants des médias d'information étaient les plus difficiles à manier et à garder patients; leur métier même les portait à interroger les officiels qui dirigeaient cette opération, à essayer de tirer les vers du nez aux militaires qui gardaient constamment un oeil sur les entrées et sorties de tous ces résidents forcés. Mais il n'y avait rien à espérer ni d'un côté ni de l'autre. Tout le monde, du simple soldat à l'officier le plus haut gradé, gardait bouche cousue. Les lignes téléphoniques avaient évidemment été coupées, et aucune communication ne pouvait être faite entre l'hôtel et l'extérieur, hormis, bien entendu, les messages urgents qui, à l'occasion, étaient donnés à l'un ou l'autre des participants à cette réunion.

Tous n'avaient donc qu'à attendre le bon vouloir de ces messieurs les militaires et à prendre leur mal en patience. La seule chose certaine était le fait que, très bientôt, ils seraient à nouveau dirigés vers une nouvelle base d'opérations, quelque part dans l'Ouest américain, et cela donnait naissance à des rumeurs qui augmentaient en nombre au fil des heures qui s'écoulaient.

Claude et Amelia n'étaient pas plus informés que les autres; eux aussi avaient tenté de glaner des informations, mais, de guerre lasse, ils s'étaient résignés. C'est donc avec plaisir qu'ils virent Gabrielle et Jean-Étienne venir les rejoindre dans le fumoir, et ils engagèrent la conversation. Claude remarqua qu'Amelia et Gabrielle s'entendaient bien entre elles. L'Américaine et la Française avaient certains points en commun, et elles s'y connaissaient toutes deux en plusieurs domaines techniques et journalistiques; elles échangeaient maintenant régulièrement et discutaient ferme, surtout lorsqu'il était question de la politique américaine.

Tard en fin d'après-midi, ils se retrouvèrent tous quatre à la salle à manger. Comme toujours, les propos allaient bon train, et le digestif pris à la fin du repas s'éternisa même dans la chambre de Jean-Étienne, où ce dernier avait invité le couple ami... Puis ils se quittèrent en bons termes.

Au matin suivant, Claude et Amelia se réveillèrent frais et dispos. Alors qu'ils s'habillaient, on frappa à la porte de leur chambre. Claude alla ouvrir et se trouva face à face avec Jean-Étienne et Gabrielle.

— Salut, les amoureux, dit Jean-Étienne. Gaby et moi sommes déjà levés depuis un bout de temps. Dis-donc: c'est la pagaille en bas, mon vieux! Je viens d'y aller faire un tour, mine de rien, et...

Claude l'invita à entrer, ainsi que sa compagne. Le couple s'exécuta, et ils se retrouvèrent dans la chambre. Jean-Étienne, toujours aussi loquace, continua:

— Tu sais, Claude, il semble que le jour J approche pour nous tous! Les gars de l'Armée se démènent plus que jamais. Les contrôles s'intensifient. Cela devient plus compliqué d'entrer ici que dans un moulin. Je me suis promené dans le grand hall, en curieux, et j'ai cru comprendre, d'après les bouts de phrases entendus, que le reste des «invités» arriverait aujourd'hui et que tout le monde devait se tenir fin prêt à un départ nocturne. Bigre! L'affaire prend de l'ampleur, mon vieux! Va y avoir du mouvement dans le secteur tout à l'heure...

Claude enchaîna:

— Bon! On est mieux de penser à manger, dans ces conditions... Allons-y tout de suite.

Ils sortirent et se retrouvèrent à la salle à manger. Comme l'avait dit Jean-Étienne, le contrôle devenait plus sévère, et c'est après s'être bien identifiés qu'ils purent prendre place à une table. Déjà les arrivants avaient augmenté en nombre au cours de la nuit, et le service d'ordre avait fort à faire pour régler le flot de ceux qui venaient manger au restaurant. Il n'y avait pas eu de séparation entre les groupes de savants et ceux des informateurs; des journalistes plus téméraires que Claude essayaient tant bien que mal de soutirer quelque information soit aux savants, soit aux militaires, mais les scientifiques étaient dans l'ignorance des faits autant que ces journalistes, et les soldats, bien évidemment, ne devaient aucunement échanger avec le public.

Le repas eut lieu dans un brouhaha indescriptible; les hypothèses et les opinions les plus folles étaient maintenant avancées par les uns et les autres, et l'on parlait d'invention d'arme secrète nouvelle qui serait expérimentée prochainement, de possible danger d'invasion d'êtres intelligents et belliqueux venant d'autres planètes, de l'écroulement probable des lois scientifiques à cause de la découverte de nombreux phénomènes atmosphériques et astronomiques.

Certains des «invités» avaient encore en mémoire le fameux «syndrome chinois» de 1979, qui avait causé tout un émoi dans la population de tous les pays. À ce moment, la psychose du fléau atomique s'était emparée de tout le monde, principalement aux États-Unis, où un nombre incroyable de groupes de diverses tendances politiques et humanistes avaient fait connaître le danger, pour les citoyens, de la prolifération des centrales nucléaires, la majorité de celles-ci n'offrant aucune garantie de sécurité pour les gens vivant dans les environs, ni aucune certitude de bon fonctionnement continuel. L'incident de Harrisburg, en Pennsylvanie, avait été le signal d'une levée de boucliers contre cette implantation inconsidérée d'«usines de mort» à la surface du globe. Les groupes de protestation mettaient surtout en évidence le péril qui guettait les hommes soit une irradiation atomique excessive, si le fameux «incident» de Three Mile Island venait à se répéter de plus en plus dans le futur, éventualité très plausible, vu cette prolifération de centrales nucléaires qui poussaient comme des champignons dans tous les pays «civilisés» du globe.

Le repas étant achevé, les deux couples sortirent. Une des particularités qui les avaient étonnés, et qui était certainement le meilleur souvenir gardé de cette aventure, était le fait que, depuis leur arrivée, aucun des «invités» n'avait eu de note d'hôtel à payer, ni pour le logement, ni pour les repas. Il semblait que l'opération en cours eût été prévue depuis un bon moment, et que ces détails eussent été réglés par les organisateurs.

Il était maintenant défendu de flâner dans le hall, les corridors et les fumoirs; Claude, Amelia, Gabrielle et Jean-Étienne n'eurent donc d'autre possibilité que de réintégrer leurs chambres respectives. Ils n'y furent pas sitôt entrés qu'ils entendirent des pas dans le corridor, ainsi que le bruit d'un chariot qu'on roule. Le Québécois ouvrit la porte au moment où un soldat se préparait à glisser sous celle-ci une petite carte imprimée, tirée d'une pile de cartes semblables posées sur le chariot; il était accompagné d'un autre soldat armé.

Claude prit celle qui lui était donnée et, intrigué, la lut rapidement, en refermant la porte; le duo militaire poursuivit sa mission. Amelia vint s'appuyer dans son dos, et, par-dessus son épaule, elle parvint à lire le message, qui était écrit en anglais, en trois phrases courtes et précises: «Veuillez vous préparer au départ, qui aura lieu ce soir, à vingt heures. Un officier viendra vous prendre en charge. S'il vous plaît, soyez prêts dès dix-neuf heures.»

— Eh bien! dit Claude, l'affaire se corse de plus en plus! La grande finale approche! J'ai hâte d'y comprendre quelque chose!

Amelia prit son compagnon par le cou et l'embrassa. Elle lui dit:

— Est-il possible que mon père soit mêlé de si près à cette opération militaire? Je savais qu'il travaillait sur des projets supervisés par le gouvernement, mais j'ignorais qu'il était tellement impliqué dans cette histoire... Mon Dieu!... Mais qu'est-ce qui se passe donc ici?...

Le journaliste l'embrassa à son tour, puis ils revinrent dans la chambre, et Claude se dirigea vers la fenêtre. Il regarda dehors, et le spectacle qui s'offrit à ses yeux le surprit énormément. Devant l'hôtel, de nouvelles barricades avaient été disposées, et un renforcement des effectifs militaires était évident. Tout l'hôtel était devenu une vraie base d'opérations, et des camions de l'Armée, des jeeps et des autochenilles armées de mitrailleuses s'alignaient en ordre, sur la grande place. Claude délaissa cette vision et alla près du lit, où Amelia le regardait avec un air mi-soucieux mi-amoureux. Elle l'embrassa et lui dit:

— Eh bien! Il n'y a rien à faire jusqu'à sept heures ce soir... Attendons ici... tranquillement...

Elle commença à lui caresser les cheveux et à le couvrir de baisers. Elle dit encore:

— J'ai le goût de prendre une douche... tu viens?...

— Heu... oui... Si tu penses que cela peut nous faire du bien et nous rafraîchir un peu, je veux bien.

Ils se déshabillèrent et passèrent dans la pièce voisine. Amelia fit couler la douche, et les deux se revigorèrent sous l'effet de l'eau, qui les détendit et éloigna leurs esprits de cette atmosphère de prison qui, de plus en plus, se faisait sentir sur leur moral. Claude passa le premier dans la chambre à coucher et s'assit sur le lit. Pendant qu'ils se douchaient, Claude avait noté qu'Amelia avait ressenti le goût de faire l'amour, et il avait eu lui aussi ce désir soudain et impérieux. Il s'appuya le dos sur un oreiller dressé, replia les jambes vers lui, et revit en pensée les événements des derniers jours...

Amelia sortit de la salle de bains à son tour. Lentement, elle marcha vers le lit, une serviette entourant sa poitrine, et en regardant Claude avec un air des plus explicites. Elle arriva près du lit et, se penchant vers le journaliste, l'embrassa longuement, profondément. Elle se releva, et Claude la prit par la taille. Il colla sa tête sur son ventre puis, lentement, il tenta de lui enlever la serviette. Amelia faisait semblant de résister à cette tentative de «déshabillage», pour l'agacer. Il y parvint et découvrit sa poitrine. Il enfouit sa tête entre ses seins, les lui caressant, puis ses mains descendirent sur son ventre...

Tout en continuant ses caresses, il l'attira à lui. Amelia monta sur le lit, et il se laissa glisser légèrement. Elle se mit à genoux devant lui, le dos appuyé contre ses jambes repliées, elle-même ayant placé une jambe de chaque côté du corps de son compagnon. Dans cette posture, elle le dominait, et elle se laissa glisser sur ses cuisses, lui caressant le torse et le visage.

Claude passa ses mains sur son corps à la peau si douce et fraîche. Il la caressa sur les cuisses, le ventre, les bras, les seins, partout où ses mains pouvaient la rejoindre... Tout en s'appuyant contre ses jambes relevées, elle montait et descendait d'une manière lascive, le flattant elle aussi sur tout le corps... Il voyait son ventre, son nombril, ses hanches, son pubis soyeux et invitant qui allaient et venaient devant lui; son émoi grandissait, et déjà son pénis était en pleine érection... «droit comme un sabre d'attaque», pensa-t-il en lui-même, amusé, ne pouvant parvenir à écarter de son esprit l'ambiance militaire qu'il avait connue depuis trois jours.

Amelia se pencha vers l'avant, lui frôlant le visage de ses seins bien fermes. Cette fois, il oublia l'Armée: il l'entoura de ses bras, lui caressa les reins et le dos, lui pressa la poitrine sur son visage en lui embrassant les seins à pleine bouche... Amelia répondit ardemment à ses caresses... Elle se releva doucement, dirigeant le pénis du jeune homme sur son pubis au poil bouclé qu'elle lui fit sentir pendant quelques moments; puis elle le fit glisser sur sa vulve engageante et humide...

Lentement, par ses attouchements de plus en plus prononcés, elle excita Claude, qui lui rendit bien ses faveurs. Tous deux pouvaient sentir les réactions de l'autre, et ils se prodiguaient les caresses les plus sensuelles... La tension augmentait, leurs sens étaient à vif, et le mouvement de haut en bas d'Amelia devenait de plus en plus accentué, en même temps que Claude l'aidait à l'entretenir avec ses jambes qui baissaient et remontaient régulièrement...

Il pénétra en elle, poursuivant de plus belle le mouvement, et la pulsion augmenta; sa respiration s'accéléra, et la sensation devint plus aiguë...

Amelia commençait elle aussi à goûter pleinement ce moment, et son bas-ventre prit une cadence précipitée, ajoutant à l'excitation de son compagnon, qui perdait quelque peu le contrôle de sa pulsion en la voyant ainsi si désirable, provocante et... active... Elle émit quelques gémissements étouffés de satisfaction et se pencha à nouveau vers lui, laissant libre cours à ses désirs passionnés. Il ne put résister plus longtemps et éjacula un grand coup en même temps qu'il laissait lui aussi échapper un soupir de contentement... Pendant quelques instants encore, ils continuèrent leurs caresses... puis ils reprirent un tempo plus régulier... plus détendu...

Tous deux étaient là, bien vivants, en pleine santé et vigueur, et ils désiraient profiter complètement de leur amour... même si, de tous côtés, la machine militaire se mettait en branle... En ce moment précis, ils se foutaient bien de l'Armée américaine, et cette dernière pouvait bien aller au diable avec toutes ses machinations et ses manoeuvres à l'emporte-pièce. Claude et Amelia faisaient l'amour, conscients de leur situation, et rien au monde n'aurait pu les empêcher de goûter à leur bonheur... Et leurs amis, dans la chambre voisine, en faisaient autant de leur côté... Eux non plus ne se souciaient plus des intrigues ni des complots du gouvernement américain... ni de cette mystérieuse opération Survie que tout le monde connaissait maintenant mais dont on ignorait toujours la nature...

Pendant ce temps, en bas, indifférents à ce qui se déroulait dans les chambres de leurs «invités», des officiers faisaient avancer des autobus spécialement nolisés et les dirigeaient devant l'hôtel, escortés de jeeps et d'autochenilles...

CHAPITRE 15

Vendredi, 1er août
19 h 30
Grand Hôtel, Washington, D.C., U.S.A.

Claude et Amelia finissaient de se vêtir. Comme le leur avait demandé le communiqué, ils s'étaient préparés à l'invitation que viendrait leur faire un militaire, et, au fur et à mesure que le temps passait, leur tension augmentait. Le court intermède qu'ils s'étaient permis, tout à l'heure, leur avait agréablement fait oublier leur condition de «prisonniers», mais le retour à la réalité avait ramené sur leur visage un air songeur.

Claude faisait les cent pas dans la chambre, alors qu'Amelia, plus calme, attendait le moment fatidique bien assise dans le fauteuil. Elle replaça une mèche de cheveux qui avait glissé sur son front et demanda à Claude de se détendre un peu plus. Il lui sourit et vint l'embrasser, puis s'assit sur le lit et patienta...

Mais l'attente ne fut pas longue. On cogna à la porte de la chambre, et Claude, se levant, regarda Amelia droit dans les yeux, lui disant:

— Bon! Allons-y! Quoi qu'il nous arrive, nous resterons toujours ensemble. Je t'aime, chérie...

Il l'embrassa à nouveau alors qu'Amelia se serrait énergiquement contre lui. Un autre coup, plus fort, arrêta leurs échanges amoureux. Le jeune homme alla résolument à la porte et l'ouvrit. Sur le seuil, un officier leur dit, sur un ton de commandement poli et tout en regardant une photo:

— Monsieur, veuillez me suivre, s'il-vous-plaît.

Il ajouta, regardant une autre photo, format passeport:

— Ainsi que Miss Rockford, bien entendu...

Le couple sortit et marcha dans le couloir. À tour de rôle, les autres chambreurs sortaient aussi, à la demande du même officier qui, à chaque fois, vérifiait l'identité des occupants avec une fiche et une photo. Gabrielle et Jean-Étienne se mêlèrent au groupe, et les quatre amis se retrouvèrent ensemble une fois de plus. Quelques rares personnes apportaient avec elles un sac à main ou une sacoche portée en bandoulière. Mais aucun appareil photographique ou autre équipement habituel aux journalistes n'était permis, ce qui était d'ailleurs assez inusité pour des gens de leur profession.

Tout le groupe des journalistes fut réuni à la jonction de deux couloirs, où d'autres vinrent les rejoindre. Cinq soldats armés se tenaient en position de repos, et ne bronchaient pas. En tout, une bonne centaine de personnes se trouvaient là. L'officier prit la parole:

— Mesdames et Messieurs de la presse écrite, nous allons tous descendre au rez-de-chaussée par groupes séparés. Je suis l'officier chargé de vous mener à notre lieu de rendez-vous général pour le départ définitif. S'il vous plaît, restez tous ensemble, et veuillez ne pas vous mêler à un groupe de vos confrères des autres médias, déjà rassemblés dans le grand hall. Chaque catégorie d'informateurs est séparée, et, en bas, nous vous donnerons les macarons d'identification de la presse écrite, à laquelle vous appartenez. Vos collègues du cinéma, de la radio et de la télévision ont déjà reçu leurs macarons distinctifs. Les groupes des scientifiques, eux, sont présentement en route pour ce lieu de rendez-vous dont je viens de vous parler. Pour nous y rendre, nous ferons d'abord un court voyage en autobus. S'il vous plaît, veuillez suivre le militaire qui va maintenant vous accompagner jusqu'au rez-de-chaussée.

Par groupes de vingt personnes, les journalistes descendirent en ascenseur jusqu'au grand hall, accompagnés d'un soldat. Les dernières personnes, au nombre desquelles se trouvaient les quatre amis, partirent avec l'officier même qui dirigeait leur section.

En bas, ils furent à nouveau réunis par l'officier, qui s'assura que tous étaient bien là. Puis il se tourna vers un autre officier qui tenait une boîte contenant les macarons de couleur rouge vif, ne portant d'un côté qu'une seule grosse inscription: *PRESS.* Il les distribua aux groupes de la presse, qui s'épinglèrent le macaron sur la poitrine. Tout en le plaçant sur sa chemise, Claude remarqua que les groupes d'informateurs de la presse écrite étaient les plus nombreux, avec une centaine de représentants; le reste, totalisant à peu près 230 à 250 personnes, constituait les groupes d'informateurs des autres médias.

Une fois ce travail accompli, le second officier salua le premier et s'en alla. Une minute plus tard, un troisième officier se munissait d'un mégaphone à forte portée pour adresser la parole à tous ces gens réunis dans le grand hall de l'hôtel:

— Attention, s'il vous plaît! Suivez bien les instructions qui vous seront données. À tour de rôle, chaque groupe identifié par son macaron distinctif prendra place, avec l'officier qui le commande, dans des autobus qui vont défiler devant l'hôtel. Vous partirez séparément et nous nous retrouverons tous au lieu du rendez-vous pour le départ final. S'il vous plaît, je le répète, suivez à la lettre les instructions qu'on vous donnera... Maintenant, le premier groupe des annonceurs et chroniqueurs scientifiques de la radio, s'il vous plaît, veuillez suivre votre officier.

À cet ordre, le groupe désigné sortit de l'hôtel dans un mouvement un peu houleux, mais sans désordre, escorté de l'officier et de deux soldats en arme.

Les commentaires avaient repris de plus belle et allaient bon train. Les quatre journalistes s'étaient eux aussi laissés aller à des propos variés. Toutefois, leur amitié devenait de plus en plus étroite au fur et à mesure que les événements leur faisaient partager des émotions et des inquiétudes communes.

Le groupe des annonceurs et des chroniqueurs scientifiques de la télévision avait suivi le premier groupe, puis venait celui des réalisateurs de films documentaires et scientifiques; enfin, le groupe qui restait, celui des chroniqueurs, journalistes et vulgarisateurs scientifiques de la presse écrite, partit en dernier, réparti en deux sections distinctes.

Tous sortirent sur la grande place, et ils subirent un choc en voyant l'animation qui y régnait. Deux longs autobus attendaient que la centaine de passagers prennent place à l'intérieur. Chacune des deux sections fut invitée à monter à bord des véhicules, et, alors qu'elles s'exécutaient, Claude nota qu'ils étaient encadrés de jeeps de l'Armée, tandis qu'une autochenille restait à l'arrière. Des soldats, disposés en des endroits stratégiques aux alentours et sur l'hôtel, surveillaient les allées et venues de tous ces gens, prêts à faire face à toute attaque de l'hôtel, peu probable d'ailleurs, par des forces extérieures. Deux postes de garde renforcés, avec nids de mitrailleuses, couvraient de leur rayon d'action la grande place devant l'édifice. Des conversations émanaient d'officiers qui communiquaient entre eux par walkie-talkie, et les paroles grésillaient dans les appareils. Enfin, la place était brillamment éclairée par des projecteurs, ne laissant aucun coin dans l'ombre.

Les deux couples furent parmi les derniers à monter dans les autobus. Aussitôt qu'ils furent installés à l'intérieur, les portes se fermèrent. Un nouveau mouvement se produisit parmi les officiers, et des soldats armés retournèrent à un camion stationné tout près, la bâche relevée. Un coup de sifflet se fit entendre, et le convoi se mit en branle. Claude regarda Amelia et lui serra la main. Elle lui jeta un regard légèrement teinté d'inquiétude, et seul ce regard suffit à tout dire entre eux...

Le convoi était constitué de jeeps dans lesquelles se trouvaient les officiers, suivies d'une automitrailleuse blindée; venaient ensuite les deux autobus, escortés de chaque côté par d'autres jeeps contenant des soldats armés; l'autochenille fermait la marche. Dès qu'il se fut dirigé vers le sud de Washington, le convoi emprunta une route qui, pendant quelque temps, longeait le Potomac, puis il bifurqua vers l'Est. A ce moment, les passagers entendirent nettement le bruit de pales d'hélicoptère qui battaient le vent, et Claude, se penchant devant Amelia pour regarder par la fenêtre latérale, aperçut deux grosses «libellules» de l'U.S.A.F. qui les survolaient, tous feux allumés. Dans l'autobus, l'officier qui accompagnait le groupe se tenait constamment en liaison avec son P.C., et des renseignements lui parvenaient régulièrement.

Le voyage ne fut cependant pas long, ni aucunement perturbé par quelque manifestation que ce fût. Tout semblait se dérouler comme prévu, et, à un moment donné, le convoi accéléra. Jean-Étienne dit à Claude, surtout pour briser le silence qui s'était établi entre eux et pour détendre un peu l'atmosphère:

— Eh bien, mon vieux, je pense qu'on approche de leur lieu de rendez-vous secret... Je crois savoir où nous allons sur ce train d'enfer...

— Franchement, je ne sais pas à quel port cette barque de malheur nous conduit...

— Justement, nous n'arriverons pas à «bon port», comme tu sembles le penser en ce moment... T'as pas vu ce qui nous escortait par la voie des airs, hein?

— Heu... j'ai vu les gros hélicoptères de l'U.S.A.F., mais, vraiment, je ne vois pas où tu veux en venir...

— Non? Vraiment? Penses-y, mon vieux!

Claude sursauta. Il venait de comprendre. Pendant deux secondes, il resta surpris, puis il enchaîna à l'adresse de Jean-Étienne:

— Tu as raison! On y va nettement! C'est évident! On ne va pas dans l'Ouest des États-Unis sur une bicyclette! J'aurais dû y penser!

Gabrielle regarda les deux amis en fronçant les sourcils, ne sachant pas trop ce dont il était question; Amelia ne portait pas attention à la conversation, surtout que Claude et Jean-Étienne s'exprimaient par des propos qui la déroutaient complètement. Elle embrassa Claude sur la joue et lui demanda:

— Et... en bon français, qu'est-ce que vous voulez dire?

Il se préparait à lui répondre lorsque le convoi s'arrêta. Devant eux, un barrage militaire se dressait, et un nouveau contrôle s'effectua, surtout pour vérifier si aucun appareil photographique n'avait été emporté par les voyageurs.

— Décidément, dit Claude, la confiance n'est pas une de leurs premières qualités! Papiers par-ci, documents par-là, et allez donc! Je ne me croyais pas important au point que l'Armée américaine vérifie mon identité à chaque minute. Comme voyage organisé pour touristes, c'est réussi!

Amelia insista pour qu'il lui dise ce dont il s'était entretenu avec son ami, un moment auparavant; il se tourna vers elle et lui dit:

— Tu vas voir, mon trésor! Dans un instant, tout va s'éclaircir...

Le convoi repartit, traversant le barrage. Il roulait depuis à peine cinq minutes que, à l'horizon, des lumières brillantes s'allumèrent. Le paysage était devenu plus dégagé, et Claude avait noté que l'autobus avait dépassé, successivement, les limites du quadrilatère du District de Columbia, comprenant principalement la capitale fédérale américaine et tous ses divers centres administratifs et gouvernementaux, puis la «Capital Beltway», ceinture qui indique les limites de la ville de Washington. Cette dernière frontière côtoyait de près une grande surface au sud-est de Washington, qui, présentement, était fortement éclairée — plus particulièrement une section de cette surface.

Le convoi s'arrêta de nouveau. Devant, une haute clôture grillagée, à l'entrée munie de postes de garde spécialement renforcés pour cette occasion, fermait le passage au convoi. De nouvelles vérifications eurent lieu, les portes s'ouvrirent par commande électrique, et tous les véhicules pénétrèrent sur le terrain d'aviation. En passant devant l'entrée, Claude vit le large panneau qui s'élevait tout à côté. L'inscription qu'il y lut confirma l'impression qui avait surgi dans sa tête lorsque Jean-Étienne et lui s'étaient amusés aux devinettes; en grosses lettres majuscules était écrit: ANDREWS AIR FORCE BASE — RESTRICTED AREA — POSITIVELY NO ADMITTANCE. Suivaient, en petits caractères, les avertissements d'usage au personnel non autorisé et au public en général.

Les deux autobus roulèrent sur le terrain, et Claude réfléchit à ce que ce «lieu de rendez-vous» signifiait réellement pour la défense des États-Unis. Il savait que cette base militaire était un point stratégique pour la défense de la capitale, advenant toute manoeuvre d'envergure à effectuer dans Washington. C'était une base d'opérations continuellement en état d'alerte, prête à envoyer des troupes à tout moment si le besoin s'en faisait sentir, et à expédier par air du matériel et des hommes à toute autre base importante d'un autre secteur. C'était bien là que les «clients» de l'hôtel avaient été conduits, et c'était sûrement là, également, que se situait l'avant-dernière étape de cette aventure aux mille péripéties imprévues...

Comme pour confirmer les pensées de Claude, les autobus se dirigèrent vers un Boeing 747 de l'American Airlines, posé sur une des pistes d'envol. Les passagers de l'autobus s'exclamèrent en voyant ainsi le gros avion, tous feux allumés, prêt au départ, avec la passerelle d'embarquement avancée et attendant son lot de voyageurs. L'autobus transportant les quatre amis stoppa, et l'officier, se mettant debout à l'avant du véhicule, annonça:

— Nous voici arrivés. Ce 747 nous emmènera à notre destination finale. À partir d'ici, le trajet par voie de terre est terminé.

Il descendit le premier, invitant les passagers à le suivre, ce qu'ils firent tous, pendant que ceux de l'autobus qui les avait précédés faisaient de même. Une fois qu'ils furent rassemblés près de l'avion, un officier de l'U.S.A.F. s'avança vers eux et, se munissant lui aussi du mégaphone, leur dit:

— Bonsoir à tous. Je suis le major Hancroft, de l'United States Air Force. Je suis l'officier qui vous accompagnera pendant le trajet aérien. Dans un instant, vous monterez tous à bord de ce Boeing, par groupes séparés, selon la catégorie à laquelle vous appartenez; à l'intérieur, les hôtesses vous répartiront dans les différentes sections de l'appareil. Ceci constitue vraiment la dernière étape avant d'arriver à votre destination finale, dans quelques heures. S'il vous plaît, veuillez faire preuve d'autant de compréhension et de collaboration que vous en avez démontré à venir jusqu'à maintenant. Toutes les explications vous seront données à votre arrivée. Il m'est toutefois permis de vous dire tout de suite que la mission à laquelle vous allez participer en qualité de représentants des divers médias d'information est d'une importance capitale pour la suite de l'opération Survie, que les scientifiques auront pour tâche d'organiser et de planifier afin que vous, les informateurs publics, soyez en mesure de bien préparer le public avant de lui révéler les faits extraordinaires que vous-mêmes connaîtrez cette nuit. Ce sera une opération d'envergure, la plus ambitieuse et aussi la plus altruiste, si vous me permettez ce qualificatif, à laquelle vous aurez participé, et ce, dans toute votre vie. Je vous dis cela afin de vous rassurer sur la valeur de cette opération et sur les raisons qui ont incité les différents services de renseignements du gouvernement de l'Armée de terre et de l'Armée de l'air à collaborer ensemble, dans le but de vous faire subir cette... heu... «expérience» forcée... Ceci dit, Mesdames et Messieurs, veuillez prendre place à bord de l'avion; celui-ci, comme l'autre qui transporte déjà les scientifiques partis avant vous, a été affrété par l'U.S.A.F pour cette mission spéciale et inhabituelle... Voilà, je vous ai dit ce qu'il fallait que vous sachiez avant d'entreprendre ce voyage... nous partons à l'instant.

Encore étonnés par les déclarations du major, les journalistes montèrent dans le Boeing, toujours guidés par des officiers. Des véhicules militaires surveillaient les abords de l'avion mais, là encore, rien ne vint déranger le déroulement du plan minutieusement mis au point par les autorités. L'embarquement se fit en bon ordre, et les quelque 350 passagers se retrouvèrent tous bien distribués dans l'appareil, dans chacune des cinq sections du Boeing de l'American Airlines.

Les deux couples furent conduits dans la section du centre, catégorie touriste, où sont disposées les rangées de quatre sièges placés côte à côte. Puis, presque aussitôt, les hôtesses firent les recommandations d'usage et donnèrent les conseils précédant tout départ dans ce type d'appareil. Cela fait, elles souhaitèrent bon voyage à tous, et le commandant de l'avion dit aussi un mot de bienvenue aux passagers. Somme toute, rien ne laissait voir que ce vol pût être différent des autres vols entrepris régulièrement dans une ligne commerciale, à l'exception du fait que le terrain était étroitement gardé, que l'envolée était sous direction militaire, et qu'un officier haut gradé de l'Armée de l'air des États-Unis faisait partie du voyage, à titre d'escorte...

Les moteurs se mirent en marche... le sifflement typique se fit entendre... les soldats sur la piste s'éloignèrent de l'avion... les divers véhicules libérèrent le terrain... et le gros Boeing prit son erre d'envol, après avoir tourné sur la piste. Il accéléra, augmenta la puissance de ses moteurs et monta comme une flèche vers le ciel; il prit de l'altitude, puis vira vers l'ouest... continuant son vol vers son ultime destination, toujours inconnue des voyageurs, qui, même s'ils étaient maintenant un peu plus rassurés sur l'opération Survie, se demandaient encore ce qu'ils venaient faire dans cette galère voguant vers un but ignoré...

CHAPITRE 16

La nuit du vendredi 1er août au samedi 2 août
Quelque part au-dessus de l'Arizona, États-Unis...

Le système de communication crépita, et une voix féminine se fit entendre:

— Votre attention, s'il vous plaît; le commandant de bord va vous adresser la parole, à l'instant.

Des secondes s'écoulèrent, et une deuxième voix annonça:

— Mesdames, Messieurs, nous serons arrivés à destination dans quelques minutes. Comme on vous l'avait dit auparavant, notre point d'atterrissage devait être gardé secret jusqu'au moment de l'arrivée, afin d'éviter toute complication dans le déroulement de la phase finale de l'opération Survie. Mais maintenant, comme nous approchons de cette ultime étape, le major Hancroft, de l'United States Air Force, est autorisé à vous révéler d'autres renseignements utiles. Je lui cède la parole.

À nouveau, un court moment passa, et les passagers du Boeing s'agitèrent dans leurs sièges. Depuis plus de cinq heures, le voyage se poursuivait sans incident, et l'«équipe spéciale» s'interrogeait toujours sur la «mission altruiste» dont elle serait chargée et dont seulement des bribes d'information lui avaient été données.

À intervalles réguliers, des avions de combat F-16 et F-18 de l'U.S.A.F. étaient venus escorter le Boeing, se relayant à tour de rôle en survolant les différentes bases militaires échelonnées tout au long du parcours dans les quelques États traversés.

En cours de vol, un repas substantiel avait été servi aux passagers, et ils avaient alors été avisés qu'ils ne pourraient ensuite prendre aucune autre nourriture avant le lendemain, à cause même de l'horaire prévu pour le déroulement de l'opération Survie, dont l'étape finale requérait la présence continuelle de TOUS les participants de la mission au même endroit, et ce, pendant au moins les prochaines heures à venir.

Ils s'attendaient maintenant à connaître la vérité, et, lorsque le major Hancroft parla, le silence général s'établit. Le militaire leur dit:

— Mesdames, Messieurs, permettez-moi d'abord de remercier le commandant de bord pour nous avoir tous bien menés à notre but; il a accompli sa tâche parfaitement et, comme bien d'autres, il ignorait lui aussi notre destination finale, jusqu'au moment de l'embarquement.

Il fit une pause, puis reprit calmement:

— Le voyage touche à sa fin. Je sais qu'au cours des jours précédents, tous, vous avez subi, d'une manière ou d'une autre, quelque pression pour vous obliger à rejoindre cette unité d'élite qui est maintenant la vôtre. Dans les milieux de l'information, vous représentez tous, chacune et chacun, dans votre spécialité, les meilleurs éléments que les services de renseignements du gouvernement aient pu sélectionner; dans une certaine mesure, vous pouvez être fiers de ce choix, et, au nom du gouvernement américain, de l'Armée de l'air et de l'Armée de terre, je vous prie de bien vouloir excuser toutes ces procédures qui vous ont certainement paru contraignantes.

Le major enchaîna en prenant un ton plus cérémonieux:

— Comme il vient de vous être annoncé, je peux vous mentionner le lieu où nous nous poserons dans quelques instants. Il s'agit d'une nouvelle base d'opérations militaires établie au sud de Flagstaff, en Arizona, qui est, depuis plusieurs années, le point de départ et d'arrivée de tout transport aérien ou routier supervisé par l'U.S.A.F. Cette base a été créée en cet endroit parce que, d'une part, Flagstaff est une ville peu peuplée et qui ne risquait pas ainsi d'être tellement dérangée dans ses habitudes par tous les mouvements de troupes s'effectuant dans les environs, et, d'autre part, parce que la ville se trouve à peine à 80 kilomètres de votre destination finale. Un terrain d'atterrissage nouvellement construit y a été préparé, afin de recevoir notre Boeing et celui des scientifiques qui nous ont précédés; leur avion s'est déjà posé sur la piste.

Les voyageurs se regardèrent les uns les autres, et les commentaires se firent entendre de plus belle; puis le silence revint, et le major termina son allocution:

— Dès que notre avion aura atterri, vous voudrez bien reformer les groupes constitués avant le départ et monter dans les autobus qui seront alignés près de la piste. Des militaires vous aideront dans cette opération et continueront de veiller sur votre sécurité...

»Cette dernière partie du trajet sera également sous contrôle militaire, et les véhicules escortés vous conduiront à votre destination finale, où l'opération Survie est déjà en cours depuis... depuis plusieurs mois, en fait... puisqu'elle a été entreprise officieusement au début de l'année, sous la direction du ministère de la Défense et des services de l'Armée américaine. Mais, en toute franchise, je peux vous révéler que le projet lui-même a été conçu en 1966, suite à une extraordinaire découverte qui a été faite dans l'Ouest des États-Unis.

»À nouveau, Mesdames et Messieurs, je vous souhaite une bonne fin de voyage: vos soucis achèvent, et vous serez bientôt édifiés sur la valeur morale de cette grande opération... Ah!... Le commandant de bord me prie de vous signaler qu'il est interdit de fumer pendant les manoeuvres d'atterrissage...

Plusieurs exclamations fusèrent de-ci de-là, venant de différentes sections. Tous croyaient bien que, cette fois, le voyage était terminé, mais cette nouvelle excursion en autobus ravivait leur déception, et des propos plus ou moins élogieux à l'égard de l'Armée furent émis par plusieurs des voyageurs. Un journaliste, plus cynique que ses confrères, cria qu'il voulait être remboursé puisqu'il n'y avait pas eu la projection du film habituel propre à ce genre de «croisière de plaisir» à bord d'un Boeing; des rires dispersés répondirent à sa remarque, puis le calme revint à nouveau lors que les hôtesses faisaient leur petite tournée d'inspection routinière.

Quelques minutes plus tard, la descente s'effectuait; le Boeing vira sur l'aile et prit son erre d'atterrissage. Il se dirigea vers la piste, récemment construite afin de permettre l'arrivée au sol de gros appareils de la catégorie des Boeing. Le projet du gouvernement prévoyait la participation d'un groupe imposant, et le transport final de ce contingent devait avoir lieu le plus rapidement et le plus directement possible, et ce, en une seule fois, dans le moins de temps possible.

Placés dans la section centrale de l'avion, Claude et Amelia ne purent voir à l'extérieur, mais par les exclamations des autres passagers assis dans les sièges disposés près des hublots, ils devinèrent que le spectacle devait être surprenant; et, en effet, il l'était...

Deux rangées de balises allumées délimitaient une longue piste d'atterrissage sur laquelle l'avion s'alignait. Il s'y posa correctement, les pneus amortissant la pression de l'appareil et dégageant une légère fumée causée par la friction soudaine avec le sol.

Il roula pendant quelques secondes, et le commandant coupa les moteurs. L'avion ralentit sa course et, parvenu en bout de piste, tourna pour revenir près de son point d'atterrissage.

Plus lentement encore, il se dirigea près des bâtiments formant la base spéciale mentionnée par le major Hancroft; là, le spectacle fut aussi impressionnant que celui de Washington: la base était en pleine activité, et un va-et-vient régulier se voyait sur les lieux illuminés par de puissants projecteurs répartis tout autour. Comme annoncé, une imposante escorte militaire se préparait à recevoir les représentants des médias; des autobus vinrent se ranger le long du Boeing, et la porte de sortie de l'appareil fut ouverte.

Les passagers se levèrent et quittèrent l'avion. Les sections se vidèrent, et les hôtesses virent à ce que tout s'effectue en bon ordre. Les échanges verbaux formaient comme un vague murmure dans cette foule partagée entre diverses émotions. Le changement d'un moyen de transport à l'autre fut réalisé sans difficulté ni accrochage avec les autorités, qui, diligemment, voyaient à ce que cette partie de l'opération se déroulât selon l'horaire prévu. Maintenant que le but était presque atteint, il n'eût pas fallu qu'un incident de dernier moment risquât de bouleverser tout le plan méticuleusement préparé et planifié dans ses moindres détails. Même si les militaires tâchaient de faire sentir leur présence le moins possible, elle n'en était pas moins visible par les jeeps et les automitrailleuses garées alentour.

Lorsque les officiers se furent assurés que tout le groupe était bien distribué dans les autobus, un signal fut donné, et ce nouveau cortège se mit en mouvement.

Claude et Amelia s'étaient encore retrouvés dans le dernier véhicule, et, assis à l'arrière, ils regardaient le paysage; plus loin, sur le terrain, le premier Boeing arrivé reposait sagement, et ses passagers devaient, eux aussi, être déjà en route vers la base de l'opération Survie.

Le Québécois et l'Américaine en avaient définitivement pris leur parti, et ils s'en remettaient au destin. Ils vivaient probablement des instants mémorables, ainsi mêlés à une telle aventure qui, en temps normal, eût certainement été exaltante à partager ensemble, mais qui, dans les circonstances, ressemblait plutôt à un complot fomenté par les militaires en vue de renverser le gouvernement en place et de prendre les rênes du pouvoir.

D'ailleurs, le terme même de «survie», qualifiant l'opération en voie de réalisation, en intriguait plus d'un; certes, il était question de la survie de la race humaine, d'après les maigres renseignements glanés par les uns et par les autres et réunis en un semblant d'explication, mais on ne savait toujours pas de quel genre de survie il était justement question. S'agissait-il de la vie même de l'homme? De sa civilisation? De sa technologie?

Les deux couples attendirent donc que les événements prennent une nouvelle tournure. La majorité des passagers, fatigués par le voyage en avion, décidèrent de se reposer et de reprendre des forces, en attendant l'arrivée à destination.

Amelia se cala dans son siège rembourré et appuya sa tête sur l'épaule de Claude. La nuit se poursuivait et s'étirait même, à cause du décalage de deux heures produit en se dirigeant vers l'Ouest; le sommeil ne tarda pas à gagner également Claude, ainsi que le couple ami.

Le convoi prit une route vers l'est, bien carrossable et dégagée, et le trajet fut très rapide. Les autobus empruntèrent l'Interstate Highway 1-40 traversant le Sud des États-Unis, de la Californie à la Virginie, toujours encadrés des véhicules de l'Armée. Par moments, Claude ouvrait l'oeil et voyait les panneaux routiers indiquant les villages ou les sites traversés; Winona, Angell, Canyon Diablo, Two Guns défilèrent ainsi, à tour de rôle; de rares autos étaient rencontrées dans ces coins isolés, car la nuit ne se prêtait pas tellement au voyage touristique... Quelques heures plus tard, Claude et ses amis auraient été étonnés de voir la circulation existant sur cette voie rapide; la température aussi les aurait surpris car, en plein Ouest américain, le soleil dardait fort ses rayons dans la journée.

Par hasard, le journaliste trouva un prospectus publicitaire froissé, glissé entre l'appui-bras et le cadre de la fenêtre latérale de l'autobus, et qui dépassait légèrement. Il le prit et jeta un coup d'oeil furtif sur les attractions offertes aux visiteurs. L'endroit semblait enchanteur avec ses «merveilles et beautés naturelles», consistant en deux parcs et quatorze monuments nationaux, sept forêts, un monument historique, deux réserves d'animaux sauvages, et deux autres pour récréation familiale. Plusieurs sites archéologiques et géologiques intéressants à visiter se répartissaient justement le long de cette autoroute, notamment le «Painted Desert» et la «Rainbow Forest»; l'Arizona était également le lieu de naissance des premières tribus navajos, apaches et hopis, dont les quelques descendants s'étaient intégrés à la population américaine moderne; seuls quelques vestiges anciens, des villages primitifs et des cavernes utilisées comme lieux de culte et de sépulture, subsistaient encore.

Sur la deuxième page, on y vantait les plaisirs de la pêche dans les lacs de canyons et de montagnes, et dans les sources, nombreuses; 145 terrains de golf attendaient les mordus de ce sport, alors que la pratique du ski était possible sur les hauts sommets. Pour les amateurs d'émotions fortes, l'exploration des grottes, l'équitation, la chasse, l'alpinisme s'offraient à eux; pour les simples touristes fanatiques de la photo, l'Arizona se vantait d'être l'État de l'Ouest américain leur permettant le plus de se laisser aller à cette passion, car 90% des jours de l'année étaient toujours ensoleillés.

En une autre occasion, il eût été captivant et instructif de participer à toutes ces activités, mais, pour le moment, Claude avait les esprits assez perturbés. En bâillant, il remit le prospectus dans sa poche de chemise. Ce faisant, son regard accrocha la dernière ligne des attractions à voir, ligne qui avait été raturée à l'encre. Il reprit le prospectus et, pour passer le temps, il s'évertua à déchiffrer les mots presque illisibles sous la rature.

Il lut: «Sites géologiques intéressants à visiter: Sunset Crater, au nord de Flagstaff; aussi, le cratère météorique le plus large au monde: le...»

Pendant une seconde, Claude crut défaillir en prenant connaissance de ce qui y était écrit; il regarda au bas du feuillet et y lut l'inscription: *Ministry of Tourism, Arizona State, U.S.A.*

En tremblant presque, il remit le prospectus dans sa poche. Enfin, il savait où toute cette «équipe spéciale» d'informateurs scientifiques se rendait...

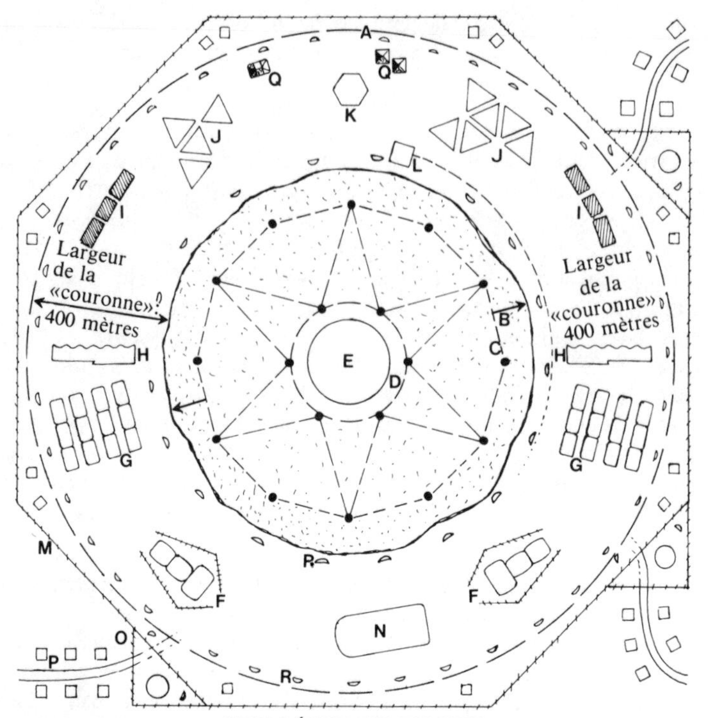

VUE AÉRIENNE DU SITE

A) Zone circulaire «sécuritaire» formée au sol par le «cône de projection» de la sphère. Diamètre: 2 000 mètres.

B) Diamètre du Meteor Crater: 1 200 mètres.

C) Cercle concentrique extérieur de douze puits verticaux creusés, et réseau de galeries.

D) Cercle concentrique intérieur des six puits verticaux creusés, ayant débouché sur la «poche de vide». Diamètre: 200 mètres

E) Sphère située à 2 500 mètres sous terre.

F) Quartiers généraux de la base spéciale.

G) Dortoirs.

H) Cafétérias.

I) Entrepôts pour équipement et matériel variés.

J) Laboratoires.

K) Grande salle de conférence construite pour la réunion des participants à l'opération Survie.

L) Grand hangar contenant l'entrée du long tunnel en spirale menant à la grotte souterraine creusée autour de la sphère souterraine.

M) Enceinte du Meteor Crater délimitée par un réseau de clôtures électrifiées.

N) Terrain d'atterrissage de l'héliport.

O) Entrée surveillée du Meteor Crater, avec campement militaire et poste de garde principal.

P) Postes de garde militaires répartis régulièrement le long de la route menant au Meteor Crater.

Q) Bâtiment principal et annexes contenant les groupes électrogènes de la base.

R) Rangée circulaire double des projecteurs éclairant la base.

CHAPITRE 17

Pendant la nuit du samedi 2 août
Arizona, États-Unis...

Cinq kilomètres à peine après avoir dépassé Two Guns, le convoi bifurqua à droite sur une route pavée, à deux voies seulement, et continua en ralentissant l'allure. Puis il stoppa soudainement.

Jean-Étienne se réveilla, et, prenant le bras de Gabrielle, il lui dit:

— Ah! tiens... Je crois que nous arrivons, Gaby... Eh, diable! regarde-moi ce déploiement de forces; on croirait approcher de Fort Knox, tellement l'endroit est bien gardé...

Se tournant vers la gauche, il appela Claude, qui somnolait lui aussi. Ce dernier ouvrit lentement les yeux, se pencha vers l'avant pour mieux voir le Français, et il dit:

— Oui... Qu'est-ce qu'il y a?

À ce moment, le paysage, devant eux, s'illumina comme en plein jour, faisant cligner des yeux ceux qui dormaient encore, ou réveillant définitivement les autres. Claude tourna son regard vers le large pare-brise de l'autobus, et le spectacle hallucinant qui s'offrit à sa vue le figea de stupeur, de même que les journalistes qui l'entouraient.

En quelques secondes, tous furent bien réveillés, et chacun s'avançait sur le bord de son siège, s'étirant le cou pour mieux voir par-dessus la tête du passager qui le précédait, ou se penchant vers l'allée centrale de l'autobus pour regarder par le pare-brise. Les «ha!» et les «oh!» d'étonnement rivalisaient avec les expressions les plus exagérées pour tenter de décrire le décor qui s'étalait devant les véhicules; les mots «fantastique», «incroyable», «renversant» revenaient souvent dans les exclamations, et, plus que jamais, des commentaires enflammés s'entendaient dans tout l'autobus. Bientôt, ce ne fut plus qu'une rumeur indistincte où, maintenant, les hypothèses les plus invraisemblables avaient cours parmi tous ces dignes représentants «sérieux» de l'information scientifique. Les quatre amis mêlaient allégrement leurs propos à ceux de leurs confrères, et ils se demandaient bien quelle avait pu être la réaction des savants qui les avaient précédés, en voyant ce même paysage à l'aspect lunaire...

Dans le brouhaha, Claude sourit et, triomphalement, cria presque à ses infortunés compagnons de voyage l'information qu'il avait lue sur le prospectus:

— Messieurs, j'ai le plaisir de vous annoncer que nous sommes maintenant arrivés à notre destination finale; droit devant vous se trouve le fameux Meteor Crater, un des sites géologiques les plus étranges des États-Unis...

À l'avant de l'autobus, quelqu'un s'écria:

— C'est exactement ce à quoi j'avais pensé!

Et les remarques reprirent de plus belle.

Jean-Étienne se tourna vers son ami et dit:

— Diable! Comment sais-tu ça, toi? Comme tout le monde, je connaissais cet endroit, mais je n'ai pas vu de panneau indicateur qui en ait fait mention sur la route...

— Oh! tu sais, pendant le trajet, tu faisais comme tout le monde: tu dormais! On a dû les enlever depuis belle lurette; le site n'est plus ouvert au public depuis près de vingt ans...

— Tiens, c'est vrai, je l'avais oublié... Je me rappelle avoir lu, à cette époque, bien avant que je ne devienne journaliste, des informations à propos d'expéditions successives qui y étaient venues; par la suite, le gouvernement en avait défendu l'accès au public, pour des raisons qui n'ont jamais été complètement ni vraiment expliquées. Ensuite, l'affaire s'est noyée parmi les autres événements importants...

— Oui, c'est bien cela; par contre, si je me souviens bien, elle a refait surface au tout début de ce mois, ou plutôt au début de juin... Le journal qui a suivi le cas pendant vingt ans n'a jamais pu réussir à faire sortir le chat du sac; d'ailleurs, tout ce que les médias recevaient comme information là-dessus consistait en brefs communiqués émis par l'attaché de presse officiel des services de l'Armée, qui avait implanté une base, ici... Mais, à ce que je vois présentement, il ne s'agit plus d'une simple base: il y a là devant tout un chantier d'opérations multiples sous la surveillance de l'Armée américaine. Juges-en toi-même...

Effectivement, au fur et à mesure que le convoi s'ébranlait à nouveau, la base devenait plus distincte, et l'étonnement grandissait de minute en minute.

Presque à tous les cent mètres, des postes de garde étaient disposés de part et d'autre de la route, comprenant encore des nids de mitrailleuses avec opérateurs, des abris militaires réunissant des unités de guet équipées du plus récent matériel de guerre, des véhicules variés, et des casernes hébergeant des soldats de réserve.

Les vérifications d'identité furent encore plus sévères, et ce n'est qu'après avoir subi toutes ces formalités que le convoi arriva enfin à l'enceinte même de la base.

Là, une double clôture grillagée et électrifiée s'élevait à près de cinq mètres du sol, empêchant quiconque de la franchir d'un côté comme de l'autre; des militaires dirigèrent le convoi vers deux hautes grilles de la clôture, et celles-ci s'ouvrirent automatiquement après une dernière vérification rapide. Les autobus, libérés de leur escorte, pénétrèrent à l'intérieur de l'enceinte, et, à ce moment, tous les voyageurs se sentirent moins tendus; mais ils n'y portèrent point attention car la scène avait de quoi couper le souffle.

Le «cratère» pouvait difficilement encore garder son nom: ses bords étaient maintenant presque complètement nivelés, et le bourrelet extérieur qui formait ainsi autrefois ledit cratère était pratiquement disparu; à sa place, il n'y avait plus qu'une large excavation, en forme d'entonnoir, aux pentes douces et régulières. Sa circonférence formait un cercle presque parfait, et la dénivellation initiale de 180 mètres n'était plus autant apparente, suite à la modification de terrain effectuée sur les lieux. Mais le plus spectaculaire consistait bien en ces bâtiments de dimensions variées, construits tout autour du périmètre du cratère et formant une sorte de couronne qui cernait le site même, comme s'ils avaient été bâtis là pour se protéger d'un péril extérieur.

L'autobus transportant Claude et Amelia stoppa un moment, et le journaliste put voir un large panneau brillamment éclairé sur lequel était dessiné le diagramme du camp avec l'identification de chacun des bâtiments.

On y trouvait six entrepôts pour garder le matériel utile à la base, ainsi qu'un vaste hangar, des laboratoires de recherche avec salles d'étude, quatre cafétérias, un bâtiment principal avec annexes contenant les groupes électrogènes nécessaires à l'alimentation de la base en électricité, un héliport, plusieurs dortoirs, deux grands locaux constituant les quartiers généraux militaires, et, finalement, une longue salle de conférence. Claude ne put en voir plus car l'autobus se mit en marche et, contournant le cratère, se dirigea justement vers la salle de conférence, située de l'autre côté du site.

Tout autour du cratère et de la couronne d'édifices, de puissants projecteurs, placés au sommet de hauts pylônes métalliques et dirigés vers le sol, éclairaient toute la scène, sans laisser un centimètre de terrain dans l'ombre. Ce sont eux qui, à l'arrivée du convoi, s'étaient allumés tous en même temps, comme un signe de bienvenue aux voyageurs. L'éclairage était fort et pouvait certainement aussi durer continuellement si le besoin s'en faisait sentir; la base pouvait donc être en activité constante, et tel était d'ailleurs le cas depuis l'arrivée du contingent au cratère.

Des soldats dirigeaient la circulation à l'intérieur du camp; depuis un bon moment, le flot des véhicules militaires avait augmenté, et il semblait que la fameuse opération Survie approchât de son dénouement; des hélicoptères avaient décollé de l'héliport aménagé à l'intérieur du camp et le survolaient dans un mouvement circulaire, assurant la protection de la base et surveillant les environs.

Enfin, la file des autobus s'arrêta devant le vaste édifice tenant lieu de salle de conférence. Le militaire qui conduisait le deuxième autobus fit fonctionner le mécanisme d'ouverture des portes du véhicule, qui s'écartèrent l'une de l'autre dans un chuintement étouffé. Puis il se leva et, s'adressant aux passagers, leur dit:

— C'est la fin du voyage; s'il vous plaît, veuillez descendre de l'autobus et vous regrouper. Le major Hancroft vous expliquera le reste. Merci.

Il sortit alors que déjà les autres autobus se vidaient de leurs occupants.

Toujours en commentant les événements, les journalistes sortirent, et tous se retrouvèrent bientôt à l'air libre. Ce long périple avait quelque peu épuisé les voyageurs, et plusieurs d'entre eux en profitèrent pour se détendre les muscles et faire quelques exercices de gymnastique. Sous la lumière crue qui tombait des projecteurs placés tout autour, l'enceinte ressemblait à un stade où des athlètes exécutaient leurs mouvements variés, entourés par une foule agitée.

Les derniers groupes d'informateurs se relaxèrent graduellement, mais la détente ne fut pas longue: le major qui, depuis le départ de Washington, leur servait de cicérone, monta sur une estrade rudimentaire placée à côté de la salle de conférence. Il prit un micro sur pied installé sur la plate-forme et relié à un système d'amplification du son, comprenant deux gros haut-parleurs accrochés à des poteaux surmontant l'estrade et dirigés vers la grande place où se tenaient maintenant les journalistes. Malgré les nombreux bruits qui, par moments, couvraient sa voix, il parvint à se faire entendre de la foule qui formait une masse compacte.

— Mesdames, Messieurs, de la presse, de la radio, du cinéma et de la télévision... Vous êtes maintenant arrivés à votre destination finale, et...

Des exclamations de satisfaction, des «bravos» et des «hourras» ainsi que des applaudissements et des sifflements enterrèrent la voix du major qui, comprenant les réactions de défoulement de ces gens qui avaient été astreints à une rude discipline pendant plusieurs jours, attendit que le calme fût revenu avant de reprendre:

— Je sais qu'en ce moment vous devez tous être fatigués et que certains d'entre vous désireraient même prendre une nuit de sommeil avant de poursuivre leur équipée; sachez que je comprends parfaitement votre situation et que je partage vos sentiments. Malheureusement, le temps nous est précieux, et il est capital que tout s'effectue selon le plan prévu et en suivant l'horaire des étapes envisagées; en toute franchise, je peux vous dire que l'opération Survie évolue justement pour le mieux, à l'instant où je vous parle. Il n'est donc pas question de modifier ce plan pour quelque raison que ce soit.

Cette fois, des murmures de désapprobation montèrent de la foule, mais le major n'en tint pas compte et continua:

— Pour le moment, vous ne pouvez pas encore pleinement comprendre le bien-fondé des agissements à votre égard, ni accepter l'opportunité des nombreuses mesures de précaution et de sécurité qui ont entouré cette «collecte» rapide et mondiale des représentants des médias d'information. Dans quelques minutes, des explications complètes vous seront données, et vous comprendrez parfaitement la situation dans toute son ampleur. Vous saurez enfin quelle est cette opération Survie dont vous avez entendu parler par bribes et qui a dû vous donner à réfléchir au cours des derniers jours.

»Toute cette mise en scène était nécessaire afin de pouvoir réunir en même temps et dans une courte période les membres participant à cette opération, en les amenant d'abord tous au même point de ralliement initial, soit au Grand Hôtel à Washington, puis en les rassemblant ensuite ici même, pour la conclusion de ladite opération.

Il fit une pause et se permit une remarque pour détendre l'atmosphère crispée qui régnait encore un peu au sein du groupe:

— Au cas où certains d'entre vous auraient dormi pendant le trajet en autobus, sachez que vous foulez maintenant le sol du Meteor Crater, en Arizona... et non un cirque lunaire, malgré le décor ambiant qui donne cette impression...!

D'autres plaisanteries égayèrent la foule, et le mouvement des têtes qui se tournaient de-ci de-là vers les alentours prouva que le major avait produit l'effet désiré. Les journalistes échangèrent entre eux, et tout le monde afficha bientôt une mine un peu plus réjouie. Le major reprit son sérieux et enchaîna:

— Maintenant, le grand moment est arrivé pour vous tous. Le groupe des scientifiques est déjà à l'intérieur de la salle de conférence; comme vous pouvez en juger par ses dimensions, elle peut recevoir plusieurs centaines de personnes; de fait, si vous ajoutez votre nombre à celui des hommes de science, le total approche près de 700 participants...

Un murmure d'étonnement et d'admiration monta du groupe, et les regards en dirent long sur les impressions de chacun. Puis le militaire, indiquant l'entrée de la salle de conférence, termina son discours:

— S'il vous plaît, veuillez pénétrer dans ce bâtiment. Rappelez-vous qu'à votre départ de Washington vous avez été identifiés sous la catégorie des médias d'information. Ces catégories sont nettement indiquées à l'intérieur, et sont réparties par sections, dans la salle, selon le nombre de représentants pour chacune d'elles. Normalement, vous devriez tous trouver une place dans ces sections, car les services du gouvernement ont fait du zèle pour s'assurer, avec exactitude, du nombre des membres participant à cette assemblée; comme vous avez pu vous en rendre compte depuis le début de cette mission, les mesures de sécurité les plus sévères ont été prises pour contrôler l'identité et la profession de chacun d'entre vous... Maintenant, Mesdames et Messieurs, d'une certaine façon, le sort de l'humanité dépend en partie de la manière dont vous la renseignerez sur l'opération Survie, après avoir entendu vous-mêmes l'étonnante vérité que vous connaîtrez dans un moment... Puisque vous êtes journalistes, je puis vous donner ce que, dans le métier, vous appelez un scoop: la détente d'esprit, ou plutôt la sensation de bien-être que vous avez dû ressentir, tout à l'heure, quand vous avez franchi l'enceinte de la base, est en rapport étroit avec la nature même de cette opération; je vous laisse réfléchir sur ce point... Maintenant, si vous voulez bien entrer dans la salle de conférence, le dernier acte pourra se jouer...

Ayant terminé son allocution, il laissa le micro et descendit de l'estrade. Des soldats ouvraient les portes de la salle de conférence et se mettaient ensuite en position de repos près de celles-ci. Assez émus par ce préambule, les journalistes et chroniqueurs scientifiques marchèrent vers l'entrée de l'édifice, intrigués par les dernières paroles du major. Claude et Amelia suivirent la foule et, accompagnés de leurs collègues de la presse écrite, se dirigèrent vers la grande salle, très éclairée à l'intérieur.

Dehors, l'activité fébrile des militaires se poursuivait. Claude n'avait pas été sans remarquer, pendant le discours du major, qu'un des bâtiments, situé sur le périmètre extérieur du cratère, près de la salle de conférence, était surveillé plus encore que les autres. Il s'agissait en fait d'un vaste hangar, très éclairé de l'intérieur et entouré d'une garde militaire; à cause de son angle de vision, le journaliste ne put distinguer ce qui se passait dans ce hangar, mais les allées et venues de véhicules étaient plus régulières, et il crut même, quelquefois, distinguer des hommes revêtus de sarraus blancs, vêtements typiques des laborantins et expérimentateurs scientifiques. Mais le discours du major l'avait intéressé plus que le va-et-vient qui l'entourait, et il avait porté son attention plutôt vers lui.

Depuis le début du voyage, Amelia avait supporté avec calme la situation qu'elle était forcée de vivre et n'avait pas bronché devant les événements qui se succédaient à un rythme accéléré. Même si elle n'avait plus parlé de son père, Claude devinait ses pensées intimes et sentait que plus ils approchaient de l'étape finale de leur voyage, plus elle était nerveuse; elle devait penser aux paroles que son père lui avait dites, lorsqu'il l'avait assurée qu'elle ne devait plus se faire de souci avec les incidents survenus à Montréal et qu'il arrangerait les choses. Elle espérait bien le retrouver à cette base, puisqu'il lui avait dit lui-même qu'il était l'un des principaux instigateurs de l'opération Survie.

Quand le groupe pénétra dans le hall d'entrée de la salle, elle n'y tint plus: elle courut presque vers le major Hancroft, qui canalisait le flot des participants, et lui demanda avec un léger trémolo dans la voix:

— Major Hancroft, s'il vous plaît, est-ce que mon père... je veux dire le professeur Rockford, est bien ici, à cette base? Est-il parmi le groupe des scientifiques dirigeant le projet...?

Le major lui adressa un mince sourire, mais, imperturbable, il lui répondit:

— Miss Rockford, je ne puis rien vous dire encore à ce sujet; mais vous vous faites du mauvais sang pour rien... Entrez, et vous découvrirez vous-même le rôle que tient votre père dans tout ceci...

Plus ou moins convaincue, elle voulut poser une autre question, mais Claude la tira doucement vers lui et la ramena vers Jean-Étienne et Gabrielle, qui, lentement, avançaient dans le hall; il la prit par les épaules et, l'embrassant, la réconforta:

— Allons, chérie, prends-ça calmement; je suis avec toi et je ferai tout mon possible pour t'aider. Ton père est sûrement ici, probablement même dans cette salle avec ses confrères. Viens... Nous serons quatre pour estimer la situation et prendre une décision, si le besoin s'en faisait sentir.

Amelia lui sourit et l'accompagna à l'intérieur, le bruit d'un hélicoptère couvrant les paroles tendres qu'elle lui adressait. Dans le hall, un autre genre de bruit s'entendait, constitué surtout de la rumeur de nombreuses personnes qui discutaient par groupes séparés. Les quatre amis avancèrent encore et, avec les derniers journalistes qui restaient, arrivèrent dans la salle de conférence même, après avoir passé par deux autres portes séparant le hall de la salle.

Pendant quelques secondes, ils n'eurent d'yeux que pour l'assistance, qui était divisée en deux sections bien précises par une allée centrale sur laquelle ouvraient les deux portes. La salle ressemblait assez à un auditorium, avec son plancher incliné, les rangées de sièges disposées les unes en avant des autres et une scène de fortune montée à l'avant de la salle; on devinait que l'édifice avait été aménagé à cette fin, mais très rapidement, et que le confort n'avait pas été le critère principal justifiant sa construction. Les sièges consistaient en chaises métalliques pliantes, placées en nombreuses rangées successives, et des cartons imprimés indiquaient la répartition des catégories des participants à l'assemblée. À l'avant, le mur du fond de la scène était concave, et une large toile était tendue d'un côté à l'autre de cette scène, laissant un espace libre entre celle-ci et le mur même, et semblant dissimuler un appareil quelconque.

Claude jeta un regard sur l'assistance et nota la disposition des participants; il évalua la foule à près de 700 personnes, ce qui coïncidait avec les informations que le major Hancroft avait données et les observations que lui-même avait faites à Washington.

En observant les différents groupes, il constata que ceux-ci étaient identifiés par leurs macarons distinctifs, et qu'ils représentaient bien tous les principaux médias d'information existant à ce jour.

La section de droite leur était réservée; à l'arrière se trouvaient les cinéastes et les réalisateurs de films documentaires, qui avaient fait leur renom en présentant au public des reportages très détaillés sur divers sujets; ils étaient les moins nombreux dans la section, mais ne cédaient pas leur place pour la discussion. Claude ne remarqua pas Adolf Steiner, qui dialoguait avec un confrère, y allant de gestes très amples pour décrire certains aspects de son travail. Venaient ensuite, en avant d'eux, les annonceurs de la radio et les commentateurs, puis, les précédant, les annonceurs de la télévision et les animateurs d'émissions de vulgarisation scientifique. Claude aperçut l'un des plus connus des animateurs d'émissions télévisées américaines, Michael Finlay, dont il avait déjà écouté l'émission au réseau américain de télévision.

Enfin, complètement à l'avant, les journalistes, chroniqueurs et vulgarisateurs scientifiques étaient réunis, formant la plus grande partie des représentants de la presse écrite. Claude, Amelia, Jean-Étienne et Gabrielle étaient de ce groupe, et ils avaient été menés dans la troisième rangée, près de l'allée centrale.

Dans la section de gauche, l'assistance se composait des représentants de nombreuses disciplines scientifiques, et, là, les macarons distinctifs présentaient une grande variété de couleurs. Claude ne put réellement discerner toutes les spécialités, mais les échanges verbaux étaient aussi animés, sinon plus qu'entre les représentants des médias. Les hommes de science en avaient beaucoup plus à dire sur ce projet dont, en fait, ils ne connaissaient que des bribes, et, les opinions et les avis étaient partagés.

Avec une certaine surprise, Claude aperçut, dans une des rangées de gauche, presque à sa hauteur, des participants dont le macaron mentionnait «MD» avec, en sous-titre, «Psychology», ainsi que d'autres dénominations qu'il ne parvint pas à lire. Cela lui rappela le congrès de médecine tenu à Montréal, quelques jours auparavant, et où plusieurs des intervenants, pendant les périodes de question, avaient justement été des psychologues.

Il reporta son attention sur l'assemblée en général, puis sur la salle elle-même. Il vit que des soldats, en position de repos, se tenaient le long des deux murs latéraux et de celui de l'arrière de la salle, à égale distance les uns des autres, et ne participaient aucunement à l'agitation qui régnait dans celle-ci; leur devoir était de surveiller, et ils accomplissaient cette tâche avec diligence.

Quelques minutes s'écoulèrent, au cours desquelles les quatre amis se joignirent à leurs compagnons pour bavarder. En même temps, Amelia scrutait l'assistance pour essayer de découvrir son père dans la foule. Elle était certaine qu'il devait y être, puisqu'il formait un rouage important dans ce gigantesque mécanisme, dont le bon fonctionnement déciderait finalement du sort de l'humanité, d'après tout ce qu'il en avait été dit. Peut-être dirigeait-il le projet et était-il à la tête d'un groupe de scientifiques qui, en ce moment, s'adressaient aux soldats de garde?... Mais elle ne put l'apercevoir nulle part, et son émotion devint de plus en plus prononcée au fur et à mesure que la rumeur d'impatience montait.

Alors que la tension augmentait sensiblement, un fait nouveau se produisit. Depuis que les voyageurs étaient entrés dans la salle, la lumière avait toujours éclairé celle-ci; mais, soudain, elle baissa, et seule la scène, placée à l'avant, resta éclairée. L'attention des gens y fut attirée automatiquement, et un silence général s'établit dans la grande pièce. Les regards s'y braquèrent, et l'on s'attendit que quelqu'un vînt expliquer la situation presque intolérable que tous ces «invités» devaient endurer depuis plusieurs jours. Enfin, une porte, située dans le mur de gauche de la scène, s'ouvrit... et un homme s'avança, l'air très solennel...

TROISIÈME PARTIE

CHAPITRE 18

La nuit du samedi 2 août
Meteor Crater, Arizona, États-Unis
Une heure avant l'aube...

Dans le personnage à l'allure imposante qui marchait sur la scène, la majorité des assistants reconnurent le type même du général de l'Armée, assez fier de son prestige et de son uniforme. Il devait être à la tête de cette opération et commander la vaste base spéciale construite en ces lieux. Son maintien dénotait une assurance certaine en lui-même et en ce qu'il accomplissait, et, lentement, pour bien donner le temps aux gens de l'observer, il se dirigea vers le centre de la scène, où se trouvait un micro placé sur un long pied vertical. Il le manipula afin de s'assurer du bon fonctionnement du système de son, puis il s'éclaircit la voix avant de faire les présentations.

L'assistance avait repris son calme, et le silence total régnait. On aurait pu entendre une mouche voler dans la salle; en fait, le seul bruit étouffé qui y parvenait par intervalles était celui des hélicoptères qui, régulièrement, exécutaient leur ronde d'inspection au-dessus du cratère. Le général regarda droit devant lui, et, les jambes écartées, les mains jointes derrière le dos, il dit:

— Mesdames, Messieurs, vous savez tous, maintenant, que vous avez été invités par le gouvernement des États-Unis à participer à un projet d'envergure, dans le but de mener à bien une mission dont l'humanité entière tirera profit, si ce projet se termine comme prévu. Dans un moment, vous connaîtrez en détail ce projet et vous serez à même de juger de la réelle importance de la mission dont vous serez chargés, chacun dans sa spécialité. Pour le moment, je prie tous les distingués représentants de la communauté scientifique, ainsi que ceux des médias d'information, de bien vouloir comprendre et excuser les moyens par lesquels les services de renseignements du gouvernement américain ont pris initialement contact avec vous. Au risque de répéter les paroles des agents et des officiers qui avaient pour mission de vous rencontrer puis de vous amener ici, au

Meteor Crater, et ce, dans le plus bref délai, sans impliquer des gens extérieurs à la sélection faite par ces services de renseignements, je me permettrai de vous redire que l'urgence de la situation nécessitait l'emploi de telles procédures et que les suites de l'opération Survie obligeaient les responsables du projet à agir de cette manière.

Il fit une pause un instant, puis continua:

— Je suis certain que beaucoup d'entre vous pensez avoir affaire à une autre opération spéciale entreprise par le gouvernement, comme il y en eut tant d'autres dans le passé, dans le but, peut-être, de jeter de la poudre aux yeux du public, pour justifier les dépenses énormes englouties dans un projet militaire ou encore vous croyez que ce projet n'aura pour but que de permettre aux États-Unis de prendre le pas sur les autres pays dans le domaine de la recherche scientifique, suite à une découverte extraordinaire qui serait survenue dans nos laboratoires; ou enfin — et ici je m'adresse particulièrement à vous, les représentants des médias —, vous avancez l'idée que l'opération Survie est un bluff monumental tenté pour impressionner le bloc communiste et pour forcer les Russes à garder leur position militaire, à l'Est... J'en vois qui sourient à cette idée, mais si je me permets de l'aborder, c'est qu'elle a eu libre cours parmi vous, ces derniers jours, d'après les nombreux commentaires qui m'ont été rapportés par mes officiers... Pourtant, aucune des trois idées que je viens de vous énoncer ne correspond à la réalité. D'ailleurs, si le but de l'opération Survie était d'assurer la suprématie des États-Unis sur les pays étrangers, le très distingué professeur Alexandroïevskaïa, de Moscou, n'aurait pas été invité à cette réunion spéciale.

À ces mots du général, un certain murmure monta de la salle, et des regards se dirigèrent vers la section des scientifiques, où la géologue soviétique avait pris place aux côtés de confrères de disciplines connexes à la sienne. Elle fut légèrement incommodée et rougit, mais le général reprit:

— En réalité, nous tenons à déplorer le manque de collaboration de la Chine communiste, qui, d'aucune manière, n'a accepté de répondre à notre demande d'envoi de certains de ses spécialistes, arguant que ce qui pouvait se passer en Occident ne la concernait absolument pas, même si les Russes, eux, permettaient au moins une «rencontre» officieuse avec certains de leurs hommes de science.

»De toute façon, ce point n'est pas aussi important qu'on pourrait le croire, car, si l'opération Survie réussit pleinement, comme nos experts américains le prévoient, la friction entre l'U.R.S.S. et les autres contrées du monde n'existera pratiquement plus dans l'avenir...

Il éloigna son visage du micro pour tousser une fois, puis, l'enlevant de son support en le prenant d'une main, il continua de parler, insistant sur la présentation qu'il s'apprêtait à faire:

— Le message que j'avais à vous transmettre au nom de l'Armée des États-Unis et du gouvernement américain est terminé. La suite vous sera donnée par un des principaux instigateurs de ce projet qui, il ne faut pas l'oublier, est beaucoup plus d'intérêt scientifique que militaire, malgré les apparences.

»Dès le début, cet homme de science a bûché ferme, avec une équipe de spécialistes triés sur le volet, afin de mener à bien la mission que notre gouvernement lui avait confiée, après que des géologues eurent trouvé, en ces lieux mêmes, l'élément qui a par la suite incité le ministère de la Défense à créer cette base pour son étude. Depuis plus de quinze ans, ce savant atomiste a oeuvré sans relâche, en collaboration avec d'autres chercheurs, pour tenter de cerner l'énigme qui entourait cette découverte. C'est grâce à lui et à l'équipe d'experts qui l'épaulaient que le fin mot de l'histoire a pu enfin être déchiffré, si on peut dire... Ce succès, comme par hasard correspond à un moment bien particulier de l'histoire de l'homme, qui est... ou plutôt a été influencée par cet élément étranger à l'homme, enfoui dans le sous-sol même de ce cratère...

«Mais, déjà, ces renseignements ne sont plus de mon ressort... Mesdames, Messieurs, permettez-moi de vous présenter le professeur Jonathan Rockford, le directeur scientifique de l'opération Survie...

À ces mots, il se tourna vers la porte de la scène, par où il était entré, et, d'un geste de la main, invita le professeur à venir le rejoindre.

En même temps que Jonathan marchait vers le général, Amelia, assise à l'avant de la salle, tressaillit et devint toute pâle. Elle serra fort la main droite de Claude; ce dernier, se tournant vers elle, l'entoura de son bras gauche; il n'eut que le temps de lui susurrer: «Tu vois, chérie, je te l'avais bien dit!», avant que des applaudissements dispersés ne l'interrompent dans ses paroles. Mais le coeur d'Amelia s'arrêta presque de battre lorsqu'elle vit que son père avait le bras droit entouré d'une écharpe et qu'il le tenait replié contre son corps. Par réaction, elle se leva à moitié de son siège et voulut lui adresser la parole, mais Claude la retint et, gentiment, la ramena sur la chaise. Elle se mordit la lèvre inférieure pour ne pas laisser libre cours à son émotion. Mais, rapidement, elle reprit sa contenance et porta une attention soutenue à Jonathan.

Le général, après lui avoir offert le micro, se retira; le professeur Rockford le remit sur son support et, englobant l'assistance de son regard, il commença:

— Distingués collègues, Mesdames et Messieurs de la presse, de la radio, de la télévision et du cinéma, vous êtes tous rassemblés ici, en cette fin de nuit, dans le but de participer au plus vaste projet d'information jamais réalisé dans l'histoire de l'homme et dans celle des mass-médias. Comme vous l'a expliqué le général Browny, l'ampleur du projet lui-même a nécessité une certaine mise en scène afin de pouvoir réunir dans le plus bref délai possible tous ceux qui avaient été choisis pour cette mission; je ne reviendrai donc pas sur cet aspect de la question puisque tous, maintenant, vous connaissez les moyens mis en oeuvre pour concrétiser cette première partie de l'opération Survie. Avant de vous révéler la nature exacte de l'incident qui a déclenché toute cette opération, il est approprié que, tout de suite, je vous fasse remarquer que les révélations qui vous seront faites dans un moment seront, de prime abord, certainement considérées par vous comme étant les plus incroyables jamais faites jusqu'à ce jour, et certains d'entre vous seront même portés à les reléguer dans la catégorie de la fiction romanesque, voire à les classer dans celle de l'imagination pure. Toutefois, et j'insiste sur ce point, ce que vous allez entendre dans quelques minutes est la vérité la plus stricte, et qui se rapporte à une réalité tellement évidente que vous serez forcés d'admettre l'authenticité des faits qui vous seront décrits; d'ailleurs, s'il en eut été autrement, le gouvernement américain, les services de l'Armée et des centres de recherche n'auraient jamais mis sur pied le projet colossal auquel vous allez collaborer dans sa dernière phase. Et puis, si cela peut également vous convaincre du sérieux de la chose, sachez que dès le début de cette affaire j'ai été personnellement mêlé à l'organisation dudit projet, il y a plus de quinze ans maintenant, et que tout le travail qui a suivi, en rapport avec la double découverte faite en ces lieux, a été continuellement vérifié et supervisé par moi. Tout ce travail a été accompli après que le gouvernement américain eut décidé d'établir cette base spéciale, suite à ces découvertes qui mettaient en cause la sécurité des États-Unis à cette époque, puis celle du monde entier, comme nous nous en sommes bien rendu compte par la suite. Comme les États-Unis se font un devoir d'assurer la sécurité du monde, sur notre planète, il était normal que ce gouvernement prît en mains le projet...

Une certaine rumeur s'éleva de l'assemblée, reflétant le partage des opinions sur cette dernière affirmation du professeur Rockford; il jeta un coup d'oeil au général, mais le militaire resta impassible devant les réactions de la foule. Le regard de Jonathan revint à l'assistance, et il enchaîna:

— De toute façon, cette opération était pleinement justifiée, car elle permettait à plusieurs spécialistes de disciplines différentes de mettre à l'épreuve leurs connaissances dans les domaines qui les concernaient et, surtout, de tenter d'apprendre en détail tous les éléments se rapportant à ces deux découvertes successives; en passant, je dois dire que celles-ci, à venir jusqu'au mois dernier, n'avaient jamais pu être totalement acceptées comme telles par ces spécialistes, qui ne croyaient pas tous à leur véritable nature, telle que mon équipe de chercheurs l'avait comprise, en 1968, lors des premières expériences tentées en laboratoire de recherche atomique. Par la suite, au cours des années suivantes, les tentatives faites pour cerner au complet la nature de ces découvertes se sont révélées beaucoup plus difficiles que nous ne l'avions cru au départ, et, pour cette raison, le projet entrepris a dû être prolongé, cette situation se répétant à chaque année, car les experts ne parvenaient pas à réunir toutes les composantes du problème, ni même à en accepter toutes les implications pour la suite des événements. Cet état de choses s'est poursuivi jusqu'au mois de juin, où les faits se sont déroulés si rapidement qu'ils ont nécessité la mise en opération de ce rassemblement forcé d'éminents scientifiques et de représentants des médias d'information. La nature même de la découverte principale était enfin reconnue comme telle, et la «mission» dont celle-ci avait été chargée était également comprise par les chercheurs, après vingt ans d'analyse et d'étude. L'urgence de la situation était évidente, et ceci a même risqué d'être prématurément ébruité parmi le public, à cause d'une erreur de jugement de ma part, causée par un certain état émotionnel qui avait malheureusement pris le dessus sur mon raisonnement; mais, heureusement, grâce à l'excellent travail de dépistage et d'enquête de l'agence de renseignements du gouvernement, les choses n'ont pas pris des proportions alarmantes ni dangereuses pour la sécurité du projet, et tout est maintenant revenu dans l'ordre.

À l'évocation de ces derniers événements qui, sans l'ombre d'un doute, concernaient l'affaire des terroristes à laquelle Amelia et Claude avaient été mêlés, la jeune femme réagit en regardant son compagnon.

Jonathan fit une pause, puis regarda sa montre. Voyant que le temps passait vite, il reprit aussitôt son exposé, d'une voix plus assurée.

— Mesdames et Messieurs, le moment des révélations finales est arrivé. À nouveau, permettez-moi de vous rappeler que ce que vous allez apprendre est l'exacte vérité, et qu'il n'y a pas lieu de considérer les événements présentés comme s'il s'agissait d'un coup monté; le destin de la race humaine en dépend, et l'on peut même l'envisager avec le meilleur optimisme possible si tout se déroule comme prévu et si la phase présente de l'opération Survie se termine comme l'ont calculé nos techniciens. Afin de vous faciliter la compréhension du projet, un film sera projeté en même temps que j'expliquerai les choses; il a été réalisé par les services de l'information du ministère de la Défense, dans le but de bien montrer la réalité des faits décrits et de vous permettre d'en prendre conscience. Le film vous présentera les différentes étapes de la mise en opération du projet, et ce, à partir de l'époque des premières fouilles effectuées en 1964 au Meteor Crater, jusqu'au moment de ce dernier grand rassemblement à Washington. Permettez-moi de vous conseiller de garder le silence pendant la projection, afin de ne pas perdre un mot des explications, et cela, même si les choses vous paraissent inacceptables dans leur crudité...

Il arrêta de parler et regarda vers l'arrière de la salle; en même temps, il leva la main et dit:

— Monsieur le technicien, nous sommes prêts. Si vous voulez bien faire l'obscurité complète dans la salle... s'il vous plaît...

Dix secondes passèrent, puis la salle fut plongée totalement dans le noir. Sur le devant de la scène, un écran se déroula automatiquement et vint presque toucher le plancher. Jonathan se dirigea du côté gauche, vers une petite table et une chaise que deux soldats y avaient placées pendant qu'il parlait. Il s'y assit, posa le micro sur un support circulaire placé sur la table et, bien à l'aise, se prépara à commenter le film.

Un projecteur s'alluma dans la cabine aménagée à l'arrière de la salle, au-dessus des deux portes d'entrée. Le faisceau de lumière fut braqué sur l'écran, et l'amorce d'un film y défila. La traditionnelle série inversée de chiffres passa sur l'écran, et, soudain, sans transition, un panoramique montra le Meteor Crater, tel qu'il devait être, vingt-deux ans auparavant. Les images n'étaient accompagnées d'aucune bande sonore; on devinait que le film avait dû être réalisé à la hâte, en montant les scènes les plus représentatives déjà enregistrées sur pellicule au cours des années précédentes, lors des différentes étapes du projet. De toute façon, les commentaires de Jonathan devaient compléter ces images.

Il se rapprocha du micro et entama le sujet:

— Voici le Meteor Crater, tel que tout le monde pouvait encore le voir en 1964, alors qu'une importante expédition s'était rendue sur les lieux pour y faire des prélèvements de roches. À cette occasion, la moisson d'échantillons fut abondante et permit aux géologues et aux autres savants de connaître un peu mieux la structure interne de certaines météorites s'écrasant sur Terre, régulièrement. Vous tous, ici présents, savez que notre planète est continuellement bombardée par ces corps célestes, et que la majorité de ceux-ci sont désintégrés en traversant la couche atmosphérique qui entoure notre globe; tel est le sort de la grande partie de ces «astres errants» dont la taille et le poids sont aussi variés que leur nombre, allant de quelques grammes à plusieurs kilogrammes; seules les très grosses météorites parviennent jusqu'au sol, c'est-à-dire celles dont le poids dépasse les milliers de kilogrammes, et, très rarement, heureusement, des masses de plusieurs milliers de tonnes ont percuté notre planète, formant les cratères météoriques que l'on retrouve en certaines régions de la surface du globe; le Meteor Crater est de cette catégorie, justement, ayant été creusé par une... météorite... il y a près de 30 000 ans, maintenant... Suite à la première expédition, une deuxième fut organisée en 1966 afin d'explorer minutieusement les abords et les profondeurs du cratère... C'est au cours de celle-ci qu'eut lieu la première découverte incroyable...

Jonathan attendit quelques secondes, afin de permettre à l'assemblée de bien recevoir ses propos, en même temps que l'écran montrait un groupe de chercheurs équipés d'appareils divers, allant de-ci delà à l'intérieur du cratère, prélevant des roches, enfouissant des instruments de mesure dans le sol, découpant des morceaux de roches et les plaçant méticuleusement à l'intérieur de grands coffres, après les avoir soigneusement enveloppés dans des toiles à cet usage. Puis l'objectif de la caméra prit en gros plan un de ces rochers, d'environ deux mètres de longueur sur un mètre de hauteur et de profondeur, qui venait d'être mis dans un des coffres et qui avait semblé attirer l'attention de l'équipe des géologues. Ils paraissaient intrigués par quelque chose incrusté dans la masse même de la roche, et leur conversation semblait très animée, malgré l'absence de bande sonore.

Puis les images s'enchaînèrent et changèrent rapidement. Jonathan poursuivit son exposé, au fur et à mesure que le film se déroulait:

— Comme vous avez pu en juger par les premières images, cette découverte a causé un certain émoi parmi les géologues, qui ne s'attendaient pas à trouver un tel élément étranger en ces lieux, et complètement différent de tous les vestiges géologiques naturels jusqu'alors déterrés. Leur étonnement fut tellement grand qu'ils décidèrent de s'occuper de plus près de cet échantillon prélevé presque à la surface du sol et de le ramener directement à un laboratoire de recherche. Ils prirent cette décision d'un commun accord, car le rocher contenait une masse solide, compacte, très lisse et apparemment façonnée par une technologie que, de prime abord, ils qualifièrent d'humaine. À ce moment, l'opinion générale qui prévalait était qu'il devait s'agir d'un appareil quelconque, enchâssé dans un étui métallique, probablement perdu par des touristes, ou, plus vraisemblablement, par des «prospecteurs» en quête de souvenirs, ledit appareil ayant ensuite été enfoui pour un motif inconnu. Malgré tout, le consensus sur la nature de l'objet ne se fit pas immédiatement, car certains objectaient, et avec raison, que s'il en était vraiment ainsi, la gangue de roche entourant l'objet ne montrerait pas une si grande ancienneté. En effet, la couche cernant la masse intérieure datait bien de l'époque de l'écrasement de la météorite, et, de plus, la roche elle-même n'était pas originaire de l'endroit où se fit cette découverte. Il fallait donc nécessairement en arriver à une hypothèse provisoire, quitte à la rejeter plus tard si l'analyse de l'objet la réfutait; elle fut avancée par le plus jeune membre de l'équipe d'exploration: il osa prétendre que ce corps étrange était d'origine extérieure à la Terre et de facture non humaine. Comme il fallait s'y attendre, il s'attira la réprobation de ses collègues, et l'affaire en resta là, jusqu'au moment où le fameux spécimen de roche arriva à un laboratoire d'analyse géologique.

Les séquences du film montrèrent cette arrivée de la grosse roche au laboratoire, et, venant de la salle, plus particulièrement de la section de gauche, des murmures indistincts s'élevèrent. Jonathan devina que ses propos avaient causé un certain remous parmi ses collègues scientifiques, et il enchaîna, voyant que les images continuaient de défiler:

Puis les images s'enchaînèrent et changèrent rapidement. Jonathan
spécialistes parvinrent à enlever la gangue qui recouvrait l'objet, et ce dernier fut enfin mis au jour. Il s'agissait effectivement d'une masse bien précisément découpée, d'un cube, en fait, de 70 centimètres d'arête, aux six faces complètement lisses et d'un noir mat. Aucune aspérité, aucune protubérance, aucune excroissance ne sortait de l'une ou l'autre de ses faces; le mystère le plus complet persista sur la nature et sur l'origine de ce cube. Les géologues se perdaient en conjectures, et, à nouveau, l'hypothèse du jeune Morrows revint sur le tapis. Pendant de longs mois,

on se refusa à accepter cette possibilité, mais à force, justement, de se perdre en hypothèses plus «vraisemblables», on dut en arriver à admettre celle du jeune géologue comme étant celle se rapprochant le plus de la vérité. Puis l'idée s'implanta un peu plus profondément dans les esprits des chercheurs, et le cube passa alors en plusieurs mains... ou, plutôt, il fut envoyé à divers centres de recherche et en d'autres laboratoires, où l'on tenta encore d'en analyser la nature et l'origine. Entre-temps, des agents du service de renseignements du gouvernement avaient eu vent de l'affaire. Il ne faut pas s'étonner de cet état de fait car, bien entendu, les services secrets sont continuellement à l'affût de toute nouvelle qui peut les renseigner sur une situation qui pourrait éventuellement se révéler dangereuse pour la sécurité des États-Unis.

Un autre murmure émana de l'assemblée, plus généralisé cette fois, mais Jonathan continua:

— Malgré les explications lénifiantes des scientifiques données aux agents des services secrets, à savoir que la découverte ne représentait aucune menace pour le pays, la C.I.A. parvint à apprendre la vérité sur l'objet et en référa aux autorités. Comme vous pouvez vous en douter, celles-ci ne mirent pas beaucoup de temps à réagir et à prendre contact avec les responsables de l'expédition et avec les laboratoires qui avaient essayé d'analyser l'objet. Ensuite, le ministère de la Défense, ayant été informé de cette découverte, décida d'organiser une autre expédition, afin de tenter de trouver d'autres cubes semblables qui, peut-être, auraient été enfouis dans les profondeurs du cratère. Ceci nous amène en 1968, et nous voyons ici cette troisième expédition, comprenant des géologues, des membres de divers organismes de recherche, ainsi que des officiels du gouvernement américain, qui avaient tenu à accompagner les experts afin de prendre les décisions qui s'imposeraient si une découverte inattendue se produisait en ces lieux. Toutefois, aucun autre cube mystérieux ne fut trouvé dans le cratère, et pour cause: il était unique en son genre, comme nous l'apprîmes plus tard; mais j'anticipe sur les événements; je reviens donc à cette année 1968 au cours de laquelle un fait extraordinaire, incroyable, se produisit, qui me fit entrer en scène en tant que savant atomiste, moi qui ne connaissais pas alors un traître mot de la situation qui prévalait au Meteor Crater... Par la suite, je devins le principal responsable de tout le projet qui devait en découler.

Jonathan remua un peu sur sa chaise et prit une position plus confortable pour poursuivre ses explications:

— Comme je vous le disais, on soumit le cube à de multiples tests et analyses afin de parvenir à percer le secret qui l'entourait. On le photographia et le filma, puis on le soumit aux rayons X, ce qui donna lieu à une première grande surprise: la matière du cube était impénétrable aux rayons X et, ainsi, ne permettait pas d'en connaître le contenu, si contenu il y avait. Puis on essaya les autres méthodes de «pénétration» de la matière, incluant les autres types de rayons; on utilisa le rayon laser pour tenter de le découper, on se servit d'une pointe de diamant, de dissolvants chimiques et de plusieurs autres méthodes, mais en vain. En dernier recours, on pensa à l'énergie atomique et aux nombreuses possibilités offertes par cette source inépuisable. À ce moment, on retint les services de savants atomistes: je fus alors appelé au laboratoire de recherche pour tenter, à mon tour, de trouver un moyen efficace de forcer le cube étranger à nous révéler ses secrets. Mes confrères et moi-même analysâmes froidement le cas, et nous nous préparâmes à nous servir de l'énergie atomique pour désintégrer la matière ou, plus exactement, un infime morceau du cube, afin de déterminer s'il était vraiment aussi indestructible qu'on le croyait. Pour ce faire, nous avions aménagé un laboratoire spécial de recherche dans une des sections du grand laboratoire national de Brookhaven, près de New York, où je travaille depuis plusieurs années. Le désintégrateur d'atomes de Brookhaven étant le plus vaste au monde, les expériences d'accélération des particules atomiques ont permis aux savants atomistes de connaître nombre de secrets du microcosme.

Au même moment, un autre panoramique aérien montrait les établissements mentionnés, et un *close-up* de la caméra amena dans le champ de vision un petit édifice. On put alors y apercevoir une garde militaire qui l'entourait et assurait la sécurité du laboratoire.

— C'est au cours d'un de ces essais, reprit Jonathan, que l'événement fantastique dont je vous ai parlé eut lieu. Je ne sus jamais ce qui l'avait déclenché ni ce qui en avait causé la suite; peut-être est-ce l'emploi même de l'énergie atomique qui fut le «signal» de la mise en action de l'appareil contenu dans le cube, étant donné que celui-ci était justement destiné à informer ceux qui le trouveraient; peut-être est-ce dû à une autre cause que, d'ailleurs, nous n'avons jamais expliquée; enfin, quoi qu'il en soit, le fait brutal, inconcevable, inattendu, survint, et les quatre autres spécialistes qui m'aidaient dans ma tâche en furent également les sujets forcés, si je puis m'exprimer ainsi...

Jonathan se tourna sur sa chaise et fit face au public. Il s'éclaircit la gorge et haussa la voix, pour bien faire comprendre à l'assemblée le sérieux des propos qu'il s'apprêtait à énoncer:

— Mesdames et Messieurs, je me permets d'insister sur le point que j'ai mentionné au tout début: ce que vous allez maintenant apprendre est l'exacte, l'authentique et complète vérité sur ce qui s'est passé dans ce laboratoire de Brookhaven, en cette nuit de novembre 1968. Je vous prierais de bien vouloir considérer ces faits comme absolument vérifiables par vous, et ne relevant aucunement du domaine de la science-fiction, auquel le cinéma et la littérature nous ont habitués ces dernières années. L'événement est certes troublant, mais il n'est que l'infime partie de tout le mystère qui entoure ce site du Meteor Crater. D'ailleurs, si l'opération Survie se termine comme il se doit, vous serez à même de juger, dans quelques heures, de la situation que je vous révèle à l'instant...

Sur ces mots, la lumière se fit à nouveau sur la scène et dans la salle; tous clignèrent des yeux machinalement, et le professeur Rockford s'avança sur la scène. Rendu au milieu, il s'arrêta, et le général Browny vint l'y rejoindre. Au même moment, quatre soldats firent leur entrée par la porte de gauche des coulisses et tirèrent une table à roulettes, sur laquelle reposait le fameux cube présenté dans le film. Des «oh!» et des «ha!» de surprise jaillirent de l'assemblée, et plusieurs savants et journalistes se levèrent même de leurs sièges. Devant ce mouvement de foule, le professeur Rockford prit la parole et dit:

— S'il vous plaît, Mesdames et Messieurs, s'il vous plaît... un peu de silence dans la salle... Je comprends votre réaction et votre étonnement, et je continue moi-même d'être étonné par tout ceci... mais, s'il vous plaît, veuillez vous rasseoir... Je vais vous expliquer ce dont il s'agit...

Les soldats s'étaient placés en position de repos, de chaque côté de la table, et le général s'en était rapproché, suivi de Jonathan. Ce dernier ne cessa pas de regarder la foule, et, tenant le micro, il dit, pesant bien chacun de ses mots:

— Vous avez devant vous un appareil de communication directe avec le cerveau humain; ou, pour employer une expression devenue familière par les temps qui courent, un «émetteur de message télépathique»...

Cette fois, les «oh!» et les «ha!» se firent plus prononcés et furent complétés par des remarques toutes plus ou moins pertinentes. Jonathan dut s'y reprendre à deux fois pour ramener le silence et l'ordre dans l'assemblée, et l'on voyait que cette révélation le mettait un peu mal à l'aise devant les «autorités savantes» qui lui faisaient face.

Il savait que tout sujet relevant le moindrement de la parapsychologie avait le don de mettre en boule les nerfs de plusieurs de ses collègues, et il se reprochait presque d'avoir utilisé le mot «télépathique». Mais le fait était qu'il s'agissait justement d'un tel appareil, et il eût été inapproprié de le décrire autrement. Il se raffermit donc dans sa prise de position et continua ses explications, alors même que le silence n'était pas encore totalement revenu dans l'assistance.

Ceux qui voulurent entendre la suite de l'exposé du professeur Rockford crièrent des «chut!» pour ramener le calme, et Amelia se permit même de jeter assez fort, en se levant: «Silence dans la salle... je vous prie», lorsqu'elle vit que son père n'était pas pris au sérieux par les plus bornés des représentants de la communauté scientifique et par certains des journalistes présents. Cette réaction de la jeune femme surprit Claude, mais il l'approuva d'une pression de la main lorsqu'elle se rassit.

Jonathan eut un moment d'hésitation devant cette aide inattendue. Il savait que sa fille devait faire partie de cette assemblée, mais, à cause de la rapidité des événements, il n'avait pu encore la rencontrer. Pendant les quelques secondes qui suivirent, son émotion transpira dans son comportement, mais il reprit vite ses esprits et, plus sûr de lui que jamais, il poursuivit son discours, y ajoutant même un certain plaisir malin à surprendre son auditoire:

— C'est bien ainsi, Mesdames et Messieurs des médias, et dignes représentants de la science contemporaine! Au risque de vous révolter, je répète mes paroles: ceci est un transmetteur de message par induction télépathique directe avec le cerveau «récepteur», et il est nettement d'origine extra-terrestre...

Une fois encore, un bruit de fond monta de la foule, mais les auteurs de ce murmure revinrent rapidement à l'écoute de Jonathan, sentant qu'ils étaient maintenant en minorité devant ceux qui voulaient connaître la suite de l'histoire. Jonathan sourit légèrement en voyant qu'il commençait enfin à gagner la confiance de la plus grande partie des assistants. Ce fait le rassura, car il savait que s'il n'avait pas réussi à les convaincre de la véracité de cette partie de l'énigme du Meteor Crater, il n'aurait pu les informer sur la deuxième partie, plus troublante et plus fantastique encore que celle-ci.

Reprenant donc son aplomb, il dit:

— Je sais que cette affirmation vous semble irrecevable, si vous me permettez d'utiliser ici un terme de jurisprudence, mais ce n'en est pas moins la stricte vérité. Et je puis vous certifier ce fait puisque c'est par le cube lui-même que j'ai su tout ceci, ainsi que mes quatre collègues qui participaient avec moi aux essais de désintégration atomique sur lui. Comme je vous l'ai dit, nous ne savons pas ce qui a permis au mécanisme d'émission du message de se mettre en marche, mais cela s'est produit alors que nous nous apprêtions à débuter l'expérience... Soudainement, le cube se mit à irradier et à émettre une sorte de bruit aigu continu. Surpris, nous l'avons laissé sur la table de laboratoire et nous nous sommes légèrement éloignés de lui. En même temps, nous avons ressenti une forte sensation dans notre tête, ou plutôt dans notre cerveau; cela est très difficile à décrire en termes adéquats; on ne peut qualifier cette sensation de choc électrique, ni de rien d'autre semblable. Ce qui se rapprocherait le plus serait le rêve saisissant que l'on fait quelquefois au cours d'un sommeil agité et duquel on sort très impressionné, tellement il nous semblait réel et «vécu». En réalité, dès l'émission de ce message, nous avons dû nous allonger sur le sol du laboratoire, car cette position était la plus confortable pour le recevoir et pour le comprendre, pendant tout son déroulement. D'un autre côté, la première fois, nous n'avons pas tous compris les mêmes portions du message, ni même vraiment assimilé le message lui-même. J'ai dit «la première fois», car régulièrement il se répétait à nouveau, et pouvait être capté par tout cerveau humain qui se trouvait dans un rayon de cinq mètres au maximum, à partir du point d'émission. En fait, j'ouvrirai ici une parenthèse pour vous faire part d'un élément intéressant que j'ai appris moi-même, lorsque par la suite je me suis un peu documenté sur les expériences humaines en transmission de pensée. Dans ces tests, la distance importait peu puisque, en une première occasion, le cerveau émetteur et le cerveau récepteur se trouvaient respectivement au sol et dans un sous-marin descendu à une très grande profondeur sous les eaux, et, en la seconde occasion, les deux sujets étaient, l'un dans un laboratoire terrestre, l'autre dans une capsule spatiale en orbite terrestre. Et combien d'autres tests y eut-il où les participants étaient séparés par des centaines de kilomètres! Pourtant, dans le cas de ce cube, l'émission du flux télépathique ne pouvait être captée que dans un périmètre restreint, et ceci constitue une autre énigme que nous n'avons encore pu expliquer. Pour en revenir à l'expérience de cette nuit mémorable, je dois dire que nous avons alors été fortement ébranlés; non pas tant par le message en soi, mais bien plutôt par la soudaineté et l'inexplicable de l'événement; d'ailleurs, comme je viens de le souligner, le contenu du message nous a été pratiquement incompréhensible la première fois. Lorsque nous nous sommes relevés, au bout de plusieurs minutes, et que nous nous sommes rapprochés du cube, qui avait cessé d'irradier et d'émettre le bruit, nous nous sommes demandé tous les cinq si nous n'avions pas été les jouets d'hallucinations auditives et visuelles; mais, devant la confrontation des images perçues, nous n'avons pu qu'admettre la conclusion qui s'imposait: nous avions bel et bien été soumis à une expérience de transmission de pensée, mais ladite transmission provenait d'un cerveau mécanique et non d'un cerveau organique.

Quelques nouveaux murmures disparates émanèrent de la salle, mais tous, maintenant, étaient accrochés aux lèvres de Jonathan. Celui-ci dut bien se rendre compte de l'intérêt qu'il suscitait chez tous ces gens, car il continua, de son ton toujours ferme et assuré:

— Donc, cette première réception de message nous impressionna. Nous ne savions pas comment accepter le fait, ni comment réagir face à lui, ni, surtout, comment en informer les autres scientifiques et les représentants du ministère de la Défense. Nous en étions là avec nos interrogations, lorsque le cube irradia une seconde fois et émit le même son strident. Alors, nous comprîmes qu'il devait recommencer la mission qui lui avait été assignée et, afin de lui faciliter la tâche, nous nous étendîmes au sol, nous plaçant ainsi dans la position qui nous parut être la plus confortable pour capter l'émission télépathique. Cette constatation se révéla juste, car, cette fois, nous pûmes recevoir correctement le message; malgré les points incompréhensibles ou les moments de relâche de notre esprit, nos cinq cerveaux récepteurs réunis permirent ensuite de saisir le message et de reconstituer assez fidèlement les faits hallucinants transmis par le cube; de plus, comme l'émission télépathique se répétait régulièrement, nous pûmes alors ajouter les éléments manquants, ou ceux dont nous avions mal compris le sens, ou encore replacer dans leur chronologie exacte les faits racontés.

Il toussa pour s'éclaircir la voix et reprit:

— J'emploie ici des expressions qui, dans le fond, n'ont pas le sens habituel qu'on leur donne, à cause de l'étrangeté de cet événement; en réalité, les mots décrivent mal la sensation ressentie lors de la réception du message télépathique, ainsi que les émotions et les états d'âme par lesquels nous avons passé au cours de cette étonnante aventure. Tant la situation que l'ambiance qui régnait dans ce laboratoire sont difficiles à expliquer; surtout, la manière même de capter ce message est impossible à vous décrire. C'était... c'était comme.. heu... comme si nous voyions et entendions en esprit un film qui était projeté directement dans notre cerveau, sans passer par les organes de la vue et de l'ouïe. Nous vivions presque les faits présentés, il n'y avait pas réellement de paroles prononcées. Il s'agissait plutôt d'images dotées de sens explicatifs par elles-mêmes, et qui montraient dans le détail les faits entourant un autre événement incroyable survenu dans le passé de l'histoire de l'homme, à l'époque du paléolithique. Cette révélation fut tellement inconcevable pour les pauvres humains que nous sommes que nous dûmes la «réentendre» plusieurs fois avant de nous assurer que nous ne subissions pas tous un rêve éveillé; de toute façon, l'émetteur télépathique était bien là pour nous convaincre de la réalité des choses et de la nature de l'appareil, nettement extra-terrestre... Ainsi, en l'espace de quelques heures, nous avons appris une vérité tellement insupportable, dirais-je, que nous en fûmes ensuite bouleversés jusqu'au plus profond de notre être; nous nous refusions à accepter le fait accompli, et nous ne parvenions plus à raisonner sainement, suite à cette révélation... Pour être honnête avec vous, je vous dirai sans honte que notre jugement fut perturbé au point que deux membres de l'équipe durent faire un stage dans une clinique psychiatrique au cours des semaines suivantes; mes deux autres compagnons et moi-même dûmes faire appel à toute notre force de volonté pour nous ressaisir et retrouver nos... esprits...

»De plus, nous avions maintenant un devoir impératif à exécuter, et nous tremblions presque d'effroi en sachant la tâche immense qui nous attendait dans le futur... Cependant, il restait à découvrir un certain autre appareil qui, d'après le message transmis, devait se trouver enfoui dans les entrailles du Meteor Crater; et cette seconde tâche ne pouvait être accomplie seulement par nous-mêmes, ni même seulement avec les moyens techniques dont nous disposions alors. Pour ces raisons, nous résolûmes d'avertir les autorités gouvernementales, qui, en fait, étaient à l'origine de ce projet d'analyse de l'objet étranger; d'ailleurs, d'une certaine façon, le cas mettait en cause la survie de l'humanité et, par conséquent, concernait également la sécurité des États-Unis... C'est donc avec l'esprit encore saisi par les révélations qui nous avaient été communiquées que nous prîmes contact avec le ministère de la Défense. Malgré l'«énormité» des déclarations que nous fîmes, le ministère fut bien obligé de prendre la chose au sérieux, à cause du cube, et une opération d'envergure fut mise sur pied pour aller explorer à fond le Meteor Crater et ses environs. Bien entendu, tout ceci ne se réalisa pas sans attirer l'attention des médias d'information, et ceux-ci s'emparèrent de l'«affaire du Meteor Crater» et la suivirent de près. En fait, les expéditions des années 1968, 1969, 1970, ainsi que tout le remue-ménage qui a eu cours durant toutes ces années, ont été fidèlement rapportés dans les journaux. Par la suite, lorsque cette base spéciale et le camp militaire ont été construits sur les lieux mêmes, ce nouveau regain d'activité a ramené l'affaire sur le plan de l'actualité et de nombreux reportages ont été faits. Le gouvernement américain a dû déployer ses talents et son énergie afin de calmer surtout les médias, qui échafaudaient les plus folles hypothèses sur la raison de la création de cette base; en fait, même la plus extravagante de celles-ci, aussi poussée fût-elle en elle-même, était loin de la vérité...

Un léger remous se fit sentir à nouveau dans l'assistance, et Jonathan patienta quelques instants avant de continuer:

— Avant de passer aux points de détail de l'opération Survie, je vais tout de suite vous rapporter le plus précisément possible la teneur du message qui a ébranlé la raison de deux des membres de l'équipe de spécialistes de Brookhaven, au point que ceux-ci durent être placés sous surveillance psychiatrique. Je tiens quand même à vous avertir qu'en réalité, malgré les faits troublants que vous allez connaître, la situation générale n'est pas en elle-même dangereuse ou pernicieuse pour le genre humain; en fait, ce serait plutôt le contraire qui serait exact, vu la fin prochaine du fonctionnement de cette Machine infernale dont il est question dans le message; de plus, le nom même qui définit cette opération est plus ou moins approprié aux circonstances, car la survie de l'humanité est pratiquement déjà assurée au moment où je vous parle. Il conviendrait plutôt de parler de renouveau de l'esprit humain, ou d'une renaissance de l'âme humaine... mais... allez donc chercher les raisons qui poussent les militaires à donner de tels qualificatifs aux opérations qu'ils entreprennent...!

En disant ces derniers mots, Jonathan s'était tourné vers le général et lui avait adressé un sourire auquel, presque miraculeusement, celui-ci répondit en regardant Jonathan. La foule aussi se permit une détente, afin de briser la tension qui la tenait en suspens depuis un bon moment.

Puis le professeur Rockford s'assit de nouveau à la table, posa le micro sur le petit support circulaire, et but un verre d'eau qu'un militaire lui apporta. Les quatre soldats ramenèrent la table en coulisses, sous la surveillance du général. Ce dernier vint ensuite se placer aux côtés de Jonathan, qui commença le récit transmis par le cube extra-terrestre...

CHAPITRE 19

Samedi, 2 août
Meteor Crater, Arizona, États-Unis
Quelques minutes avant l'aube...

— Afin de bien saisir le cadre où ont lieu ces événements, dit Jonathan, permettez-moi, d'une part, de vous inviter à oublier tout ce que vous avez pu apprendre sur la possibilité de l'existence ou de la non-existence de civilisations extra-terrestres intelligentes et très développées, et, d'autre part, à ne vous référer à aucune image d'une telle civilisation que vous avez pu garder en esprit, suite à la lecture de livres ou au visionnement de films de science-fiction qui traitaient de cette possibilité; toutes ces fictions littéraires et cinématographiques sont loin d'approcher la réalité quant à l'existence d'intelligences supérieures natives d'un autre système planétaire. De fait, les calculs d'éminents hommes de science ont démontré cette possibilité, en donnant le nombre d'étoiles qui, dans notre seule galaxie, pourraient posséder un système planétaire supportant la vie intelligente et évoluée... Cela est reconnu et accepté par la communauté scientifique, et il n'y a pas lieu d'argumenter sur cette prise de position.

»Mais là où la réalité dépasse ces calculs hypothétiques, c'est dans l'acceptation consciente de cette possibilité, qui est maintenant prouvée par l'émetteur télépathique trouvé dans le Meteor Crater. Cet appareil a justement été conçu dans le but d'informer les humains sur les causes de l'existence d'une situation, ou, si vous préférez, d'une condition qui règne dans la nature humaine, et ce, depuis les temps dits «préhistoriques». Cette situation s'est généralisée chez l'homme depuis cette époque, indépendamment de l'accroissement démographique normal qui a suivi dans toutes les régions du globe, et indépendamment aussi des nouvelles conditions de vie et des changements sociaux qui vinrent s'ajouter à son évolution. L'explication de cette «condition» dans la psychologie humaine va certainement occasionner des troubles graves et profonds chez l'homme contemporain, et c'est pour cette raison que les autorités gouvernementales ont voulu créer ce projet spécial, afin de réunir des sommités de la recherche scientifique qui élaboreront un programme d'information publique sur cet événement, lequel programme sera ensuite présenté au public progressivement, et cela, pour empêcher que ne se produisent des perturbations psychologiques sérieuses dans l'esprit des gens. C'est également pour cette raison que des psychiatres sont requis pour réaliser ce programme, compte tenu des réactions de l'homme devant une nouvelle qui bouleversera toutes ses conceptions sur son évolution, sur ses actions passées et, surtout, sur la raison de l'état de violence qui, depuis les temps préhistoriques, n'a fait que s'accroître parmi toutes les populations du globe.

»Ici, je tiens à dire tout de suite qu'il va falloir réviser toutes les études sociologiques et psychologiques faites sur les causes de la violence chez l'être humain: nous avons erré sur toute la ligne depuis les débuts des études entreprises, et déjà ce fait est assez brutal pour traumatiser même les spécialistes les plus «endurcis» de la conscience humaine... Je sais que mes paroles, en ce moment même, en rebutent certains dans cette salle, mais telle est la vérité que je vous annonce en cette aube mémorable: LA VIOLENCE CHEZ L'ÊTRE HUMAIN NE LUI EST PAS NATURELLE: ELLE EST CAUSÉE PAR UN AGENT EXTÉRIEUR À SON ÉVOLUTION NORMALE, ET CETTE SITUATION EXISTE DEPUIS PRÈS DE 30 000 ANS AUJOURD'HUI...!

L'affirmation eut un effet de massue... Pendant quelques secondes, un silence de mort accueillit les révélations de Jonathan... Puis, peu à peu, la rumeur monta... se répandit dans l'assemblée... puis se généralisa parmi tous les assistants... Amelia, comme beaucoup d'autres, s'était levée, et, ébahie, regardait son père... Était-il devenu subitement fou, ou était-il manipulé par les militaires pour présenter le bluff le plus monumental jamais réalisé par eux...? Était-il bien conscient des révélations qu'il venait de faire...? N'était-il pas plutôt la malheureuse victime d'un lavage de cerveau accompli par les autorités pour faire avaler cette nouvelle mirobolante à ces dignes représentants de la science, profitant de son prestige et de son bon renom de scientifique émérite dans la communauté même...?

Elle ne put réfléchir plus avant car le général Browny, voyant le désarroi causé par les paroles de Jonathan, prit le micro et, après s'être avancé à l'avant de la scène, incita les «invités» à reprendre leur calme. Posément, il dit:

— Mesdames et Messieurs, s'il vous plaît, veuillez garder votre sang-froid... Le professeur Rockford et moi-même sommes conscients de l'importance des déclarations que vous avez entendues, mais, s'il vous plaît, je le répète, veuillez reprendre votre calme et réintégrer vos sièges, s'il vous plaît... sinon je devrai prendre des mesures que je ne tiens pas vraiment à prendre en ce moment... s'il vous plaît... s'il vous plaît... s'il vous plaît...

Mais plusieurs des participants n'en continuèrent pas moins de houspiller le professeur Rockford, voire de le qualifier de tous les noms possibles. Amelia se mordit la langue devant les réactions de la foule, et Claude était peiné autant qu'elle.

Mais le général Browny ne fut pas désarmé par le brouhaha, bien au contraire: il fit un signe aux soldats qui, toujours impassibles, se tenaient debout près des murs latéraux de la salle; ils s'avancèrent vers les premiers sièges de l'extrémité des rangées de la salle et, poliment, s'adressèrent aux plus agités des manifestants.

Enfin, peu à peu, la quiétude revint dans la salle; ceux qui voulaient savoir le mot final de l'histoire se firent pressants auprès de leurs collègues les plus nerveux, et un semblant de paix s'établit à nouveau. Les soldats reprirent leur position et continuèrent leur surveillance. Le général retourna près de Jonathan, toujours assis à sa table de conférence. Il enchaîna sur sa dernière phrase:

— Bien que cette affirmation paraisse complètement absurde, elle n'en reflète pas moins la vérité historique, telle qu'elle existe depuis l'époque où la pseudo-météorite percuta le sol de l'Arizona et causa un émoi bien compréhensible chez les membres des tribus primitives qui, à cette période, vivaient en Amérique; ces hommes furent les ancêtres des Apaches, des Hopis et des Navajos qui, par la suite, se répandirent sur cette partie du territoire américain, formant des peuples bien distincts. La légende de l'écrasement du bolide fut transmise oralement de génération en génération, se transformant plus ou moins dans les siècles qui suivirent.

»Par la suite, la Machine infernale, dissimulée à l'intérieur du bolide et enfouie dans les profondeurs du sol, fonctionna sans répit, et l'émetteur télépathique resta caché dans le cratère, et ce, jusqu'au XXe siècle, alors que le cube fut trouvé en 1966, tel que je vous l'ai raconté au début... Mais, maintenant, écoutez attentivement cette histoire fantastique, et, s'il vous plaît, veuillez maîtriser tout mouvement intempestif ou toute parole inconsidérée durant cette narration, afin de ne pas briser le cours de mon récit ni déranger l'écoute de ceux qui tiennent à connaître TOUS les faits; après mon exposé, le général Browny vous expliquera le côté technique de l'opération Survie et du projet entrepris depuis vingt ans, puis vous pourrez ensuite poser les questions qui, certainement, vous brûleront les lèvres. Nous y répondrons, soyez-en sûrs, car nous tenons à faire la lumière complète sur cet événement, une bonne fois pour toutes... Mes explications seront complétées par des illustrations et des maquettes, réalisées par une équipe d'artistes, qui vous seront présentées en diapositives sur l'écran.

Sans transition, l'obscurité se fit de nouveau, et un puissant projecteur à diapositives s'alluma. Jonathan narra les faits, tels qu'il les avait appris par l'émetteur télépathique.

— Il y a près de 30 000 ans, l'homme dit «préhistorique» était répandu sur toute la surface du globe; en fait, il existait déjà, à cette époque, au moins cinq branches bien précises dans la race humaine, telles que les ont définies nos anthropologues contemporains; ces branches avaient émergé de la première vraie «espèce» humaine qui se distingua des autres espèces à caractères anthropomorphes: celle de l'*Homo sapiens,* il y a près de 300 000 ans, elle-même ayant surgi de l'espèce *Homo erectus*, quelque 500 000 ans avant notre époque moderne. La dernière centaine de millénaires permit alors à ces cinq branches humaines d'essaimer partout: l'homme de Solo se retrouva à l'île de Java, l'homme de Rhodésie en Afrique, l'homme de Néanderthal sur les bords de la Méditerranée et dans toute l'Europe, puis l'homme de Cro-Magnon fut le colonisateur du monde entier, donnant ensuite naissance à l'homme moderne. La croissance et l'évolution de ces races s'échelonnèrent sur les derniers 100 000 ans, et, à cette époque encore toute récente, l'être humain avait déjà acquis tous les caractères physiques et les traits psychologiques que l'on retrouve aujourd'hui chez l'homme moderne, en plus grande expansion cependant.

»Toutefois, le tempérament belliqueux et vindicatif de l'être humain n'était pas vraiment développé chez lui, ni n'était même un trait bien particulier de sa nature. Tout son art et son talent étaient axés vers la fabrication d'outils de chasse, de pêche et d'agriculture, de conception assez complexe déjà, et le summum fut atteint par l'homme de Cro-Magnon, dont les oeuvres artistiques ont fait l'admiration de tous les spécialistes et du public qui ont pu les voir partout en Europe et au Moyen-Orient, sur les rochers, dans les déserts, dans les grottes, etc. La domestication des animaux l'aida à survivre et à s'alimenter, et il produisit bientôt lui-même sa propre nourriture; il abandonna alors le nomadisme et devint sédentaire. Sa vie de tous les jours était calme, pacifique et vouée au bon maintien de cet état de choses, sans réel désir de tuer ses semblables ou de massacrer les populations voisines. Rien ne présageait donc un changement subit dans ses conditions de vie naturelles... Et c'est ici qu'intervient l'élément extérieur à l'homme, qui a influencé le reste de son évolution... pour le pire, malheureusement...

Un nouveau murmure s'entendit, mais très, très bas... Jonathan, prenant son temps, continua:

— À peu près à la même époque, il existait dans notre galaxie, dans un secteur voisin de celui où se trouve notre système solaire, un système planétaire ayant permis l'évolution de la vie intelligente sur plusieurs de ses planètes; en fait, les êtres qui peuplaient ces mondes avaient des milliers d'années d'avance sur la civilisation humaine d'alors et en étaient déjà rendus à l'exploration spatiale systématique. Au cours de leur propre évolution, ces civilisations extra-terrestres avaient fait d'énormes progrès dans le domaine de la recherche scientifique, et ce fait était même devenu l'orgueil et l'apanage de deux de ces races, en particulier. En parallèle avec cet esprit de recherche, une des deux races avait également acquis un sens humanitaire profond, et la majorité de ses travaux s'accomplissaient dans le but de permettre à cette civilisation de progresser dans la voie de la connaissance et de la sagesse. L'exploration spatiale avait fait découvrir, sur des mondes de systèmes planétaires voisins, d'autres races intelligentes, parvenues à différents degrés d'évolution, et les divers spécialistes de l'élite scientifique en profitaient pour améliorer les conditions de vie de ces races, ou pour aider à leur survie, ou encore donner un léger coup de pouce à leur technologie, mais sans jamais réellement interférer avec le cours normal de leur évolution.. Ici, Mesdames et Messieurs, permettez-moi d'appeler cette civilisation, les EXPLORATEURS, afin de la distinguer de la prochaine que je vous présenterai, bien différente par ses buts et par ses motifs d'agir. Cette distinction est nécessaire, afin de ne pas mêler l'une et l'autre dans le cours du récit...

»J'en reviens donc aux Explorateurs, qui, un beau jour, découvrirent une petite planète où une race humanoïde, semblable à la leur, était en pleine croissance à la surface du globe et avait même pris souche sur les différents continents de la planète. Cette découverte fit grand bruit dans les milieux scientifiques des Explorateurs, et il fut décidé d'établir une sorte de base d'opérations sur la planète; en fait, il s'agissait bien plutôt d'une expédition d'étude du comportement des autochtones de la planète, car il n'était pas question de se mêler directement à eux, ni même d'interférer avec leur évolution naturelle... Et, vous l'avez sûrement deviné maintenant, cette planète était, bien évidemment, la TERRE... à l'époque du paléolithique... il y a près de 30 000 ans...!

À cette nouvelle affirmation, à laquelle tous s'attendaient inconsciemment, d'autres exclamations fusèrent de-ci de-là, mais le récit était tellement captivant pour les auditeurs que personne ne broncha lorsque Jonathan reprit la parole.

— C'est à ce moment qu'intervient la seconde civilisation dont je vous ai parlé: celle des EXPÉRIMENTATEURS; celle-ci était également très avancée, technologiquement et scientifiquement, mais ne possédait pas cet esprit humanitaire dont faisaient preuve les Explorateurs au cours de leurs missions et expéditions de recherche. Les Expérimentateurs étaient également voués à l'exploration spatiale et à la visite des mondes habités; chaque fois qu'ils le pouvaient, ils n'hésitaient pas à ajouter à leur «tableau de chasse» une planète dont la civilisation leur était inférieure du point de vue technologique, car, alors, elle ne pouvait s'opposer à la conquête de la planète par les armes supérieures des Expérimentateurs. Ces derniers tenaient les autochtones sous leur joug et pratiquaient sur eux toutes sortes d'expériences génétiques ou biologiques, afin d'utiliser les sujets diminués à diverses tâches... Pour être exact, les Explorateurs et les Expérimentateurs étaient presque des ennemis héréditaires, puisque leur antagonisme remontait au passé historique de chacune des deux civilisations, lorsqu'elles s'étaient mutuellement connues au cours de leurs expéditions respectives; l'une et l'autre se rencontraient fréquemment dans leur recherche individuelle de mondes nouveaux à découvrir, mais leurs buts respectifs étaient diamétralement opposés, comme vous avez pu en juger à l'instant. De ce fait, les deux races ennemies étaient en perpétuelle rivalité, et ni l'une ni l'autre ne se risquait à vouloir conquérir ou détruire la planète d'origine de sa rivale: leur armement et leur système de défense s'équivalaient, et chacune préférait éviter de se trouver sur le chemin d'exploration des expéditions scientifiques de l'autre.

»Toutefois, lorsqu'ils le pouvaient, les Explorateurs s'ingéniaient à atténuer les effets néfastes de la venue des Expérimentateurs parmi des races «inférieures», en les aidant à retrouver leur paix et leur harmonie perturbées par les razzias de ces derniers, à la recherche de matériel génétique à utiliser pour leurs expériences diverses. La découverte de la race humaine, sur la Terre, fut malheureusement une occasion d'envenimer encore plus les relations entre les deux civilisations extraterrestres. Alors que les Explorateurs venaient à peine de s'installer sur notre sol, ils reçurent des Expérimentateurs un ultimatum les enjoignant de quitter immédiatement ce monde, arguant du fait qu'eux-mêmes l'avaient découvert peu de temps avant les Explorateurs, mais qu'ils n'avaient pu y établir leur propre base à cause d'incidents techniques survenus à bord de leur croiseur spatial. Et, pendant que leur appareil d'exploration était resté stationnaire dans l'espace afin de permettre les réparations utiles, les Explorateurs s'étaient posés sur la Terre et avaient commencé leur étude du comportement de la race humaine «cromagnienne».

»Devant le refus des Explorateurs d'obtempérer à leur demande, les Expérimentateurs menacèrent de sévir contre l'équipe d'exploration et, menace encore plus excessive, de l'empêcher de mener à bien son étude sur la race autochtone, en perturbant à tout jamais son évolution normale... Les Explorateurs ne se laissèrent pas impressionner, et, malgré tout, décidèrent de rester sur les lieux, répliquant à leur tour que toute interférence venant de leurs rivaux ne serait pas tolérée et que la riposte serait immédiate! Les deux clans se trouvaient donc tiraillés entre deux options: ou bien céder à l'intimidation de l'autre et perdre la face, ou bien réagir par l'emploi de la force et risquer l'anéantissement mutuel. La situation semblait donc sans issue lorsque les Expérimentateurs décidèrent de se servir d'une arme machiavélique, récemment mise au point par leurs hommes de science, et utilisée sur les races dites «inférieures» pour les forcer à se détruire elles-mêmes quand elles ne voulaient pas se soumettre de bon gré aux expériences de cette civilisation. En se servant de cette arme, ils forceraient les Explorateurs à quitter la Terre, s'ils ne voulaient pas eux-mêmes en subir les effets nocifs; peu importait aux Expérimentateurs que les autochtones fussent ensuite condamnés à devenir un peuple belliqueux: grâce à leurs explorations, beaucoup d'autres mondes seraient disponibles pour leurs expériences biologiques et génétiques.

»Cependant, pour réussir leur projet, ils devaient mener l'arme sur la Terre même, et ceci était pratiquement impossible puisque le système de défense du croiseur des Explorateurs interdisait toute approche du vaisseau ennemi. Les Expérimentateurs trouvèrent donc un moyen des plus retors pour parvenir à leurs fins sans éveiller ma méfiance de l'équipe de spécialistes établie sur la Terre. Ils usèrent d'un artifice qui, comme prévu, donna plein succès à leur ruse: grâce à de savants procédés de camouflage, ils dissimulèrent l'arme à l'intérieur d'un des nombreux corps célestes formant la ceinture des astéroïdes gravitant entre les orbites des planètes Mars et Jupiter, dans le système solaire, puis entourèrent cette arme d'une couche protectrice résistant à tout contact brutal, à toute pression et à tout changement de température survenant à sa surface. Une fois le travail terminé, ils remorquèrent cet astéroïde dans l'orbite terrestre et le lâchèrent en direction du globe; puis le croiseur des Expérimentateurs quitta les environs pour ne pas être pris à partir par les Explorateurs, toujours installés sur Terre. L'astéroïde fut capté par l'attraction terrestre, et il devint alors une météorite géante qui s'écrasa au sol, ici même, causant toute une émotion dans les tribus primitives établies alors en ces lieux....

Jonathan donna un peu de temps à ses auditeurs, suspendus à ses lèvres, afin de permettre à ses paroles de s'infiltrer dans leur cerveau, et de leur faire bien assimiler tous les détails de cette histoire inimaginable. On pouvait à peine entendre quelques réflexions éparses, mais la majorité des spectateurs avaient les yeux braqués sur l'écran, où les diapositives défilaient, montrant les reproductions dessinées des principales étapes décrites par Jonathan.

Il prit une bonne gorgée d'eau, se massa un peu le bras replié, et chuchota quelques mots au général Browny. Puis il revint à son exposé:

— Ainsi, comme vous le voyez, un événement extraordinaire et étranger à notre civilisation est à l'origine du caractère violent de l'être humain, sur cette planète. Cette nouvelle est tellement ahurissante qu'elle nécessite une préparation psychologique du public avant de l'en informer crûment... Mais n'anticipons pas... Il reste encore plusieurs éléments à présenter avant d'en finir avec cette histoire. Je reviens donc au moment où l'arme des Expérimentateurs fut expédiée sur... ou plutôt DANS la Terre. Comme je vous l'ai dit, et comme je l'appris moi-même par le message télépathique envoyé par le cube, cette arme avait pour but de changer le comportement futur de toute créature douée de raison existant sur cette planète et de modifier son évolution en la rendant de plus en plus belliqueuse envers ses semblables. Cette modification dans le «code d'éthique» de la conscience humaine devait se réaliser par influence directe sur son raisonnement, ou, si vous préférez, sur son jugement, grâce à l'émission, par la Machine infernale, de rayonnements, ou d'ondes affectant directement les régions du cortex cérébral où sont générés les émotions et les sentiments humains; en d'autres mots, les rayonnements émis par la Machine devaient assaillir les centres moteurs du cerveau, d'où partent les impulsions commandant les actions des hommes, et, de la sorte, transformer l'être humain en créature portée de plus en plus à la violence, et ce, jusqu'au point où l'homme se serait complètement anéanti lui-même dans un gigantesque combat, ne laissant plus vivant aucun de ses frères à la surface de la Terre... Et c'est cela que les Expérimentateurs désiraient, en voyant qu'ils ne pourraient pas s'approprier notre planète, ni contrôler ses habitants, ni profiter de ses richesses, puisque leurs rivaux s'y étaient déjà implantés. Leur Machine diabolique s'enfonça profondément dans le sol du cratère, formé au moment de l'écrasement de la pseudo-météorite; une fois la Machine enfouie, la couche protectrice qui l'entourait se désintégra d'elle-même, grâce à un procédé connu des Expérimentateurs, et la Machine, ainsi enfermée dans une sorte de poche de vide, se mit en marche, commençant l'oeuvre de mort pour laquelle elle avait été conçue.

Quelques soupirs incrédules suivirent l'énoncé de ces paroles, mais Jonathan, imperturbable, continua:

— Mais en même temps que débutait cette expérience mortelle, les Explorateurs établis sur Terre en ressentaient également les effets. Tout de suite, ils devinèrent qu'ils avaient à faire face à un problème nouveau créé par leurs adversaires, et ils étaient sans défense contre cette arme, du moins sur cette planète, à cause du peu de matériel dont ils disposaient pour contrer efficacement ses effets nocifs... Ils ne virent qu'un seul moyen pour échapper au sort funeste qui les guettait s'ils restaient sur ce monde: le quitter le plus vite possible et ne plus y revenir, même si la race autochtone était dorénavant condamnée à s'entre-tuer jusqu'au dernier spécimen.

»Malgré tout, un des Explorateurs voulut quand même laisser un message à la postérité humaine, dans le but d'informer d'éventuels survivants de cet événement terrifiant; il voulait au moins renseigner les Terriens sur la cause du changement de comportement survenu dans le cours de leur évolution normale si, par hasard, la race humaine survivait et parvenait à atteindre un degré d'évolution technique assez avancé. Malgré la population terrestre relativement peu nombreuse à cette époque du paléolithique, il était évident, d'une part, que l'accroissement démographique serait probablement de plus en plus élevé au cours des prochains millénaires; et, d'autre part, il n'était pas certain que toute la race humaine serait anéantie dans le futur, car la Machine aurait quand même besoin d'un temps assez long pour parvenir à couvrir tout le globe de ses rayonnements et à toucher tous les habitants. Ce membre de l'expédition décida donc de laisser le message, mais il se trouva devant un problème épineux, celui de la technique à utiliser pour faire connaître ledit message. Le langage articulé n'était pas vraiment élaboré ni approprié à des échanges oraux; l'écriture n'existait pas comme telle, car elle consistait surtout en dessins, peintures et fresques, peu aptes à transmettre un long message très complexe dans ses explications; et aucun moyen de communication raisonnée ne lui permettait de faire connaître les événements dans toute leur ampleur. Il trouva la seule issue possible: la transmission directe avec le cerveau humain, moyen que les

Explorateurs employaient à l'occasion lorsque, justement, des peuples ne pouvaient communiquer avec eux par aucun autre procédé d'écriture. Ainsi, il espérait que, lorsque les Terriens auraient possiblement atteint ce degré d'intelligence qui leur permettrait de maîtriser la matière dans presque toutes ses formes, particulièrement dans sa forme atomique, ils seraient également en mesure de recevoir et de comprendre le message placé dans l'émetteur télépathique, à possibilité de transmission différée. C'est ce qu'il fit. Le message fut donc enregistré dans l'appareil destiné à cet effet, puis, à son tour, le cube fut camouflé dans un rocher.

»Ici, je me permettrai d'ouvrir une autre parenthèse: nous n'avons pu apprendre la technique, ou le moyen, permettant ainsi l'enregistrement des ondes cérébrales dans une mécanique, puis autorisant ensuite leur émission à un cerveau récepteur. Tout ce que nous pouvons avancer, pour l'instant, ce sont de simples hypothèses, à l'effet que la méthode doit être similaire à nos propres techniques modernes d'enregistrement et de diffusion du son et de l'image; mais, là encore, la comparaison est imparfaite puisqu'en télépathie il n'est pas question de projection de son ou d'image captés par nos organes des sens habituels, mais bien d'impression directe dans la zone du cerveau où l'onde de pensée est dirigée.

»De toute façon, tel est l'événement qui s'est déroulé il y a trente millénaires et qui a forcé l'homme à prendre une voie totalement différente de celle qu'il aurait prise s'il n'y avait pas eu d'ingérence étrangère dans son évolution. La relation de ces faits a été emmagasinée dans le cube, qui, lui, était destiné à servir sa mission d'avertissement à l'humanité... Cependant, ici intervient un «incident», si je puis dire, qui est le point le plus étrange dans toute cette affaire déjà passablement incroyable en elle-même. En effet, alors que le message destiné aux civilisations futures semblait arriver à sa fin logique, de nouveaux renseignements surgirent dans la communication télépathique, comme si cette dernière partie avait été soudainement ajoutée à l'ultime minute. Mes collègues et moi, nous nous sommes demandé si l'auteur du communiqué n'avait pas eu, au moment précédant l'enfouissement du cube dans le cratère, des nouvelles toutes récentes, mais incomplètes, concernant l'arme des Expérimentateurs, qu'il aurait décidé d'ajouter à son message explicatif. Ces autres détails sont très brefs, et il nous fut malaisé de comprendre le sens des informations données; toutefois, lorsque les fouilles subséquentes permirent de découvrir l'arme enfouie sous le cratère et de suivre son mouvement de rotation axiale allant en diminuant, ce que vous verrez tout à l'heure, nous pûmes alors saisir le sens de ces renseignements, et, assez étrangement, nous sûmes que, peut-être, il y avait de l'espoir pour la survie de l'humanité... Vous comprendrez cela aussi, dans un moment, lorsque vous prendrez connaissance de toutes les pièces du puzzle. Pour l'instant, j'en reviens à cette portion du communiqué, qui, en résumé et en clair, peut s'énoncer ainsi: la Machine infernale n'est pas éternelle, malgré sa longévité; au contraire, lorsqu'elle atteindra les limites de son pouvoir de fonctionnement autonome, la rotation axiale de la Machine ira en diminuant progressivement, alors que l'émission des rayonnements affectant le cerveau humain croîtra de plus en plus.

»Cette double activité de la Machine, aussi paradoxale qu'elle paraisse, est réelle, car depuis vingt ans elle a nettement été enregistrée par nos divers appareils installés dans cette base spéciale, appareils qui suivaient de près cette décroissance de mouvement.

»De plus, cette situation remonterait probablement au début du XXe siècle, puisque alors la violence a crû sensiblement dans le monde, coïncidant avec le moment apparent de diminution de rotation axiale de la Machine. D'ailleurs, dans cette portion du message, il est dit que la Machine fonctionnera sans relâche pendant une période équivalant à trente mille révolutions du globe autour de l'astre central, et que la période pendant laquelle augmentera l'intensité de son émission de rayonnement et diminuera son mouvement rotatif équivaudra à près de cent de ces révolutions; autrement dit, les événements mondiaux de notre XXe siècle sont exactement conformes à l'activité de la Machine, puisqu'il n'y a jamais eu tant d'actes de violence divers perpétrés par l'homme avant les années 1900.

»Quoi qu'il en soit, les Explorateurs quittèrent le plus rapidement possible leur base d'étude du comportement terrien, le cube à message télépathique étant caché sur les lieux même où l'engin de mort s'était écrasé, afin de faciliter les recherches ultérieures, si ce cube venait à être découvert par d'éventuels survivants de la planète. Ces détails seront facilement vérifiables lorsque je reprendrai mes explications sur cette Machine et que vous pourrez poser vos questions sur tous les points qui vous semblent obscurs.

»Pour le moment, je cède la parole au général Browny. Il vous relatera les étapes importantes en relation avec l'établissement de cette base et toutes les fouilles qui ont été effectuées dans le cratère, au cours des années, afin de trouver la Machine infernale qui y était cachée profondément. Toutes ces fouilles ont constitué, en fait, le noeud même du projet, qui fut mis sur pied après que mon équipe eut pris connaissance du message télépathique et que nous en eûmes avisé le ministère de la Défense... Voilà... Je vous ai tout expliqué, en ce qui concerne ces deux découvertes phénoménales et leurs missions respectives... Le reste regarde maintenant l'Armée, qui a organisé le côté technique et administratif du projet. Je cède donc la parole au général Browny...

CHAPITRE 20

Samedi, 2 août
Meteor Crater, Arizona, États-Unis
Après le lever du soleil...

Un peu fatigué, Jonathan laissa le micro et le tendit au général, toujours debout près de lui. Ce dernier marcha vers l'avant de la scène, à côté de l'écran sur lequel les diapositives continuaient d'être projetées. Il fut légèrement illuminé par le reflet de la lumière sur l'écran et, comme s'il savait par coeur une leçon apprise, il débuta:

— Comme vient de vous le décrire le professeur Rockford, cette découverte faite au Meteor Crater causa beaucoup d'agitation dans les milieux scientifiques, ainsi qu'à certains échelons du gouvernement américain, qui avait reçu la tâche de superviser les recherches entreprises dans ces laboratoires, vu que la sécurité nationale pouvait en dépendre.

»Suite à l'événement survenu avec le cube, l'équipe du professeur Rockford référa aux autorités le message extraordinaire émis par cet engin. La situation changea alors complètement, et, cette fois, l'affaire du Meteor Crater fut réellement prise au sérieux. Dès le mois de décembre 1968, une expédition fut menée en ces lieux, à laquelle s'étaient joints des représentants du ministère de la Défense; son but était de fouiller systématiquement les environs et les profondeurs du sol, afin de parvenir à localiser l'endroit exact où, supposément, s'était enfouie la Machine. Ces fouilles durèrent longtemps et ne donnèrent pas le résultat escompté. On s'aperçut que les moyens utilisés n'étaient pas aptes à ce travail colossal de creusage souterrain, et le ministère de la Défense décida alors d'employer les grands moyens.

«En 1969, les premiers baraquements de ce camp spécial furent montés autour du cratère; l'opération de fouille complète était de taille et nécessita même beaucoup plus de temps que prévu. La collaboration de divers organismes de recherche fut demandée afin de parvenir à découvrir d'autres moyens de localiser l'endroit précis de l'enfouissement de l'arme inconnue. Les techniques de sondage les plus modernes furent mises à contribution dans ce projet, et des travaux de terrassement et de creusage de puits et de tunnels furent réalisés. Le site fut interdit au public et devint la propriété des autorités militaires. Je fus alors nommé pour diriger cette base spéciale, car, il ne faut pas l'oublier, ce projet concernait, et concerne toujours, un sujet d'intérêt national où la sauvegarde de la population est en jeu.

Il fit une pause quelques instants, pour montrer le bien-fondé de ses assertions et la fierté qu'il en ressentait, puis enchaîna:

— Par la suite, l'équipe du professeur Rockford vint sur les lieux, et lui-même devint le directeur scientifique du projet, supervisant les travaux des divers spécialistes qui, progressivement, arrivaient à la base et se joignaient au contingent des chercheurs. Pendant de longs mois, les travaux se poursuivirent sans relâche, et, au fur et à mesure que le temps s'écoulait, nous désespérions de réussir notre tâche. D'un côté, les scientifiques proposaient moyen après moyen pour améliorer l'état des travaux, et, de l'autre, la base devenait de plus en plus vaste, le ministère de la Défense désirant accroître les effectifs militaires protégeant celle-ci. Les responsables de la réalisation du projet voulaient absolument qu'il donnât des résultats positifs, et ils ne lésinaient pas sur l'aide technique et humaine.

»En 1970, la base fut encore agrandie, et le chantier des fouilles prit de gigantesques proportions. Le cratère lui-même perdit son aspect original, et il ne fut bientôt plus qu'une large excavation circulaire, en forme d'entonnoir, autour de laquelle s'élevaient les divers bâtiments du camp militaire et de la base de recherche. Ce nouveau décor est pratiquement le même, aujourd'hui encore, car, vers la fin de 1970, les efforts de tous ces gens portèrent fruit finalement... En cette année 1970, la terrible machine de guerre des Expérimentateurs était enfin localisée et découverte dans le sous-sol du cratère. Cet autre événement majeur produisit toute une émotion dans la communauté scientifique de la base, comme vous pouvez l'imaginer. De nouvelles mesures de sécurité et de protection des savants participant au projet furent instaurées, et, plus que jamais, le camp militaire fut justifié. Les médias d'information avaient suivi l'affaire de près, et déjà, au cours des années précédentes, il avait fallu minimiser le plus possible la publicité entourant ce déploiement de forces militaires en ces lieux autrefois si visités par les touristes. Le ministère de la Défense fit parvenir régulièrement des communiqués de presse afin de calmer l'opinion publique et de diminuer l'intérêt des nombreux journalistes à la recherche de nouvelles sensationnelles pour alimenter une presse friande de cas «mystérieux». En fait, la situation était vraiment des plus sérieuses, mais ce n'était pas encore le moment de renseigner inconsidérément le public sur un événement qui, en réalité, ne pouvait pas encore être considéré comme réel, ni effectif, même si le cube extra-terrestre prouvait la véracité d'au moins une partie de l'histoire.

»Pour cette raison, lorsque l'engin de mort fut découvert, les autorités décidèrent de présenter l'affaire comme relevant d'un cas d'exploitation d'un gisement précieux découvert dans le sous-sol du cratère, ajoutant que le lieu devait être protégé militairement pour empêcher tout acte de vandalisme ou de sabotage du chantier. Je dois dire ici que la manoeuvre réussit assez bien puisque, dans les années suivantes, le Meteor Crater perdit de sa popularité auprès des médias d'information et que, peu à peu, l'intérêt du public s'évanouit lui aussi. Nous tous, ici, ne demandions pas mieux, et les spécialistes purent étudier à l'aise cette Machine infernale, sans craindre d'avoir à donner des explications sur leurs agissements secrets. Durant vingt ans, la base servit à ces travaux de recherche. Cette période peut paraître très longue pour vous, Mesdames et Messieurs des médias d'information, mais, pour les chercheurs, le temps est souvent l'élément principal dans la réussite d'une étude, d'une analyse de laboratoire ou d'une expérience; demandez-le aux représentants de la communauté scientifique qui, ce matin, assistent avec vous à cette réunion extraordinaire; ils vous diront certainement que cette affirmation n'est pas gratuite.

Le général s'arrêta de parler, et s'éloigna un peu de l'écran, sur lequel des diapositives avaient illustré ses propos dans la présentation des différentes étapes de l'établissement de la base. Puis il reprit:

— Voilà, Mesdames et Messieurs, les faits tels qu'ils se sont déroulés, relativement à la participation de l'Armée dans l'édification de cette base. Maintenant, à ce stade, la tâche de vous informer sur la nature même de l'arme meurtrière revient au professeur Rockford, qui a suivi de près l'évolution du projet... Professeur, je vous laisse la parole...

Il posa le micro sur la table, et Jonathan le remercia. Dans l'assistance, Amelia était vivement intéressée à entendre le reste des explications de son père; elle était maintenant vraiment consciente de l'importance de sa place au sein de l'équipe, et comprenait la cause de son émoi quelques jours auparavant, alors qu'il avait beaucoup hésité à lui remettre les documents décrivant l'opération Survie. Elle pouvait juger de la réelle gravité des événements, et se rendait compte des implications énormes qui auraient pu en découler si l'affaire de Montréal s'était mal terminée.

Elle ressentait une certaine fierté en découvrant l'ampleur de la tâche que Jonathan avait accomplie au cours de toutes ces années, et en pensant à celle qui l'attendait encore pour en arriver à la conclusion finale de cette vaste opération. C'est avec admiration qu'elle le vit poursuivre son exposé, en notant que son visage reflétait une grande fatigue, causée par toutes les activités épuisantes des derniers jours. Malgré ses propres faits et gestes éreintants des deux dernières semaines, Amelia, elle, ne sentait pratiquement pas la fatigue et se réjouissait plutôt de la tournure actuelle des événements.

La voix de Jonathan était un peu plus tremblante qu'auparavant, mais il semblait toujours aussi résolu à mener jusqu'au bout cette séance d'information. Il parla:

— Le général Browny vous a narré brièvement les diverses étapes qui ont conduit à l'implantation de la base, au Meteor Crater. Ce projet d'envergure, un des plus grands jamais élaborés et mis sur pied par le gouvernement américain, se justifiait pleinement, comme vous avez pu le constater par les faits rapportés. Au début, la découverte de l'émetteur télépathique constituait déjà un cas assez fantastique pour causer tout ce branle-bas au sein des autorités gouvernementales chargées de la sécurité du territoire; elles ne voulaient pas se désintéresser de l'affaire, car s'il était exact qu'un extraordinaire engin de l'espace se fût enfoui dans le sol, quelque part aux États-Unis, il était primordial d'en savoir la nature, et, surtout, de vérifier si cette Machine était vraiment la source de la naissance de la violence chez l'être humain.

»Ainsi donc, le chantier fut ouvert, et, pendant près de deux ans, les travaux s'effectuèrent sans donner de résultat. Le cratère fut sondé, fouillé, examiné, à divers niveaux réguliers, afin de parvenir à situer précisément le point d'enfouissement de l'appareil. Les équipes de terrassement procédèrent comme s'il s'était agi de creusage de galeries dans une mine. En effet, des puits verticaux furent creusés, à égale distance du centre du cratère, et ce, en une formation de deux cercles concentriques autour de ce centre. Le premier cercle intérieur comprenait six puits disposés à 60 degrés d'arc l'un de l'autre, et le deuxième était formé de douze puits placés à 30 degrés d'arc l'un de l'autre. Puis, par étages superposés, des galeries horizontales furent percées, joignant ensemble, d'une part, les puits de chacun des deux cercles concentriques, et réunissant, d'autre part, chacun des puits du premier cercle intérieur à chaque deuxième puits du cercle extérieur; ainsi, nous en arrivâmes à créer une sorte de réseau souterrain de galeries et de puits qui, par leur disposition même en forme d'étoile à six pointes contenue entre les deux cercles concentriques, permettaient d'explorer systématiquement tout le sous-sol situé directement sous la surface même du cratère.

»Aucun indice sur la dimension et la forme de l'arme n'étant donné dans le message, nous ne savions donc pas, en réalité, ce que nous cherchions, et nous ne savions pas à quoi nous attendre dans notre tâche; nous examinions donc scrupuleusement tout ce que nous trouvions dans nos fouilles. À titre de rappel, permettez-moi de vous souligner ici, comme vous pouvez le voir sur cette photo, qu'originellement le cratère mesurait 1 200 mètres de diamètre et avait une profondeur de 180 mètres à son point le plus bas. Ces dimensions, assez impressionnantes en elles-mêmes, pouvaient donner une indication sur la taille de la «météorite» qui, il y a 30 000 ans, avait servi de véhicule à l'engin des Expérimentateurs. Entre parenthèses, ce projet permit à beaucoup de géologues d'analyser une ample moisson de spécimens de roches variées, qui firent le bonheur de plus d'un de ces spécialistes...

»Donc, nous réalisâmes le travail de creusage en sachant seulement que la Machine infernale, ou plutôt l'enveloppe de vide qui l'entourait, devait avoir un diamètre d'au moins un sixième de celui du cratère, étant donné les dimensions mêmes de celui-ci ainsi que sa profondeur originelle. Ces caractéristiques ne pouvaient avoir été causées que par un corps céleste de dimensions proportionnelles à celles du cratère, ces dimensions étant suggérées par les calculs des scientifiques qui participaient à la tâche, de sorte que le réseau souterrain ne pouvait faire autrement que de déboucher, un jour ou l'autre, sur cet espace vide contenant l'arme. D'un autre côté, il ne faut pas oublier que rien, non plus, ne nous indiquait si la Machine s'était enfouie directement sous le centre du cratère ou à tout autre endroit dans le sol, à l'intérieur du périmètre du cratère; de là l'utilité du réseau souterrain de puits et de galeries en forme d'étoile.

»Ainsi, au bout de deux ans, les fouilles en étaient encore là, lorsqu'une nuit de 1970 une équipe de terrassiers eut enfin un résultat: un des puits verticaux, qui continuaient d'être creusés au fur et à mesure que les équipes s'enfonçaient régulièrement dans le sol, déboucha, si l'on peut dire, sur une sorte de grotte, ou, pour être plus exact, dans un espace vide, semblant avoir été évidé artificiellement; ce puits était l'un de ceux situés dans le cercle intérieur, et, par la suite, les autres puits de ce même cercle débouchèrent également sur l'espace vide. Cette découverte provoqua une émotion tellement grande parmi le personnel de la base, tant chez les scientifiques qu'au sein des équipes du chantier, que de nouvelles mesures de sécurité furent prises par les autorités militaires; cette fois, il n'y avait plus aucun doute possible: nous avions trouvé la cachette de l'engin. Un remue-ménage sans précédent eut lieu dans le camp, et des règles assez sévères furent imposées par les militaires; le général Browny, ici présent, s'assura de les mettre en application... Plus que jamais, le Meteor Crater devint un site surveillé, et la garde militaire y fut renforcée. Les experts qui participaient au projet furent soumis à des contrôles d'identité rigoureux, et il fut même décidé que certains d'entre eux seraient employés en permanence pour la suite des opérations. En fait, sur ce point drastique, j'ai été le premier sur cette liste, suite à mon expérience survenue à Brookhaven, et je dus m'occuper de la direction de toute l'équipe, qui, avec courage et conviction, s'acharna à faire la lumière sur cette machine inconnue...

Jonathan souffla quelques secondes et prit une autre gorgée d'eau. Amelia avait le regard vissé à l'écran et, à l'occasion, jetait un coup d'oeil à son père et à la foule, qui, maintenant complètement silencieuse, attendait avec une certaine anxiété les prochaines explications du savant. Il reprit:

— Lorsque les puits du cercle intérieur eurent tous donné accès à cette poche de vide, nous descendîmes divers appareils de mesure, de photographie, de cinématographie, de télémétrie, d'analyse d'ondes, et j'en passe, afin de tirer le plus possible d'informations sur ce qu'il y avait à l'intérieur. En même temps, nous avons continué de creuser les tunnels horizontaux et, au bout d'un temps, nous avions cerné complètement la poche de vide qui se trouvait dans les profondeurs du sol. Nous nous sommes alors rendu compte que cette poche était de forme sphérique très précise, de près de 200 mètres de diamètre, et située à environ 2 500 mètres de profondeur. Par la suite, nous avons élargi cet espace vide et en avons planifié le sol de manière à former une sorte de grotte artificielle; puis, au cours des mois suivants, nous avons descendu dans cette grotte quantité d'appareils pour l'étude de l'arme meurtrière qui s'y trouvait. Pour ce faire, nous avons percé une longue galerie spiralée qui, partant de la surface, sur le périmètre extérieur du cratère, s'enfonçait dans la terre et rejoignait le sol de la grotte excavée. L'entrée de ce tunnel est située tout près de cette salle, et nous l'avons ensuite recouverte d'un vaste hangar; cela permettait également d'y amener et d'y entreposer tout le matériel utile à l'étude de l'engin, que nous transportions ensuite par camion dans la grotte. Au fil des mois, un laboratoire a pu être monté et équipé avec les instruments d'analyse les plus récents et les plus perfectionnés que la technologie humaine puisse offrir.

»En fait, nous avons installé un véritable centre de recherche et d'analyse dans la grotte même, afin d'étudier de plus près cette étonnante invention due au génie de cerveaux très évolués, mais dépourvus de tout sens moral, puisque pour eux l'asservissement de l'esprit des races conquises ne causait aucun cas de conscience... Enfin, passons; ceci n'est pas un discours sur l'éthologie extra-terrestre, mais bien une séance d'information sur le phénomène le plus troublant auquel l'homme ait jamais eu à faire face dans toute son histoire... Une équipe de chercheurs s'était évidemment établie dans ce laboratoire, afin de vérifier, sur les lieux mêmes, les résultats des tests et analyses tentés sur la Machine; malheureusement, au bout d'un certain temps, il a fallu ramener tout ce monde à la surface, dans les laboratoires de l'extérieur, à cause d'une particularité de la Machine... Et cet élément nous amène maintenant à la description de ladite Machine, qui constitue une énigme formidable que, aujourd'hui encore, nos plus éminents spécialistes n'ont pas solutionnée, même après les nombreux examens réalisés au cours de ces vingt années... Il faut vraiment accepter le fait que nous nous heurtons ici à une grande différence de degré d'évolution technique, et que la science des Expérimentateurs dépasse, et de beaucoup, celle de l'homme moderne... et ceci, sans oublier que cette science remonte à près de 30 000 ans dans le passé!...

Une diapositive présenta alors la terrible Machine, celle qui avait amené tant de perturbations dans le psychisme humain et occasionné un changement brutal dans le comportement de l'homme... Une partie des spectateurs eurent un mouvement de la tête, vers l'avant, comme si, par cette manoeuvre, ils désiraient se rapprocher de l'engin meurtrier, ou pensaient même le toucher, alors qu'il ne s'agissait en fait que d'une maquette, réalisée selon les proportions requises et montrant dans le détail la Machine même.

Jonathan se leva, s'avança vers l'écran et, prenant une baguette, pointa celle-ci sur le grand carré de toile illuminé, en disant:

— Mesdames, Messieurs, distingués collègues, vous voyez ici une reproduction fidèle de l'engin. Il me sera plus facile de vous en décrire les caractéristiques par ce modèle plutôt que par la photo. D'ailleurs, les documents photographiques et les films montrant l'engin sont encore sous scellés militaires, pour qu'il n'y ait aucune fuite avant le moment prévu pour la grande révélation publique. D'un autre côté, il est nécessaire que vous, dignes représentants de la science, et vous, Mesdames et Messieurs des médias, saisissiez correctement le mécanisme et la fonction de cette Machine, afin d'être en mesure de bien en informer la population. De toute façon, lorsque ce projet sera terminé, dans... (il regarda sa montre) dans moins de deux heures maintenant, d'après les calculs des techniciens, vous pourrez tous vous rendre directement dans cette grotte et examiner à loisir cette Machine qui aura alors cessé de fonctionner... mais, pour le moment, laissez-moi vous la décrire...

»Comme vous le voyez ici, l'«arme psychique», si vous me permettez cette expression, est en fait une énorme sphère de 170 mètres de diamètre, faite d'un métal dont l'analyse complète n'a pu encore être réalisée. Cette sphère a cette particularité incroyable entre toutes de produire sa propre force de gravité, qui l'a maintenue, et la maintient toujours, à l'intérieur de l'enveloppe artificielle formée lors de la désintégration de la couche protectrice qui l'entourait au moment de son impact avec la Terre. Depuis ce temps, elle se tient toujours à l'intérieur de ce vide et n'a pas été dérangée dans sa position lorsque nous avons élargi cette enveloppe pour former la vaste grotte qui, maintenant, constitue son habitat naturel. Elle n'a pas non plus été perturbée dans son fonctionnement par le travail de creusage entrepris alors par l'équipe du chantier lors de sa découverte, ni par les tests et analyses effectués sur elle. Par une technique inconnue de notre science terrestre, elle est restée inattaquable, quel que soit le moyen mis en oeuvre, et, depuis 30 000 ans, elle est là, immobile dans sa position mais non dans son fonctionnement, et elle a résisté à toutes les tentatives humaines pour percer ses secrets... Son rayonnement même est incompréhensible aux scientifiques, et nous ne pouvons que constater l'évidence: la sphère est une gigantesque usine autonome qui produit, comme je l'ai dit, sa propre force de gravité, ce qui lui permet de toujours garder sa position libre dans l'espace vide et de régulièrement ajuster son axe de rotation à celui de la Terre dans son mouvement de rotation sur elle-même et dans celui de translation autour du Soleil. De plus, le rayonnement nocif est continuel, et est également produit par la Machine, qui doit posséder une source d'énergie interne formidable, lui permettant d'assumer trois fonctions: celle du maintien de sa gravité artificielle, celle de l'émission du rayonnement destiné à l'homme, et celle de la prolongation de sa propre rotation axiale, qui est le troisième point à connaître.

La diapositive changea et fut remplacée par une autre, montrant en

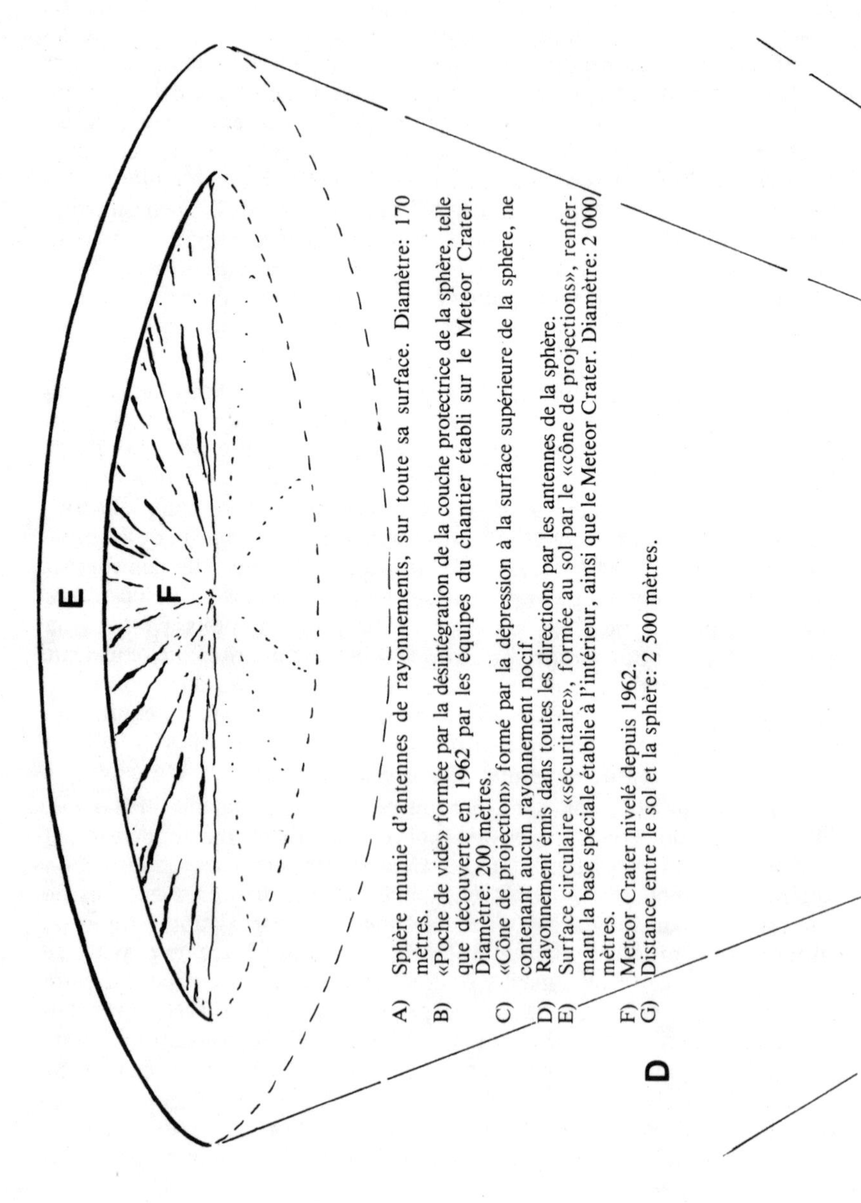

gros plan une énorme boule dont la surface extérieure était recouverte de milliers de tiges sortant de la masse même de la sphère. Avec la baguette, Jonathan désigna une de ces tiges sur l'image.

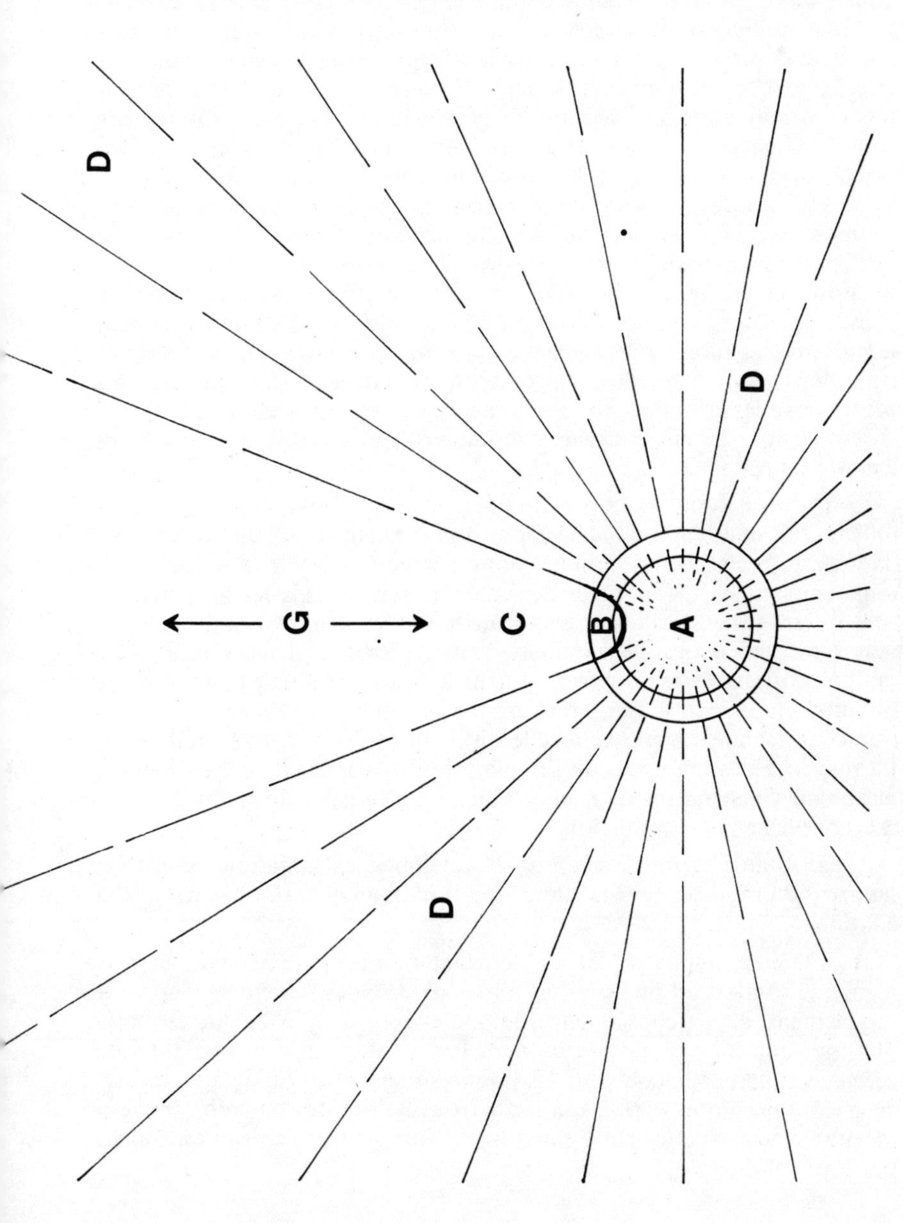

— La Machine infernale, puisqu'il faut bien lui donner ce nom, est en réalité un gigantesque émetteur d'ondes, qui projette celles-ci dans toutes les directions de la Terre, en effectuant également un mouvement roratif autour d'un axe vertical imaginaire. Comme vous pouvez le constater par le modèle, la sphère émet ces ondes par l'entremise de ces antennes qui recouvrent presque complètement sa surface extérieure; de ce fait, des milliers de faisceaux d'ondes sont envoyés partout, émergeant ensuite à la surface du sol, où ces ondes frappent le cerveau des hommes, et ce, quel que soit l'endroit où ils se trouvent. Les humains deviennent alors les malheureuses victimes de la Machine, réagissant subitement, sous l'influence de leurs violentes impulsions ou de leurs instincts brutaux, qui sont activés par les ondes touchant les zones du cortex cérébral où se situent justement les centres moteurs de ces instincts à l'état latent. À ce moment, le sujet répond à cette activation cérébrale provoquée artificiellement et commet toutes sortes d'actes violents inhabituels chez lui; souvent même, ces victimes sont des gens très effacés au tempérament calme et au comportement pacifique. De là viennent également les nombreux cas mondiaux d'actes de violence perpétrés par des êtres au train de vie généralement très réglé, et qui deviennent soudainement des meurtriers, des criminels, des assassins, que la société n'hésite pas alors à enfermer pour les empêcher de continuer de nuire, sans tenir compte de leur vie passée...

»Dans un contexte beaucoup plus vaste et s'échelonnant sur trente millénaires, la mission de la Machine a pratiquement été un succès: pendans tous ces siècles, les hommes ont été irradiés par elle et se sont constamment livrés à divers actes de violence, sur lesquels les historiens se sont interrogés ainsi que sur leurs causes non évidentes. Les guerres, les massacres, les tueries, les conquêtes armées, tous ces actes «inhumains» ont pour origine cette intervention dans le cours normal de l'évolution de l'homme du paléolithique, intervention qui lui a fait prendre une direction complètement opposée à celle qu'il aurait dû suivre naturellement. La majorité des malheurs de l'humanité proviennent de cet événement marquant dans son histoire, et la Machine infernale, de ce fait, a donc exécuté pleinement sa mission...

La foule murmura encore, et quelques exclamations étouffées jaillirent du rang des journalistes. Mais Jonathan n'en tint pas compte et continua:

— Donc, comme je l'ai dit, la Machine tourne lentement sur ellemême; le résultat est que tous les faisceaux d'ondes suivent également le mouvement, et, en conséquence, le «balayage» de la Machine est complet, puisque tous les faisceaux, dans leur projection, forment alors un cercle complet, touchant tous les points situés sur ce cercle à la surface extérieure du globe terrestre; s'il s'y trouve alors des humains, ils sont inévitablement irradiés par l'émission du flux, et leur cerveau est touché par lui...

»Enfin, la dernière caractéristique de ce rayonnement est qu'il n'est aucunement affecté par quelque matériau que ce soit, naturel ou fabriqué; c'est-à-dire qu'aussitôt que les ondes sont émises par la Machine, elles traversent le globe terrestre, et ce, dans toutes les directions, sans être bloquées par la matière inerte et variée contenue dans notre planète. Cette autre illustration montre ce que je veux dire. Nous voyons que les antennes situées à la surface supérieure de la sphère sont dirigées presque verticalement, en ligne droite avec le cratère, et la distance que les ondes ont à parcourir avant d'atteindre le sol du cratère est relativement courte. Mais, au fur et à mesure que nous descendons le long de la surface de la sphère, les faisceaux d'ondes sont obligatoirement dirigés de plus en plus en ligne oblique, augmentant ainsi la distance à parcourir avant d'émerger au niveau du sol terrestre. Puis, lorsque nous atteignons l'«équateur» de la sphère, les faisceaux sont dirigés horizontalement et sortent du globe à une distance plus éloignée encore que celle des faisceaux précédents. Mais, là encore, la distance à parcourir est très courte pour tous les faisceaux émanant de l'«hémisphère nord» de cette boule. En effet, elle est certes enfouie à près de 2 500 mètres dans le sol terrestre, mais cette distance est bien infinitésimale comparée à celle qu'ont à suivre tous les faisceaux situés dans son «hémisphère sud»; en réalité, ce sont ces derniers qui couvrent la plus grande partie de la surface du globe, et dont le rayonnement doit toucher le plus de monde, sur toute notre planète. Par le fait même, ils ont à traverser de nombreuses couches géologiques constituées de tous les minéraux possibles et à subir diverses variations de température en passant par le centre de la Terre.

»Toutefois, tous ces obstacles ne nuisent en aucune façon aux rayonnements: après avoir été émis, ceux-ci s'enfoncent dans la masse terrestre, et, sans être modifiés dans leur nature, ni diminués dans leur intensité, ni écartés de leur trajectoire par les métaux solides ou liquides, ils surgissent de l'autre côté, à la surface de la croûte terrestre; s'ils sont reçus par un cerveau humain, ils produisent leur effet dévastateur; sinon, ils se perdent dans l'espace, sans que nous ayons pu déterminer ce qu'il advenait d'eux par la suite. Afin d'illustrer par comparaison mes explications, j'utiliserai un exemple banal, qui pèche par sa simplicité, mais qui sera bien compris de tous. La sphère, dans sa rotation et dans son émission de rayonnements, ressemble beaucoup à ces globes recouverts de nombreuses paillettes de verre brillant, qui, suspendus à une tige centrale au plafond des discothèques modernes, tournent sans cesse autour de cette tige; les lumières multicolores de la salle de danse se reflètent sur les paillettes de verre, et de multiples rayons de lumière sont renvoyés partout dans la discothèque, formant tout un réseau de rayons de lumière qui sillonnent la salle et la jettent dans une atmosphère... colorée, c'est le cas de le dire... Les gens et le mobilier prennent alors des teintes bien... particulières... Dans le cas de la sphère, les rayonnements proviennent directement de l'intérieur, où se situe son principe générateur d'énergie.

»Tous ces éléments mis ensemble prouvent irréfutablement que nous avons bien affaire ici à une machine réellement d'origine extra-terrestre, dont les créateurs possédaient une technologie beaucoup plus avancée que la nôtre. Je sais qu'en disant cela je risque de m'attirer les foudres de certains de mes collègues, qui me traiteront de doux illuminés. Je conçois que ces révélations vous causent un trouble profond et qu'elles choquent votre raisonnement, puisqu'elles remettent en question l'autodétermination de l'homme dans le choix de ses actes conscients; par elles, nous apprenons que toutes nos conquêtes, tous nos hauts faits d'armes ont eu pour cause initiale l'influence des rayonnements de la Machine, dont les victimes ont subi les effets à divers degrés...

»Sans exagérer, je peux donc affirmer que notre tendance belliqueuse n'existerait certainement pas à un degré si élevé, de nos jours, si la Machine n'avait pu répandre son bain d'ondes pernicieuses, partout sur le globe, depuis ces 300 derniers siècles! L'être humain a continuellement été irradié par elle, et, de ce fait, il n'avait aucune chance de sortir de ce piège diabolique; et, malgré toutes les études psychologiques, sociologiques, psychiques, réalisées depuis le début du siècle, sur les causes de la violence dans notre société moderne, les chercheurs ne sont jamais parvenus à trouver la véritable raison de cette situation mondiale qui empirait chaque jour; car ils avaient beau s'évertuer à scruter les profondeurs de l'esprit, à tirer des renseignements du subconscient de l'être humain, à analyser les rêves des dormeurs, à surveiller les réactions des sujets placés dans des conditions particulières, à noter le comportement de volontaires dans des situations provoquées, à apprendre en détail le passé d'un patient et à lui faire subir toutes sortes de tests d'intelligence, rien n'y faisait: la violence était là, maîtresse en tout...Les attentats politiques, les actes de terrorisme, les meurtres, les troubles raciaux, les émeutes, bref, pratiquement tous les cas où l'homme s'oppose physiquement à l'homme ont été causés par la Machine infernale, qui a mis en éveil et en fonctionnement accéléré, si je puis dire, les zones de son cortex cérébral où existaient en latence ses instincts violents...

»Telle est, Mesdames, Messieurs, et distingués collègues, l'étonnante vérité sur un des phénomènes sociaux les plus répandus dans notre société moderne...Voilà, complètement, et finalement, le message pressant que j'avais à vous livrer... Mais, tout de suite, je puis vous affirmer que ce sombre tableau du passé sera bientôt effacé, en espérant qu'il sera également oublié dans la mémoire des hommes... Tout à l'heure, je vous en ai touché un mot, et j'y reviendrai dans... dans une heure environ, alors que le moment crucial de l'opération Survie sera atteint... Ce sera aussi la venue d'une journée nouvelle, et, ma foi, ce signe céleste ne pourra pas mieux tomber... pour commencer aussi une autre ère, qui, je l'espère, sera plus pacifique et plus cordiale pour les hommes... D'ici là, une période de détente vous est allouée, afin que vous puissiez vous remettre de vos émotions et échanger vos impressions... Également, je tiens à vous dire que je reste ici, à votre disposition, pour répondre à vos questions; je pense que beaucoup de points auraient probablement besoin d'être éclaircis, et le général Browny et moi-même sommes à votre disposition pour vous renseigner sur ceux-ci... en attendant l'heure H annoncée...

CHAPITRE 21

Samedi, 2 août
Meteor Crater, Arizona, États-Unis
Début de la journée...

Ayant dit ces mots, Jonathan salua l'assemblée en inclinant la tête et revint à sa table. Il termina de boire son verre d'eau, alors que la lumière était revenue dans la salle.

Pendant un moment, le silence se prolongea chez les assistants.

Dans l'ensemble, les spectateurs étaient figés sur leur siège; les déclarations du savant atomiste les avaient fait passer par toute la gamme des émotions et des réactions humaines, tellement le sujet présenté leur semblait invraisemblable. Puis, peu à peu, la nouvelle avait fait son chemin dans leur esprit, s'était infiltrée dans leur raisonnement, et, finalement, avait causé un trouble réel en leur âme et conscience, compte tenu de sa nature même.

Au fur et à mesure des explications de Jonathan, et malgré les nombreuses preuves qu'il avait montrées à l'appui de ses dires, la majorité des scientifiques et une bonne partie des représentants des médias d'information avaient manifesté de plus en plus d'incrédulité devant les éléments qui, l'un après l'autre, venaient s'ajouter à la masse impressionnante des évidences accumulées.

En dépit des images du film, des détails donnés, des photos illustrant l'exposé de Jonathan, des informations livrées par le général Browny, et surtout en dépit de la réelle coïncidence entre la fonction de la Machine infernale et la situation existant dans la nature humaine depuis des millénaires, l'effarante vérité avait eu de la difficulté à être acceptée par les participants. Ils avaient réagi de diverses manières pendant tout le discours du directeur du projet; ils avaient été secoués dans leurs convictions profondes, perturbés dans leur for intérieur, et, en ce moment même, beaucoup d'entre eux ne savaient plus quelle position adopter à la fin de cette longue nuit de révélations...

Dans la section des animateurs d'émissions d'information scientifique, Michael Finlay avait partagé avec ses confrères de la télévision le même sentiment de doute sur la réalité de l'événement; pour lui, l'édification de la base spéciale, au Meteor Crater, n'était simplement qu'une autre manoeuvre militaire démesurée réalisée par l'Armée américaine dans le but de camoufler au public une expérience ou plutôt un projet nettement différent de celui donné comme prétexte par le savant, et dont le général Browny avait pris en main la direction afin d'en assurer la sécurité. D'après Finlay, tout cela sentait à plein nez le coup monté, et il n'était pas question de croire à l'intervention d'extra-terrestres dans le déroulement de l'histoire humaine, et encore moins d'accepter l'idée que ceux-ci eussent pu influencer les actions de l'homme, par une invention de leur cru.

Michael se cala donc sur sa chaise, et, goguenard, se mit à parler de la popularité de son émission, «la mieux cotée de son genre à ABC». Il oubliait qu'il avait justement interviewé, la semaine précédente, le professeur Louis-Philippe Jouvet, anthropologue français, qui avait défendu une thèse semblable, suite à ses nombreuses études documentées sur l'homme de Cro-Magnon, qui, d'après lui, avait été l'étape charnière au cours de laquelle l'*Homo sapiens* avait subitement pris une voie opposée à celle à laquelle son évolution normale le destinait...

D'ailleurs, le professeur Jouvet, en ce moment, était partagé entre une joie sans borne et une digne retenue: il ne savait s'il devait jubiler, après avoir entendu les propos de Jonathan, dont le contenu corroborait pleinement sa propre thèse sur la possibilité d'une manipulation de l'esprit de l'homme dès les temps préhistoriques, ou au contraire éviter de jeter à la face de ses collègues cette «preuve finale et inattaquable» de la véracité de sa thèse... mais, afin de ne pas être encore plus la risée de ceux qui montraient bien leur malaise intellectuel par des commentaires plus ou moins élogieux à l'égard de Jonathan, il décida d'atténuer sa position en remuant la tête ou en haussant les épaules, en réponse aux remarques de son entourage. Et il attendit de connaître le fin mot de l'histoire, portant son attention vers la scène...

Quant à Charles Magor, l'exobiologiste et ufologue canadien, il était certainement la personne la moins surprise dans toute l'assemblée. Alors que, pendant plusieurs années, il s'était penché sur le «phénomène O.V.N.I.» et avait enquêté sur nombre de cas d'atterrissages de soucoupes volantes et de contacts rapides entre Terriens et créatures venues d'ailleurs, il apprenait maintenant que, effectivement, dans un lointain passé, des êtres extra-terrestres avaient visité notre planète. Non seulement avaient-ils séjourné assez longtemps sur notre globe, mais encore ils y avaient établi un campement temporaire, avaient étudié l'homme dans sa vie de tous les jours, puis avaient dû quitter notre monde à cause d'une rivalité existant entre races différentes.

Il y avait là matière à estomaquer même l'ufologue le plus ouvert dans ses théories personnelles sur l'existence de vie intelligente et évoluée sur les autres planètes, et Charles ne pouvait s'empêcher de penser à toute cette littérature avant-gardiste des dernières années, où l'on présentait des dossiers remplis de «preuves» archéologiques, historiques, religieuses, mythologiques et folkloriques, en rapport avec la venue «certaine» d'anciens astronautes, qui auraient laissé des vestiges de leurs visites sur notre planète... Les auteurs de ces volumes n'avaient pas eu tort, après tout... Et puis, si les faits mentionnés dans le récit du professeur Rockford étaient bien véridiques, cela jetait une lumière nouvelle sur les raisons du non-contact officiel et définitif des pilotes d'O.V.N.I. avec les populations terrestres.

Charles se disait que la présence sur Terre de la Machine infernale, depuis des millénaires, constituait probablement le motif principal pour lequel ces pilotes d'O.V.N.I n'avaient pas encore fait ce contact avec les Terriens.

Il se disait aussi qu'ils pouvaient peut-être détecter eux-mêmes, au moyen d'instruments appropriés, la présence de la Machine, ou qu'ils étaient capables d'enregistrer les rayonnements nocifs émis par elle... S'ils étaient des êtres intelligents et évolués, possédant un cerveau dont le processus de raisonnement était identique à celui des humains, ils devaient être alors eux aussi certainement affectés par ces ondes, et ne désiraient pas rester longtemps dans l'environnement terrestre. Ils ne faisaient que des visites rapides et furtives, pour ne pas être touchés par les rayonnements, et ils devaient se contenter de sillonner nos cieux, ou de se poser au sol et d'y rester pendant un temps très court, se permettant seulement de brèves incursions dans nos campagnes, pour y prélever des échantillons de la flore et de la faune terrestres, ou même pour y étudier, dans leurs vaisseaux, des sujets humains qu'ils avaient enlevés...

Bien entendu, il y avait tous les autres cas où des Terriens affirmaient avoir rencontré ces êtres et échangé avec eux pendant de longues périodes, ou même être allés de leur plein gré dans ces O.V.N.I. et y avoir voyagé jusqu'à des mondes lointains, étant ensuite revenus sur Terre avec une mission salvatrice pour le genre humain... «Mais ça, c'est une autre histoire!...» pensa Charles en regardant autour de lui.

De son côté, Ninotchka Ivanovitch Alexandroïevskaïa était très confuse dans ses pensées; en sa qualité de géologue, elle ne pouvait admettre que ce cratère, qui avait fait l'objet de tant d'études et d'analyses, eût pu être produit délibérément par des êtres venus de l'espace; elle ne pouvait pas non plus se résoudre à accepter le fait que la météorite avait servi de véhicule à un objet manufacturé, résultat d'une technologie autre que terrienne; et cette seule idée choquait son jugement rationnel de scientifique, cette femme étant habituée à ne considérer que les faits qui ne dépassent pas l'entendement de la pensée scientifique contemporaine.

Elle avait beau être ouverte d'esprit à toute nouvelle découverte, à toute recherche récente ou à toute hypothèse avancée sur des phénomènes concrets et prouvés, les révélations de Jonathan étaient difficiles à accueillir; d'ailleurs, quelques confrères, dans les sections voisines, étaient du même avis, et certains allaient même jusqu'à qualifier ce bon professeur Rockford de «victime» de la fatigue causée par le surmenage, ce qui l'avait fait errer dans ses travaux. En fait, cette fatigue était visible sur son visage, et ces hommes de science faisaient remarquer qu'il eût mieux valu pour lui qu'il ne se mêlât pas à ce projet conçu certainement pour jeter de la poudre aux yeux, afin de justifier des dépenses fabuleuses consacrées inutilement à des déploiements de forces militaires, comme cela devait être le cas avec cette pseudo-affaire du Meteor Crater.

Pendant quelques instants, Ninotchka pensa à Nicolaï, cet étudiant qui lui avait parlé de choses semblables à celles racontées par le savant américain; ce jeune homme croyait fortement, lui aussi, que la météorite géante qui s'était écrasée dans la toundra sibérienne, au début du siècle, eût pu être un engin de l'espace, d'origine extra-terrestre; il avait même paru s'être entiché de cette idée, et Ninotchka avait dû le secouer, à la fin de son cours de géologie, afin de le ramener sur Terre...

Adolf Steiner, lui, ne savait quelle position prendre. Depuis le début, il se demandait bien ce qu'il venait faire dans cette galère. Dans la mesure où il pouvait en juger, sa profession ne pouvait pas être d'un grand secours dans le programme d'information envisagé par les autorités gouvernementales, en vue de préparer le public à accepter cette fantastique vérité historique. Certes, il était un excellent réalisateur de films documentaires, mais jamais sa tâche ne l'avait amené à devoir présenter des événements si bouleversants aux spectateurs. Son domaine de prédilection était l'environnement naturel terrestre, et il ne pouvait imaginer comment il parviendrait à réaliser un film documentaire qui montrerait exactement cette vérité, sans la déformer, ni l'exagérer, ni modifier les faits en quoi que ce soit.

D'un autre côté, il se disait que, d'après lui, ces mêmes faits présentés par le professeur Rockford pouvaient expliquer le comportement asocial des voyous qui, sans raison, avaient commis des actes de vandalisme dans sa maison. L'existence de cette Machine infernale était donc certainement véritable si, en plus de cette histoire de voyous, on y ajoutait celles des nombreux autres actes de violence perpétrés quotidiennement dans le monde.

Adolf était donc prêt à croire à cette «vérité historique», laquelle, se dit-il en lui-même, n'était pas plus extraordinaire, au fond, que bien d'autres événements survenus sur la Terre au cours des âges passés... Il se proposa donc de donner son appui au projet d'élaboration du programme d'information publique, et, se croisant les mains derrière la nuque et y appuyant la tête, il prit une position plus détendue sur sa chaise...

Parmi tous les assistants, le révérend Thomas Osborne était assurément le plus abasourdi par le récit. Il recevait les paroles de Jonathan avec un fort scepticisme, bien qu'elles fissent vibrer une corde sensible dans son âme. Il se rendait compte que si l'événement rapporté était authentique, il aurait des répercussions énormes sur l'enseignement religieux futur.

Alors que les écrits de la Bible enseignaient que l'homme avait connu le Mal à cause d'un péché d'orgueil, et que toutes les vicissitudes de sa vie passée étaient dues à cette faute impardonnable dont les conséquences étaient voulues par Dieu, voilà qu'un fait inimaginable remettait en question les fondements mêmes de la théologie chrétienne sur le devenir de l'homme. Lui aussi était remué dans son esprit en imaginant les réactions qu'auraient les hommes en apprenant ces choses; il était troublé en pensant que l'homme, dans ses agissements, ne dépendait pas ainsi de Dieu, mais qu'en réalité, tous ses actes belliqueux avaient été commandés par une simple mécanique qui avait subjugué la volonté humaine pendant tous ces millénaires. Quand bien même cette Machine eût été le résultat des connaissances avancées d'une race supérieure à l'homme par son intelligence, cela ne justifiait pas les oeuvres de ces êtres à l'égard des races dites inférieures.

Par l'exposé du savant, le révérend Osborne se rendait compte que, malgré tout, l'éternel combat entre le Bien et le Mal régnait également ailleurs que sur Terre, puisque deux groupes antagonistes, aux intentions diamétralement opposées, étaient à l'origine de l'utilisation d'une telle arme vraiment machiavélique, destinée à semer le désarroi dans les coeurs, la confusion dans les esprits et la division entre les hommes. Sur ce dernier point il était d'accord avec le professeur Rockford, étant donné que ses travaux personnels étaient justement réalisés dans le dessein de découvrir la cause du changement radical de tempérament chez de bonnes gens paisibles qui, en l'espace de quelques instants, devenaient des créatures hargneuses, oubliant tout sens religieux ou simplement moral dans leurs actes. Ses nombreuses confrontations avec de pseudo-sectes satanistes confirmaient son idée à propos d'une force extérieure responsable de ces situations.

Mais il était convaincu que cette force était plus vraisemblablement d'origine diabolique, au sens religieux du terme et tel que l'enseigne la Bible, plutôt que relevant de la science d'une civilisation extra-terrestre dont, malgré tout, il n'était pas encore certain qu'elle eût réellement existé, en dépit de la preuve concrète et matérielle présentée dans cette salle, c'est-à-dire le cube à émission télépathique. Mais cet objet même, en fait, n'avait pas été vraiment utilisé par le professeur Rockford devant l'assemblée. Tout ce qu'on en savait se résumait aux renseignements donnés par lui lorsqu'il l'avait décrit sur la scène, et le cube n'avait pas encore été mis à la disposition des participants. Par ailleurs, d'après les dires du savant, le cube n'avait pu être activé qu'à proximité d'une source d'énergie atomique, telle qu'il en existait au synchrotron de Brookhaven.

Tous ces éléments jetaient le révérend Osborne dans un dilemme, comme plusieurs autres membres de cette réunion: devait-on prendre au sérieux toute cette affaire, ou la considérer seulement comme une sorte de test à grande échelle, tenté pour juger des réactions possibles de la population devant un événement qui mettrait en cause la sécurité nationale, l'échantillon formé par l'assemblée au complet devant être représentatif de ces réactions?

Toutes ces questions se heurtaient dans la tête des uns et des autres, et même l'historien belge Van Den Bruch avait été frappé par le discours de Jonathan.

Si ce que le scientifique avait dit était vrai, et il n'avait aucune raison d'en douter, cela confirmerait sa propre théorie, à l'effet que la violence n'était pas un caractère héréditaire, et qu'aucun peuple en particulier ne pouvait être tenu responsable des actes brutaux commis au cours des âges par les différentes nations.

Lui aussi prit une attitude sereine face à la situation, et il patienta pour voir qui poserait la première question au savant...

Quant à Claude Tremblay, il ne savait que penser de tout ça.

En un peu plus d'une semaine, toute sa vie avait été bouleversée, et, en ce début de journée, il se retrouvait dans une réunion houleuse, organisée afin de permettre la révélation impressionnante d'une vérité qui mettait en évidence le passé de l'homme, cette réunion se déroulant sur les lieux mêmes où se situait cette vérité... en plein dans l'Ouest américain... tout près d'un cratère vieux de 30 000 ans...!

Il y avait là de quoi être éberlué et, en réalité, Claude l'était vraiment.

Alors que sa profession l'avait habitué à recevoir des nouvelles souvent stupéfiantes, mais qui concernaient toujours des oeuvres terriennes, il en apprenait une, maintenant, qui dépassait les limites de la compréhension humaine! Malgré son vif intérêt pour le côté mystérieux de certains phénomènes sur lesquels se penchaient divers centres de recherche, intérêt qui lui avait permis de suivre au jour le jour les activités de groupements voués à l'étude de la parapsychologie et du «phénomène O.V.N.I.», il ne pouvait se faire à l'idée que ce dernier avait pu se manifester d'une manière aussi directe et aussi brutale, 300 siècles auparavant, pour influencer à un si haut degré l'évolution de l'homme.

Pour un peu, il aurait été porté, lui aussi, à reléguer toute cette histoire dans la catégorie d'affabulations finement arrangées pour abuser des spectateurs crédules; mais, dans ce cas-ci, il y avait un hic de taille dans la tentative de faire avaler aux gens cette «vérité», puisque ceux-ci n'étaient pas Monsieur Tout-le-Monde: il s'agissait de personnes nettement au courant des possibilités de notre civilisation, sachant discerner le vrai du faux dans les éléments présentés, possédant un esprit critique et fortement sévères à l'égard de théories fumeuses et non étayées par des faits concrets...

Dans ces conditions, il était donc difficile de vouloir faire prendre des vessies pour des lanternes, et, dans un sens, les réactions plutôt défavorables à l'endroit des déclarations de Jonathan étaient assez motivées, vu les circonstances.

Claude lui-même aurait balayé d'un geste de la main cette histoire, si elle lui avait été racontée en une occasion différente de celle-ci, et par une personne autre que le professeur Rockford. Mais, peut-être à cause de l'amour qu'il portait à sa fille, et qui, pensa-t-il, pouvait influencer son jugement sur l'homme de science ainsi que ses propres convictions, il hésitait à prendre nettement position contre Jonathan et à le cataloguer comme victime involontaire d'un coup monté par les autorités américaines.

Il se souvenait des remarques qu'il avait faites à Amelia lorsqu'il l'avait conduite au Reine-Élisabeth, dans son auto. Il lui avait dit son opinion concernant les causes probables des dissensions entre les hommes. D'après lui, le manque d'entente dans les relations humaines était à la source de tous les conflits armés qui éclataient partout sur le globe. Et il avait alors ajouté, presque comme une prémonition, «... à moins qu'il n'y ait une tout autre cause responsable de cet état de choses dans le monde et que je ne la connaisse pas encore...»

Il regarda Amelia et se sentit ému. Elle était assise sur le bord de sa chaise, serrant fortement la main de Claude, et son visage reflétait la certitude qu'elle avait de l'honnêteté du conférencier, en plus d'une certaine admiration pour ce même homme qui, pendant des années, avait été forcé de travailler d'arrache-pied sur un projet dont il ne pouvait souffler mot à sa fille, et qui, maintenant, devait le présenter à des confrères au raisonnement si cartésien. Plusieurs de ceux-ci ne lui pardonnaient certainement pas de se prêter à ce qui leur semblait un jeu ridicule...

Jean-Étienne et Gabrielle parlaient avec un groupe de confrères de la presse assis derrière eux, et, là également, la discussion était vive et les opinions partagées. Enfin, le général s'avança sur la scène, plaçant le micro sur le long support qui avait été ramené au centre, en même temps que des soldats disposaient quatre micros semblables dans la salle même, dans la section des scientifiques et dans celle des représentants des médias.

Cette manoeuvre causa une distraction parmi les participants et les obligea à porter leurs regards sur le militaire gradé; un calme mitigé de chuchotements s'établit dans la salle, et le général annonça:

— Mesdames et Messieurs, cette courte période vous aura permis une détente et vous aura également donné la possibilité de conférer avec des collègues... Comme le temps s'écoule très rapidement, nous allons passer tout de suite à la période des questions; le professeur Rockford et moi-même répondrons du mieux que nous le pouvons aux points qui vous paraissent obscurs... et ceux-ci doivent être nombreux, si j'en juge par vos échanges très... animés...

Un murmure d'approbation s'éleva de l'assemblée, et le militaire enchaîna:

— Des micros ont été disposés dans les allées, afin que vous puissiez vous adresser à nous et que l'assistance soit en mesure de vous entendre elle aussi; de la sorte, nos réponses seront adressées à tout le monde... et cette manière de procéder sauvera beaucoup de temps... Voilà!... Maintenant, qui ouvrira la séance...?

CHAPITRE 22

Samedi, 2 août
Meteor Crater, Arizona, États-Unis
Pendant la matinée...

Un homme, âgé d'au moins cinquante ans, se leva lentement, et, presque solennellement, d'une démarche assurée, se dirigea vers le micro le plus près de sa rangée. Il s'arrêta à sa hauteur, croisa les mains derrière le dos, et dit d'une voix ferme:

— Dignes représentants de la communauté scientifique, Mesdames et Messieurs les journalistes, nous venons tous d'entendre le discours très captivant du distingué professeur Jonathan Rockford, homme de science éminent et certainement aussi un des spécialistes les plus versés dans le domaine de la physique nucléaire. Par lui, nous avons appris une supposée vérité qui remet en cause toute l'histoire de la race humaine, à partir de l'époque du paléolithique jusqu'à nos temps modernes... Cette remise en question du passé de l'homme signifierait une révision totale de tout ce que la science a accumulé comme dossier sur la nature même de ce dernier, ses actes, ses désirs, ses émotions, ses motifs d'agir, ses moyens d'existence et... sa psychologie...

Il fit une courte pause, regarda posément l'assemblée, puis continua:

— Je ne sais pas ce que mes très honorables confrères des autres disciplines retirent des propos que nous avons entendus cette nuit et que, par respect pour le professeur Rockford, je ne qualifierai pas d'aberrants, mais je tiens à faire connaître mon profond mécontentement à la suite de l'audition de ces spéculations sans fondement... Comme tant d'autres personnes ici présentes cette nuit, j'ai été obligé, pendant plusieurs jours, de me plier aux mesures de discipline entourant toute cette gigantesque mise en scène, après avoir été «invité» à me joindre au groupe de mes très respectables collègues, à Washington, selon des méthodes indignes d'un pays évolué et qui sont un manque flagrant aux plus élémentaires civilités...

»Je laisse le soin aux spécialistes des autres disciplines de juger de la véracité des faits rapportés, puisque, et je l'avoue sans fausse honte, toutes ces questions techniques ne relèvent pas de mon domaine de recherche; de ce fait, il serait malvenu pour moi de m'immiscer dans les délibérations qui suivront cette réunion de... d'information «scientifique»... Je me suis permis de prendre la parole afin, d'abord, de bien clarifier ma pensée, qui reflète celle de plusieurs de mes collègues, et afin de poser une question pertinente au très distingué professeur Rockford, puisqu'il nous a si aimablement invités à le faire.

Jonathan inclina la tête en signe d'assentiment et se leva de sa chaise; il s'avança vers l'avant de la scène, micro en main, afin de répondre à son «très distingué collègue de la communauté scientifique...»

— Professeur Rockford, reprit ce dernier, je me présente: William Johnsons, docteur en psychologie et professeur au New York Medical College, ainsi que professeur *honoris causa* de plusieurs universités américaines et européennes... Voici... D'après vos dires, et en admettant que j'entre dans votre jeu et accepte ses règles, il semblerait que des êtres venus de l'espace à une époque très reculée aient maîtrisé complètement les techniques relevant de l'expérimentation directe sur des sujets vivants, et qu'ils aient pu, de ce fait, créer cette «invention» dont le but était d'influencer, ou, si vous voulez, de manipuler le cerveau de l'homme, afin de modifier son comportement et de l'inciter à se détruire lui-même au cours des âges, après l'implantation de cette Machine dans les tréfonds du désert de l'Arizona... Est-ce bien là, résumée, l'idée générale du long exposé que vous nous avez fait...?

Jonathan prit quelques secondes puis, aussi calmement que le psychologue, mais sans ostentation, il dit:

— C'est exactement la situation que j'ai décrite, oui... et qui est la vérité la plus stricte...

— Dans ces conditions, reprit l'autre, permettez-moi de vous faire remarquer que cette possibilité est totalement... heu... impossible, si vous voulez bien excuser cette contradiction dans les termes... Je le répète, cela est pratiquement impossible, et je vais vous en dire la raison... Premièrement, sachez que, il y a deux semaines, une assemblée de psychologues s'est tenue à Chicago, afin, justement, de discuter des causes de l'accroissement de la violence dans notre société moderne. Je n'énumérerais pas tous les points qui y ont été abordés, car cela requerrait trop de temps. Les conclusions qui sont sorties de cette réunion n'ont pas été définitives, comme vous pouvez bien évidemment l'imaginer, mais il en est nettement ressorti cette constatation évidente: la violence est purement un phénomène naturel à l'homme, due, entre autres, à des caractéristiques d'ordre psychologique, sociologique et médical... Deuxièmement, en relation avec ce dernier aspect, une autre manifestation a eu lieu, la semaine dernière, qui a permis de confirmer cette constatation, dans une certaine mesure...

Il s'éclaircit la voix et reprit:

— Du 22 au 30 juillet, des représentants de diverses spécialités du corps médical se sont rassemblés à Montréal pour discuter de problèmes relatifs à l'utilisation de certaines méthodes d'expérimentation sur des sujets humains, dans les centres de recherche; entre autres questions, on a parlé de l'opportunité de l'usage de techniques neurophysiologiques dans le domaine de la psychobiologie. Vous n'êtes pas sans savoir, professeur Rockford, et vous aussi, distingués collègues, que l'emploi de ces techniques, en médecine expérimentale, a donné lieu à une controverse entre chercheurs, dont une partie affirmait qu'en plusieurs occasions la liberté de comportement des sujets avait été brimée et que ceux-ci en avaient gardé des séquelles supposément funestes, alors que l'autre partie soutenait que les «abus» dénoncés par des groupes humanitaires n'étaient pas réels et qu'ils consistaient seulement en quelques malheureux cas. De fait, cette remarque est assez opportune car, bien évidemment, en toute recherche, il existe toujours un pourcentage de risque que l'on ne peut éviter: cela fait partie du jeu.

»Le congrès médical tenu à Montréal avait donc comme objectif de tenter de faire la part des choses entre tous les arguments apportés pour défendre l'une ou l'autre position, et d'essayer d'en venir à un consensus sur les limites à imposer dans cette expérimentation, afin de ne pas causer de modification profonde dans le comportement ultérieur des individus, qui, soit dit en passant, sont souvent volontaires pour subir ces tests...

Jonathan écoutait sans broncher son interlocuteur alors que celui-ci en arrivait au point qu'il voulait émettre:

— Cette introduction était nécessaire pour montrer que la science médicale a elle-même ses propres difficultés dans l'exécution de sa tâche immense, qui est d'améliorer la courte vie de l'homme sur cette planète.

»Donc, si nous, simples humains mortels, d'une part, nous en sommes encore à des balbutiements dans la connaissance du cerveau de l'homme, et que, d'autre part, nous parvenons à peine à contrôler le comportement de l'homme par l'emploi de ces techniques dont il a été question il y a un moment, comment peut-on alors concevoir que ce dernier puisse avoir été contrôlé dans toutes ses décisions, pendant des millénaires, par des créatures extra-terrestres qui auraient décidé d'agir ainsi à notre égard pour nous forcer à nous autodétruire?

Le psychologue termina sa longue question et, satisfait, jeta un coup d'oeil à la foule; puis, fièrement, il revint à son siège.

Quelques applaudissements approuvèrent celui qui avait osé ouvrir la séance de questions et qui s'était fait le porte-parole de plusieurs des participants, qui partageaient son point de vue.

Jonathan attendit qu'il se fût assis, puis, prenant son micro, il lui répondit d'un ton aussi assuré que le sien, mais sans l'air hautain que l'autre avait affiché:

— Je rends hommage à mon honorable confrère, qui a daigné faire débuter la séance par des propos très intéressants, quoique plus ou moins pertinents à la situation qui prévaut ici en ce moment. J'admire aussi sa verve, ainsi que son éloquence et sa force de persuasion malgré l'heure tardive... ou plutôt l'heure matinale, et la fatigue... Je me rends compte que vous semblez supporter assez bien cette longue session d'information dont l'ouverture, si je puis dire, a eu lieu il y a près de dix heures maintenant, lorsque vous avez tous quitté Washington à bord des Boeing. Je conçois que les procédures «accélérées» qui vous ont amenés ici aient pu produire des effets épuisants sur votre organisme et qu'elles puissent porter certains d'entre vous à se montrer plus... agressifs envers les faits rapportés, pour ne pas dire envers le conférencier qui vous les a révélés...

Il attendit quelques secondes, afin que la réplique puisse produire son effet, puis il enchaîna:

— Je vous le répète: très bientôt vous serez tous convaincus de la réalité des événements passés et de l'opportunité du projet qui a été créé à cause d'eux. Je vous demande de faire preuve de compréhension et de patience, jusqu'au moment venu, et tous vos doutes, toutes vos appréhensions seront alors écartés de votre esprit. Mais, pour l'instant, je répondrai donc à mon distingué collègue sur les propos qu'il m'a adressés, quoique je craigne que mes explications ne le satisfassent pas, étant donné que ma propre équipe, depuis vingt ans, n'a pu comprendre elle-même la méthode de manipulation du cerveau humain réalisée grâce à l'engin compliqué créé par ces Expérimentateurs. Comme ma première équipe de chercheurs a pu l'apprendre par le cube, et comme je vous l'ai dit à mon tour, les premiers arrivés sur Terre, au paléolithique, avaient été, en fait, les Explorateurs, et leur but était totalement opposé à celui de leurs rivaux. Tant les uns que les autres, toujours d'après le message du cube, possédaient une culture scientifique et technique très avancée, qui leur permettait de maîtriser les éléments et de disposer de formes d'énergie très puissantes. De ce fait, ils avaient à leur usage quantité d'appareils et d'instruments dont la conception dépasse nos possibilités actuelles. Pour cette raison, le cube même et l'engin de mort enfoui dans le sol nous sont demeurés incompréhensibles, et nous ne pouvons que constater ceci: ces appareils existent, ils fonctionnent, et ils sont bien ici, sur Terre et sous terre, et nous n'y pouvons rien changer... Du moins, tel était le cas à venir jusqu'à aujourd'hui...

Une faible rumeur s'éleva de la section des scientifiques, mais fut vite arrêtée lorsque Jonathan dit:

— D'autre part, il est certain que ces êtres avaient forme humaine et nous ressemblaient beaucoup, puisqu'il est dit dans le message qu'en découvrant la Terre ils étudièrent la race qui l'habitait, semblable à la leur. Par conséquent, le cerveau de ces êtres était identique au nôtre et devait fonctionner de la même manière que celui de l'homme. Pour cette raison, les Explorateurs étaient aussi vulnérables que les Terriens aux effets des rayonnements de la Machine, et, justement, ils durent quitter la Terre lorsque l'engin de mort de leurs rivaux y fut envoyé...

»Également, il existe un second élément de preuve à l'effet que ces êtres avaient des processus de raisonnement similaires à ceux qu'ont eus les hommes, par la suite, puisque l'un d'eux a pensé à léguer le message à la postérité humaine, selon des schémas de pensée et des images qui, à certaines exceptions près, ont été bien assimilés et compris par nous lorsque nous avons capté ledit message télépathique, à la suite du déclenchement du mécanisme d'émission du cube dans le laboratoire de Brookhaven. Ainsi, à cette lointaine époque, le style de vie et la civilisation de ces êtres devaient ressembler aux nôtres actuellement, puisque nous y avons retrouvé des éléments de référence dans leur manière de procéder à leurs travaux d'expérimentation... et ce, même si leur savoir scientifique dépassait alors grandement le nôtre aujourd'hui.

»Je sais que ces déclarations ne contenteront pas tout le monde dans cette assemblée, mais, pour l'instant, c'est tout ce que je peux vous dire sur cette affaire, et c'est déjà beaucoup si l'on pense aux difficultés que nous avons eues, au cours de ces vingt dernières années, à découvrir le lieu d'enfouissement de la Machine, puis à créer la grotte d'habitat de celle-ci, et enfin à mettre en chantier tout le projet d'étude pour cerner le mieux possible cet angoissant problème... Voilà... S'il y a d'autres questions, j'y répondrai...

Un nouveau silence s'établit, puis quelqu'un, dans la section des médias d'information, se leva et se dirigea vers le micro. Plusieurs des participants américains reconnurent Michael Finlay, l'animateur de télévision très connu en ce pays. Il prit un air très altier et dit:

— Puisque c'est le temps des éclaircissements, autant profiter de cette occasion... Ici, je m'adresserai au général Browny, s'il vous plaît...

Le susmentionné s'avança lui aussi sur la scène, et Michael reprit:

— Dans toute cette histoire, ce qui me frappe le plus et me surprend énormément, c'est le fait que, depuis vingt ans, cette base ait existé et que, d'après vos dires, des chercheurs y aient habité pendant plusieurs mois; de plus, d'autres équipes se seraient régulièrement relayées sur les lieux, ce qui a dû occasionner un va-et-vient incessant de personnel entre la base et l'extérieur. Dans ces conditions, comment le secret, concernant une affaire aussi importante, a-t-il pu être gardé, ou, du moins, comment le projet n'a-t-il pu être ébruité plus grandement parmi le public? N'y eut-il jamais de fuite, malgré les mesures de sécurité? D'après moi, un tel événement et une telle situation militaire, ici, en Arizona, ne peuvent vraiment se produire que dans les romans de science-fiction... Qu'en dites-vous, général Browny...?

Le militaire s'avança encore d'un pas et, regardant calmement l'ensemble des assistants, il prit la parole:

— Si j'en juge par les questions que me pose ce représentant des médias, il semble que, d'un côté, la tâche de protection de l'Armée américaine soit plus ou moins bien comprise par certains d'entre vous, et que, de l'autre, vous sous-estimiez les capacités de nos services, en la matière... Je ne ferai donc pas de discours pour vous décrire en long et en large toutes les procédures utilisées par ces services, quant à l'organisation du système de sécurité qui a été mis en opération pendant ces dernières années. Mais, très rapidement, je peux vous dire que ce système a été très efficace et que nous n'avons pas vraiment rencontré de problèmes graves. Dès l'établissement du camp spécial d'étude du Meteor Crater, dans les années 60, puis de la base militaire qui, dans les années suivantes, s'est agrandie, tout a été mis en oeuvre pour que les spécialistes qui y venaient puissent travailler dans des conditions appropriées à la recherche qu'ils entreprenaient. De plus, pour que ces travaux fussent bien supervisés par des organismes compétents, ceux-ci étaient sous contrôle militaire. Ces méthodes peuvent vous paraître drastiques, mais elles étaient nécessaires afin qu'il n'y ait pas, comme vous l'avez dit, de fuite sur le projet d'étude; elles se sont d'ailleurs justifiées au fur et à mesure que l'affaire prenait de l'ampleur; si une fuite s'était produite, il aurait pu en découler des difficultés multiples et variées qui auraient rendu encore plus ardu le travail de nos spécialistes.

»Ceux qui étaient affectés ici furent triés sur le volet et suivis de près, si vous comprenez ce que je veux dire... Il fallait à tout prix éviter que des informations, vraies ou fausses, ne sortent du camp et qu'elles n'attirent indûment la curiosité du public, des médias et, plus spécialement, d'agents de renseignements étrangers, car cela aurait pu intéresser alors des pays voisins et les inciter à se mêler d'affaires qui ne les concernaient pas...

Un nouveau murmure de désapprobation fusa de la salle, mais le général passa outre, reprit son souffle et ajouta:

— Dans l'ensemble, le service d'ordre a porté fruit, et nous n'avons jamais eu à déplorer de véritable cas de tentative de révélation des faits à l'extérieur, ou, à l'inverse, de manoeuvres d'espionnage réalisées par l'un ou l'autre des membres des sections de recherche envoyées sur les lieux. Mais, si des chercheurs essayaient de communiquer des informations à un correspondant, en dehors du camp, ou voulaient ramener avec eux des documents intéressants, nous devions nous montrer plus... plus «convaincants» à leur égard... Mais j'insiste sur ce point: ces rares cas n'ont jamais donné lieu à des déploiements de force exagérés, et, le plus souvent, les fautifs reprenaient le droit chemin... D'ailleurs, vous saurez pourquoi... bientôt... En ce qui concerne les médias d'information, je dois avouer que nous avons eu plus d'ennui avec eux qu'avec n'importe qui. Je...

Des exclamations jaillirent de la section de droite de la salle, mais le militaire, après avoir patienté quelques instants, continua:

— Nous avons dû utiliser nombre de moyens détournés pour écarter les journalistes trop curieux qui, presque à chaque année, se risquaient sur les lieux, bien qu'ils eussent été défendus d'accès et qu'une garde armée empêchât quiconque de s'introduire dans le périmètre extérieur du cratère... ou, si vous préférez, dans l'enceinte même de la base... Régulièrement, nous envoyions des communiqués de presse afin de tempérer l'ardeur des plus acharnés, et, en même temps, d'informer le public qu'une opération importante avait lieu ici et que l'Armée contrôlait bien la situation... Encore une fois, même si ces agissements vous paraissent excessifs, sachez que de telles méthodes étaient nécessaires à la réussite du projet qui, ces dernières semaines, est devenu l'opération Survie à laquelle vous avez été appelés à collaborer. Je crois que ceci répond à votre question, Monsieur...

Michael voulut renchérir mais, entre-temps, un homme s'était levé de son siège, dans la section des scientifiques, et, prenant la parole à la place de l'animateur de télévision, il s'adressa à Jonathan, posément et avec conviction:

— Professeur Rockford, sachez que j'admire le courage que vous avez démontré en suivant continuellement l'affaire du Meteor Crater et en vous donnant corps et âme à cette étude, en dépit des difficultés rencontrées sur votre chemin, ainsi que des obstacles qui, j'en suis sûr, ont dû être posés devant vous, volontairement ou non, par des chercheurs qui ne comprenaient pas la gravité de vos travaux. Ces mêmes chercheurs ont dû aussi rejeter en bloc les comptes rendus que vous leur donniez sur l'évolution de l'étude entreprise par votre équipe, puisque cette affaire dépassait leur compréhension; de ce fait, ils préféraient sans doute fermer les yeux sur un problème qui ne pouvait être classé dans leur cadre de référence ni être expliqué par les acquis de leur science... Croyez-moi, professeur Rockford, je connais ces réactions de la part de ces ultrarationalistes scientifiques qui ne veulent rien entendre de ce qui, par malheur, ne peut être catalogué comme fait certain, irréfutable, analysable, démontrable en laboratoire... Je suis moi-même assez bien placé dans le domaine de la recherche que l'on dit «parallèle» pour connaître les états d'âme de ces «ultras» de la Science avec un grand S...

Un vague murmure se répandit dans la salle, et, cette fois, il fut nettement en faveur du professeur Rockford, qui, depuis le début, avait surtout été pris à partie par les assistants. Son interlocuteur attendit quelques instants, puis il continua:

— À nouveau, je vous redis mon admiration et vous approuve dans la position que vous adoptez à l'endroit de vos collègues qui, par leur attitude fermée devant tout événement qui sort de l'ordinaire, font montre d'un esprit scientifique négativiste très prononcé... Et ce ne sont certainement pas ceux-là qui feront progresser la science, s'ils gardent leurs convictions inébranlables; pour cette raison, professeur Rockford, ne vous laissez pas impressionner par eux et continuez votre travail; malgré les protestations et les remarques acerbes que j'ai entendu prononcer contre vous, pendant cette conférence, je vous salue bien respectueusement et vous encourage à poursuivre dans cette voie. Vous avez le support moral de plusieurs de vos confrères présents dans cette salle...

Sur ce, Charles Magor se retourna et revint à sa place... Un nouveau bourdonnement monta de l'assemblée, émis par les éternels irréductibles, mais il fut soudain couvert par de nombreux applaudissements qui jaillirent des deux sections.

Cette réaction de certains des participants fit chaud au coeur de Jonathan, et il en fut même un peu gêné. Amelia poussa un long soupir de satisfaction, et ses yeux s'emplirent légèrement d'eau. Elle serra la main de Claude au point de l'écraser, et ce dernier lui fit un clin d'oeil qui se passait de commentaires.

Un nouvel intervenant fit son apparition près d'un micro, mais, cette fois, il s'agissait d'une femme. Le silence revint, et les yeux se braquèrent sur elle; en l'entendant, on sut que la langue anglaise ne lui était pas familière. Néanmoins, elle dit calmement, en prenant bien soin de choisir ses mots, et après avoir mis ses lunettes:

— Professeur Rockford, je dois dire que j'ai été très... bouleversée par vos propos et ceux du général américain, ainsi que par les diverses réactions de l'assemblée. Lorsque j'ai été amenée aux États-Unis pour participer à cette réunion, je ne savais pas à quoi m'attendre. Je pensais qu'il s'agissait d'un projet scientifique qui mettait en danger la sécurité de mon pays, et que j'étais alors envoyée ici pour juger de la situation. Maintenant, je me rends compte que ce projet concerne un événement beaucoup plus... incroyable, oui, c'est bien le mot, que tout ce que j'ai pu connaître moi-même en Russie...

»Je dois dire que ce que vous nous avez appris, cette nuit, est vraiment étonnant; quelques-uns de mes collègues et moi-même ne sommes pas prêts à accepter les faits que vous nous avez racontés, même si, professeur, je ne doute aucunement de votre sincérité ni de vos connaissances en physique atomique... Mais il y a quand même un point étrange que je voudrais mentionner ici, et qui se rapporte à une histoire qui est très populaire chez les étudiants de l'université de Moscou... Il concerne l'événement de 1908 en Sibérie occidentale, qui a causé de grands dommages dans la région de la Toungouska. Des expéditions envoyées sur les lieux ont étudié et analysé le sol, ont interrogé des paysans témoins de la scène, et ont mené de longues enquêtes sur le cas. Il s'agissait d'une énorme météorite qui s'était écrasée au sol, ravageant la terre et la forêt...

Elle arrêta de parler et sembla hésiter avant de continuer; puis elle dit, toujours avec lenteur:

— Voici... Le point étrange dont je veux parler est celui-ci: au cours des dernières années, des gens qui se disent des chercheurs ont émis une hypothèse... ou plutôt une idée invraisemblable; d'après eux, il s'agirait plutôt d'un vaisseau spatial qui se serait écrasé sur la Terre; en explosant, il aurait causé les immenses dégâts constatés dans la Toungouska, et ceci, en raison de l'énergie nucléaire qui aurait été sa force de propulsion. De plus, ces pseudo-chercheurs soutiennent même qu'il s'agirait là d'une explosion nucléaire provoquée délibérément, pour une raison qu'eux-mêmes ignorent... Voilà... C'est tout ce que j'avais à dire... Je ne l'ai pas fait pour approuver ce que vous nous avez dit, mais pour présenter un fait authentique et réel, très semblable à celui qui s'est produit ici, il y a plusieurs millénaires... Je pense que ces deux cas ont la même origine, et, je le répète, votre relation des faits m'étonne encore... Merci, professeur Rockford, de m'avoir accordé la parole...

Sur ce, elle enleva ses lunettes et les replaça dans leur étui; puis elle se retira et regagna sa place, alors qu'un homme d'âge moyen, qui attendait que Ninotchka en eût terminé avec son intervention, dit en anglais, avec un accent français bien discernable:

— Professeur Rockford, permettez-moi de me présenter: Louis-Philippe Jouvet, anthropologue... Votre histoire m'a vivement intéressé, et même, je dois le dire, captivé au point que j'oubliais l'endroit où nous nous trouvions. Elle m'a impressionné car elle confirme ma thèse personnelle, que j'ai émise dans mon dernier volume et dont je ferai grâce à cette assistance, pour ne pas l'importuner inconsidérément. Toutefois, il y a un fait qui, dans tout ceci, paraît ne pas avoir été expliqué clairement, et qui semble avoir échappé à l'attention de la majorité des participants...

— Oui? Quel est-il? demanda Jonathan, courtois.

— Heu... Voici... Comment se fait-il qu'au cours de ces vingt années pendant lesquelles un personnel scientifique et militaire se tenait continuellement sur les lieux, il n'y ait pas eu de cas de folie soudaine, ou de violence extrême, rapporté dans l'un ou l'autre groupe? D'après vos dires, cette Machine n'est pas programmée pour influencer seulement les gens situés à l'extérieur du cratère. Il...

— Ah! Nous y sommes! dit Jonathan, en se permettant d'interrompre le Français. Nous touchons là une des plus étranges caractéristiques de cette Machine, que nous-mêmes n'avons d'ailleurs découverte que quelques mois seulement après l'implantation de la base spéciale et du laboratoire souterrain, dans la grotte fabriquée. Il est intéressant de s'y arrêter, car cet élément explique bien la raison pour laquelle tous les locaux et bâtiments sont disposés sur le périmètre extérieur du cratère, ou, si vous voulez, pourquoi ils sont placés en cercle autour du cratère lui-même, chose que vous avez dû remarquer en arrivant sur les lieux... Bon!... Vous tous, ici présents, allez connaître le dernier détail intéressant, en rapport avec cette Machine...

Le professeur Jouvet inclina le buste en signe de salut et se dirigea vers sa chaise. Il s'y assit, puis Jonathan dit:

— Lorsque nous avons trouvé la Machine infernale, nous ne savions pas, évidemment, quel était son principe de fonctionnement; nous ignorions également comment s'effectuaient les rayonnements qui frappaient le cerveau des humains et les influençaient dans leur comportement. Au cours des mois suivants, nous avons continué de creuser la grotte afin de faciliter l'accès à la Machine et de pouvoir l'étudier à notre aise, puis nous avons commencé à percer le tunnel menant à cette grotte, en lui donnant une descente spiralée autour du cratère. Ces derniers travaux nous demandèrent plusieurs autres mois, pendant lesquels nous pratiquâmes nos premiers tests et analyses, à l'aide des appareils descendus dans la grotte.

»Puis, lorsque ce tunnel déboucha dans la grotte, nous pûmes alors y accéder avec des véhicules. Nous eûmes donc la possibilité de monter un véritable laboratoire de recherche dans la salle souterraine même, en y emmenant tout l'équipement utile par camion. Comme je vous l'ai dit tout à l'heure, le vaste hangar sert toujours d'entrepôt pour le matériel que nous utilisons, et que nous changeons régulièrement, et l'entrée de ce tunnel est située à l'intérieur. Cette disposition permet aussi de la dissimuler à tout curieux utilisant la voie des airs et qui voudrait examiner de loin le chantier... Mais, entre parenthèses, ceci est une éventualité peu probable car l'espace aérien au-dessus du Meteor Crater est interdit d'accès, lui aussi...

»Bref, telle fut la manière dont cette étape de l'installation de la base et de l'étude du cratère fut réalisée. Et c'est ici qu'intervient la caractéristique de l'arme extra-terrestre. Contrairement à ce que vous pouvez penser, le site du Meteor Crater n'est pas immunisé contre l'irradiation de la Machine, dans le sens où une protection quelconque annulerait les effets des rayonnements sur les lieux mêmes. Au contraire, pendant toutes ces années passées ici, plusieurs cas de violence soudaine se sont produits, et ce, TOUJOURS à l'extérieur du cratère et de l'anneau encerclant celui-ci, et où sont maintenant bâtis les locaux de la base.

»Divers membres de cette communauté fermée, à la fois scientifique et militaire, ont été pris eux aussi du désir impulsif de tuer, ou de violenter les autres, ou de causer un acte brutal quelconque, ceci se produisant soit dans le laboratoire souterrain, au niveau de la sphère, soit dans les postes de garde préservant l'accès à la base et répartis sur les quelques routes qui y mènent. Dans la majorité des cas, nous parvenions, grâce à l'excellent service de sécurité organisé sous le commandement du général Browny, à contrecarrer les desseins des victimes de la Machine, et les empêchions de nuire, soit à leurs semblables, soit au déroulement des activités de la base. Une fois seulement, nous eûmes à déplorer la perte d'un soldat contaminé par la Machine. Ce militaire, qui faisait partie d'une des unités de surveillance d'un des postes de garde de l'extérieur, fut pris d'une rage démentielle et voulut faire sauter le campement en se servant d'explosifs; les militaires durent l'abattre, sinon il aurait causé la mort d'un grand nombre d'autres personnes dans la base...

Des grognements de réprobation vinrent de l'assemblée. Jonathan attendit quelques secondes, et, malgré sa fatigue, reprit:

— Cette particularité nous frappa, et pour cause: dans les jours qui suivirent et après que des chercheurs eurent emménagé dans le laboratoire souterrain, à côté de la sphère, ces derniers furent touchés l'un après l'autre par les rayonnements et durent être ramenés à la surface. On en déduisit que la proximité immédiate de la Machine augmentait les risques d'en être irradié, et cette déduction logique fut acceptée par tous. Pour cette raison, on n'envoya plus jamais de techniciens dans le laboratoire de la grotte et on se contenta de diriger à distance les tests et les expériences. On utilisa le matériel le plus sophistiqué dont dispose la science moderne, et qui sert surtout à la N.A.S.A. pour l'envoi de sondes spatiales sur les planètes de notre système solaire. Depuis lors, tout se fait par télécommande, et le sol de la grotte continue d'être sillonné par différents véhicules-robots qui exécutent pour nous ces tests variés: analyse continuelle et enregistrement de la vitesse de rotation axiale de la sphère, photographies, films, *recording* d'éventuels mais improbables messages de la sphère, et bien d'autres... Presque en même temps que nous relevions cette particularité, nous découvrions celle qui a occasionné la nouvelle disposition en cercle des bâtiments; ceci est en fait la seule certitude que nous ayons pu acquérir sur l'engin et sur son fonctionnement.

Jonathan chercha autour de lui quelque chose pour illustrer ses prochains propos, mais, ne trouvant rien, il invita le général à s'approcher de lui. Ce dernier lui obéit, et Jonathan lui demanda de tenir le micro près de sa bouche. Puis, à la surprise de tous, il enleva son écharpe. Il exécuta quelques mouvements rapides des doigts pour les dégourdir, et, avec l'étoffe, fit une grosse boule plus ou moins sphérique, qu'il enfonça légèrement sur le dessus. Ensuite, dirigeant sa voix dans le micro, il dit:

— Voilà!... Ceci est notre sphère. Elle est unie sur toute sa surface extérieure, sauf sur le dessus, où se trouve une dépression concave et circulaire dont l'axe vertical imaginaire de la sphère est le centre. En fait, cette dépression est complètement démunie d'antennes émettrices de rayonnements et est le seul point à en être dépourvu. Les antennes entourant cette dépression, ayant toutes nécessairement une légère inclinaison par rapport à l'axe vertical, forment donc comme une couronne autour de cette concavité; par le fait même, en projetant cette couronne vers la surface du sol, on a comme résultat une sorte de cône de vide, qui ne reçoit aucun rayonnement.

Pour illustrer ses propos, Jonathan tenait son écharpe tassée en boule avec la main du bras replié, et, de l'autre main, avec le pouce et le majeur aboutés, avait formé un cercle placé à plat sur le dessus renfoncé de la boule; puis il avait levé cette main, en élargissant le cercle de ses doigts, au fur et à mesure qu'elle montait. La comparaison était bien explicite, et tous comprirent son exemple.

Il donna son écharpe au général, reprit son micro et regarda à nouveau l'assemblée. Il dit:

— Comme vous pouvez vous en rendre compte, ce n'est qu'à l'intérieur de ce cône que le cerveau humain est en sécurité; et ce cône, lorsqu'il «émerge» à la surface du sol, renferme justement le cratère, ainsi qu'une surface circulaire sur son pourtour, de près de 2 000 mètres de diamètre. C'est exactement sur cette couronne extérieure du cratère que se situent maintenant tous les locaux de la base, dans l'enceinte que vous avez franchie en arrivant sur les lieux, mettant ainsi en sûreté tous ceux qui se trouvent à l'intérieur.

»D'ailleurs, si vous prenez quelques instants pour le constater vous-mêmes vous sentirez qu'une sorte de calme s'est progressivement établi en vous, dû à l'action bénéfique de l'atmosphère naturelle dégagée de toute onde malveillante. Même ceux qui, tout à l'heure, étaient les plus prompts à s'opposer à mes déclarations, doivent se sentir incapables de réagir violemment à mes propos, et ceci, à cause même de la situation que je viens de vous décrire...

Jonathan cessa de parler pendant quelques minutes, et les assistants se regardèrent les uns les autres; de fait, tous éprouvaient confusément un sentiment presque nouveau qui les portait à mieux se considérer entre eux, grâce à un meilleur esprit de compréhension qui, peu à peu, les gagnait. Quelqu'un fit remarquer qu'effectivement cette caractéristique devait être réelle, puisque même les soldats qui les avaient rappelés à l'ordre, au cours de la nuit, l'avaient fait sans brusquerie; de plus, le général Browny avait lui aussi gardé bonne contenance lorsque, à quelques reprises, il avait été hué par l'assemblée. Et puis Jonathan en était l'évidence même: il avait toujours montré une attitude pondérée devant les critiques assez crues de ses plus farouches opposants. Peu à peu, et cela était maintenant discernable dans la salle, l'ambiance houleuse de la réunion s'était apaisée, au point qu'en ce moment même il n'existait plus que de rares éclats d'antagonisme, sporadiques et très modérés, manifestés envers Jonathan.

La séance progressait donc d'une manière assez favorable à la conférence du savant atomiste, lorsque, simultanément, deux voix se firent entendre par l'entremise de deux micros:

— Professeur Rockford, j'aimerais savoir...

— Professeur Rockford, pouvez-vous me dire...

Mais elles se turent en même temps. Sans que Jonathan eût à intervenir, le deuxième interlocuteur sourit au premier, en lui indiquant, d'un mouvement du bras, qu'il lui cédait la parole. L'homme sourit courtoisement à son tour, et commença:

— Professeur Rockford, je pense que tous, en cet instant mémorable, ne peuvent pas vraiment comprendre l'importance capitale des révélations que vous nous avez faites, en rapport avec le devenir de l'être humain. Personnellement, j'avoue que celles-ci m'ont profondément bouleversé en tant que ministre du culte. Jusqu'à aujourd'hui, j'avais appris à confier la destinée de l'homme aux mains du Seigneur et à considérer tous les faits et gestes de Sa créature comme étant décidés par Sa Volonté divine. Autrement dit, comme l'enseigne la théologie, je croyais, et je crois toujours malgré tout, que le destin de l'homme est voulu par Dieu, dans un plan immuable conçu par Lui de toute éternité. Mais, maintenant, je suis sincèrement ému par la nouvelle des événements survenus dans le passé, et je suis certain que celle-ci jettera sûrement un grand trouble chez le profane...

Il fit une pause de quelques secondes pendant lesquelles les assistants gardèrent les yeux sur lui, puis il enchaîna:

— Si j'en crois vos paroles, le but de cette réunion n'était pas seulement la relation de cet événement aux savants, mais plutôt l'élaboration d'un programme d'information publique pour, justement, préparer le monde à cette nouvelle fantastique, ainsi qu'à la fin de l'existence de cette Machine. Puis-je vous demander des détails précis sur ce dernier point...?

— Très certainement, et c'est même le point le plus important de tous ceux discutés pendant cette nuit puisque, dans une vingtaine de minutes environ, la nouvelle ère prévue débutera certainement... Voici: si vous vous souvenez bien, j'ai décrit, tout à l'heure, dans le cours de mon récit, le moyen par lequel ma première équipe de chercheurs avait connu la vérité sur le cube et la sphère, suite au déclenchement accidentel de l'appareil émetteur télépathique. Dans le message livré par ces anciens Explorateurs, une partie du communiqué semblait avoir été ajoutée au tout dernier moment, nous informant de la durée probable de la Machine infernale; ces détails ont probablement été appris par l'auteur du message avant qu'il ne vienne cacher l'émetteur sur les lieux d'écrasement de la pseudo-météorite. Cet élément est certain, même si nous ignorons de quelle manière cet Explorateur a pu les connaître. Peut-être les a-t-il appris en interceptant une communication entre les Expérimentateurs, peut-être a-t-il reçu lui-même un message de sa planète lui révélant les caractéristiques de la Machine; nous n'en savons rien. Mais le fait est là: il a pu aider les éventuels descendants des hommes primitifs de ce temps grâce à son cube à l'émission télépathique, en parvenant, à la dernière minute, à les renseigner sur cet aspect de la longévité de l'arme...

»Ainsi, si vous vous rappelez mes explications précédentes, je vous ai dit que la sphère devait avoir une durée d'existence correspondant à 30 000 révolutions de la planète autour de son étoile mère, c'est-à-dire, en termes clairs, à 30 000 années terrestres. De plus, sa diminution progressive de fonctionnement pouvait être détectable de deux manières, pour autant que les futurs Terriens puissent disposer d'appareils appropriés pour ce faire. Elles consistaient en un ralentissement de la rotation de la sphère sur son axe, et, en même temps, en un accroissement rapide de l'émission des rayonnements énergétiques néfastes au cerveau humain, comme si, dans les derniers moments d'agonie de la sphère, elle avait un brusque sursaut de vie avant de cesser définitivement son existence. Ceci devait se produire tout au long d'une période équivalant à environ cent révolutions planétaires... autrement dit, pendant près d'un siècle. La première caractéristique, au moins, a pu être vérifiée. En effet, dès l'implantation du camp spécial de recherche, nous avons soumis la sphère à toute une série de tests pour tenter d'en percer la nature. Au cours des années suivantes, nous avons pu, par l'entremise des nombreux appareils de la N.A.S.A., enregistrer très fidèlement le mouvement rotatif de la sphère, même si ce mouvement est imperceptible à la vue humaine, à cause de sa vitesse excessivement réduite depuis le début du siècle. Nous avons pu ainsi déterminer avec exactitude qu'effectivement la sphère ralentissait sa rotation, et que, dans les années à venir, elle s'arrêterait complètement...

»Toutefois, rien ne prouvait que ce ralentissement avait vraiment commencé au début du XXe siècle, puisque nous ne l'enregistrions que depuis peu. Mais la deuxième caractéristique était là pour nous aider dans nos estimations... Soit dit en passant: pour ceux, qui, ici présents, seraient portés à considérer comme impossible cette précision dans la mesure d'un mouvement quasi indétectable, je me permettrai de souligner qu'il n'y a là rien de prodigieux puisque, dans le domaine de l'astronomie en particulier, on peut déterminer, à quelques degrés et quelques secondes près, le mouvement et la vitesse des corps célestes, qu'il s'agisse de planètes, d'étoiles ou de galaxies... C'est donc là chose commune, et nous-mêmes avons pu suivre très précisément la «régression» de la sphère, par l'emploi de ces mêmes méthodes.

»Quant à la deuxième caractéristique, il s'est révélé plus ardu de l'analyser correctement et d'en prouver également la réalité. En fait, elle a pratiquement résisté à tous nos moyens d'investigation scientifique, car les rayonnements émis peuvent difficilement être classés dans la gamme de ceux que connaît la science contemporaine. Nous avons affaire ici à une forme d'onde très singulière qui agit directement sur les zones du cortex cérébral de l'être humain et qui occasionne chez lui les dérèglements prévus par les créateurs de la Machine. Il faut reconnaître que, malgré leur éthique très discutable, ces Expérimentateurs étaient passés maîtres dans l'art de la création technique élaborée... Malheureusement, dans cette expérimentation, ce sont les hommes qui en ont été les victimes pendant 300 siècles...

»Mais j'en reviens à ces rayonnements... Même si nous n'avons pu les analyser ni les cataloguer, il reste certain que leur intensité a dû s'accroître au début du XXe siècle; en effet, si nous pensons à l'avertissement de l'auteur du message et faisons justement le parallèle avec les événements de l'actualité, nous nous apercevons que, réellement, la violence a nettement augmenté dans le monde, à partir de ce moment-là. L'accroissement démographique, l'évolution de la société, les nouveaux problèmes sociaux, moraux et techniques rencontrés depuis les années 1900, tous ces faits réunis n'expliquent aucunement ce comportement belliqueux de l'homme à partir de la Belle Époque. Les études les plus poussées et les mieux organisées faites par les psychologues et les sociologues d'aujourd'hui aboutissent à cette constatation: l'homme moderne est subitement devenu un être excessivement violent, principalement pendant le dernier siècle du deuxième millénaire après la naissance du Christ... à un point tel, d'ailleurs, que si cette courbe n'avait cessé de croître, l'an 2000 aurait vu l'apogée de cette violence extrême, et le monde aurait vécu dans un état général d'anarchie où le meurtre gratuit serait devenu un acte habituel...

»Tel est le sort qui nous attendrait d'ici quelques années si la Machine avait été en mesure de poursuivre indéfiniment sa terrible mission. Mais ce mauvais sort est heureusement enfin conjuré, et c'est assurément une ère plus pacifique qui nous accueillera dans quelque temps... Voilà, mon révérend... Je pense avoir éclairci ce point comme vous le souhaitiez... Maintenant, nous pouvons passer à ce monsieur qui a bien voulu patienter pendant que j'expliquais ces choses... Oui, quelle est votre question, Monsieur...?

— Eh bien!... Étant donné que le révérend l'a plus ou moins exprimée, je sauterai tout de suite à un autre point qui me tracasse également... Puisque la Machine est sous votre contrôle depuis...

— Pardon, nous ne la contrôlons pas: nous l'examinons, nous la testons, mais nous ne pouvons toujours pas en comprendre le mécanisme...

— Excusez-moi, je me suis mal exprimé... Je voulais dire que, puisque cet engin est suivi de près par vous, comment expliquez-vous... ou plutôt comment pensez-vous pouvoir expliquer le fait que la Machine et le cube découvert avant elle aient pu résister à tous les éléments naturels, et, ainsi, être encore en état de fonctionner 30 000 ans après leur... création...?

— Ha! Je m'y attendais!... C'est effectivement un autre aspect épineux du sujet, et qui a même été la première réflexion qui nous est venue à l'esprit... C'est un fait que les deux appareils paraissent avoir passé à travers toutes les intempéries. D'abord, le cube semblait ne pas avoir du tout souffert de son enfouissement dans le sol du cratère, ni des variations climatiques survenues en ce lieu au cours des trente millénaires. Après avoir été extirpé de sa gangue naturelle et apporté dans le laboratoire de Brookhaven, il paraissait flambant neuf, si vous me permettez cette expression, et il ne donnait pas l'impression d'avoir été détérioré. D'ailleurs, lorsqu'il a commencé à émettre son message, tout s'est déroulé comme l'avait certainement prévu l'Explorateur responsable de ce legs scientifique, et, comme je vous l'ai raconté, les hommes de mon équipe ont bien capté la communication.

»Quant à la sphère, elle était sûrement moins vulnérable encore que le cube, puisque, si vous vous en rappelez bien, elle avait été conçue pour être efficace, quelle que fût sa position sur la planète condamnée. Son propre système de production de gravité artificielle lui donnait la possibilité de se maintenir à l'endroit choisi par ses créateurs, et peu importait qu'elle se fût enfoncée dans les profondeurs du sol. Elle y était même beaucoup moins détectable par les autochtones de la planète, et cela ne dérangeait aucunement l'émission des rayonnements ni son potentiel énergétique. De plus, par la création de l'enveloppe de vide qui l'entourait, elle n'était pas non plus affectée par les variations de climat et de température qui survenaient à la surface et dans le sol. Elle était à l'abri de tout, et a pu être préservée jusqu'à notre époque.

»De toute façon, il ne faut jamais oublier que la technologie de ces deux races extra-terrestres rivales était très avancée, et que leurs procédés de fabrication d'instruments divers devaient certainement surpasser les nôtres, pour qu'ils aient pu fabriquer ainsi des mécaniques à l'épreuve du temps et de l'usure... ou presque, puisque la Machine, elle, en est maintenant rendue à son déclin... Ce point prouve malgré tout que, quel que soit le degré d'évolution et de connaissance d'une race, elle doit être soumise à des lois universelles et immuables, concernant la vie même des êtres; qui plus est, toute technologie, si perfectionnée soit-elle, atteint un point où elle se détruit elle-même... Malgré son inaltérabilité, la Machine ne pouvait pas durer éternellement, et c'est ce point capital qu'a voulu nous démontrer l'auteur du message, à la fin...

»Que cet exemple soit une leçon sur les limites que la race humaine ne devra pas dépasser dans sa course à la découverte de nouveaux moyens techniques en vue d'améliorer son bien-être, lequel se fait souvent au détriment d'une morale naturelle ou d'une éthique nécessaire à la compréhension entre êtres huamins...

Sur ces derniers mots de Jonathan, l'historien Van Den Bruch réintégra sa place; Jonathan, lui, alla vers la table, pour se verser un autre verre d'eau.

Des applaudissements fusèrent de la salle, alors qu'une jeune femme se dirigeait vers un autre micro. Elle attendit que les applaudissements cessent et que Jonathan soit revenu au centre de la scène, puis elle lui dit:

— Professeur Rockford, je suis spécialiste dans l'étude des rayonnements, et, vous pouvez l'imaginer, votre exposé m'a grandement intéressée... En rapport avec les tests que vous avez menés sur cette fameuse sphère, je suppose que ceux faisant usage de divers rayons connus ont été essayés...?

— Oui, très certainement...

— Et... quels ont été les résultats?

— Pour être honnête avec vous, je dois dire qu'aucun n'en a donné de probants, et ceci, bien entendu, nous a déroutés; nous avons utilisé les rayons X, les rayons gamma, les ultrasons, les infrasons... rien n'y fit... Toutes les tentatives pour scruter, sonder, pénétrer la sphère se révélèrent inutiles, et cela nous porta souvent presque au désespoir... La sphère restait là, résistant à tout moyen de découvrir son contenu, et pendant ce temps les années passaient... Moi-même, en tant que savant atomiste, j'eus recours à une expérience quelque peu hasardeuse en envoyant sur elle un flux de particules atomiques. Cette expérience et les autres se firent par l'entremise du laboratoire souterrain, où, rapidement, des équipes allaient installer le matériel nécessaire aux divers tests, lesquels étaient ensuite exécutés grâce aux multiples appareils-robots prêtés par la N.A.S.A., sous la direction des techniciens des laboratoires de la surface.

»Cependant, à cause de la situation politique internationale et, plus spécialement, de l'implication des États-Unis dans diverses activités politiques dans le monde, le projet devait souvent être ralenti, tempéré ou accéléré, selon les événements qui modifiaient les décisions des autorités gouvernementales en rapport avec celui-ci... De cette façon, les équipes de chercheurs se relayaient, ou étaient remplacées par d'autres qui avaient pour mission de reprendre au début les expériences déjà effectuées, ou encore de diriger la recherche dans une voie différente des premières. Tous ces atermoiements politiques, ces remises à plus tard, n'aidèrent pas le projet, et, lorsque les techniciens notèrent que la Machine approchait de la fin de sa rotation axiale, on décida en vitesse de créer l'opération Survie, à laquelle vous avez été invités, vous tous ici présents...

Jonathan cessa de parler, et la physicienne le remercia. Un autre participant s'était approché d'un micro, et il dit:

— J'aimerais demander un éclaircissement au général Browny, à propos de la zone de protection... ou plutôt de sécurité, formée par le cône dont nous a parlé le professeur Rockford, tout à l'heure...

Le militaire s'avança sur la scène, et Adolf Steiner énonça sa question.

— Je comprends bien le fait que ceux qui sont placés à l'intérieur de cette zone, comme nous présentement, soient automatiquement protégés des effets des rayonnements de la Machine... Mais qu'advient-il, ou qu'est-il arrivé durant ces vingt ans aux personnes qui sont en dehors de ce périmètre privilégié? Au moment où je vous parle, il y a plusieurs militaires qui sont dans cette situation, dans les postes de garde protégeant l'accès au cratère, et qui risquent d'être touchés, comme l'a été le soldat dont vous nous avez décrit la mort tragique, survenue il y a quelques années... Et ceci, sans compter le personnel qui, selon vos dires, allait et venait régulièrement entre le site et l'extérieur... Car, enfin, nous-mêmes avons été placés dans une situation dangereuse, hier, en approchant de la base en avion. Il aurait pu se produire un accès de folie meurtrière chez un ou plusieurs des passagers... Que dis-je!... chez le commandant de bord même et son copilote!... C'était un gros risque à courir, ne trouvez-vous pas?

— Heu... oui, de fait, c'«était» un risque, comme vous venez de le dire... mais quand même pas aussi énorme que vous le pensez... Voyez-vous, même si les rayonnements sont actifs, ils ne frappent pas toujours et nécessairement les personnes situées le plus près de la sphère... du moins celles à la surface du globe... Malgré la grande quantité d'antennes émettrices disposées sur toute sa surface, excepté à l'endroit de la dépression concave, et malgré sa rotation axiale, il ne faut pas oublier que la surface terrestre, elle, est très vaste. Même si le champ d'action couvert par le mouvement de la sphère englobe toute la Terre, les rayonnements touchent faiblement certains coins de notre planète; ce qui fait que ces régions ont un taux relativement bas de criminalité, en dépit de la grande population qui y habite. Si vous vous rappelez les propos du professeur et l'illustration qui les accompagnait, vous savez alors que l'«hémisphère nord» de la Machine infernale est celle qui, naturellement, irradiait le plus l'Amérique du Nord, à cause des faisceaux plus nombreux qui jaillissent à sa surface; conséquemment, la violence fut plus forte sur ce continent, comparativement à l'Europe, à l'Asie, à l'Afrique... Toutefois, les effets de la Machine s'y faisant sentir quand même, ces régions ont alors vu leur quota de violence s'accroître au cours des dernières décennies... Il ne faut tout de même pas oublier qu'elle fonctionnait depuis 30 000 ans, et que ses rayonnements avaient augmenté notablement au cours de la dernière période qui reflétait son agonie, ceci coïncidant avec l'arrivée du XXe siècle...

»Maintenant, pour répondre directement à votre question, je dirai, d'une part, qu'il fallait quand même amener sur les lieux le personnel scientifique et les équipes du chantier pour y construire le camp, en plus des militaires qui avaient pour tâche de superviser l'entreprise et d'installer la base spéciale; d'autre part, que le risque de contamination n'était pas plus élevé pour ces gens que pour ceux situés ailleurs, puisqu'ils évoluaient à l'intérieur du périmètre sécuritaire formé par le cône de projection, une fois arrivés ici... En passant, cette particularité de la sphère, où une dépression peu profonde ne contient aucune antenne, n'a pas pu être expliquée par nos hommes de science... Était-ce un défaut de fabrication ou un élément nécessaire au bon fonctionnement de la Machine? Personne n'en sait rien, mais le fait est là: seule cette concavité ne produisait pas de rayonnements...

»Par ailleurs, en ce qui concerne les gens qui sortaient de ce périmètre, il va de soi qu'alors ils pouvaient être touchés par un des faisceaux... C'était un risque à courir, et nous l'avons fait, puisqu'il n'y avait aucun moyen d'y remédier... Heureusement, si vous vous rappelez les brèves statistiques que j'ai données au début, les cas de violence ont été très rares au cours des années écoulées, tant dans le personnel du camp qu'au sein du corps militaire externe... Pour cette raison, nous n'avons pas craint de mettre en branle l'opération Survie, et d'amener à la base les quelque 700 spécialistes et représentants des médias qui devaient y participer...

»De toute façon, à ce que je vois en cette matinée, vous êtes tous bien arrivés à bon port, vous êtes tous en pleine possession de vos facultés, et nous n'avons pas eu à déplorer de... pertes, si vous me permettez d'utiliser ce terme militaire...

Contrairement aux fois précédentes, des propos très cordiaux accueillirent cette remarque, et le général ajouta:

— D'ailleurs, n'oubliez pas que la Machine expire et qu'il était primordial de vous réunir tous ici afin d'assister à ses derniers moments...

De nouvelles exclamations joyeuses montèrent de la salle, et le général Browny eut même droit à des applaudissements réservés. Puis il inclina la tête et s'effaça devant Jonathan, qui revenait. Ce dernier jeta un coup d'oeil à sa montre, et, se tournant vers le général, il lui fit un signe de la main, tandis que l'assemblée échangeait maintenant des commentaires nettement plus enthousiastes et de beaucoup plus favorables au professeur et à ses révélations.

En même temps, Claude Tremblay s'avançait vers un micro, à la surprise d'Amelia, qui ne s'attendait pas à le voir participer au débat. Elle le regarda et lui sourit. Rendu près du micro, il toussa légèrement pour attirer l'attention du savant, puis il dit:

— Permettez-vous à un journaliste de la presse écrite de vous poser une autre question, professeur...?

Jonathan tourna la tête et regarda ce nouvel intervenant. Son regard se porta de nouveau à sa montre-bracelet, puis il répondit, alors que le général Browny se dirigeait vers la porte située du côté gauche de la scène:

— Oui, c'est bien... Vous pouvez y aller, Monsieur... Mais, s'il vous plaît, veuillez accélérer les choses, car le moment tant attendu est enfin arrivé, et nous devons tous être prêts pour cette occasion unique dans l'histoire du monde...

— Bien, je ferai vite. Voici. Plusieurs de mes confrères, et certainement aussi Messieurs les scientifiques, se demandent de quelle manière aura lieu ce programme d'information publique, et combien de temps sera requis pour renseigner progressivement la population sur l'événement du Meteor Crater.

Jonathan toussa lui aussi et massa un peu son bras engourdi.

Il se préparait à répondre, lorsque son regard fut attiré par le général, qui revenait sur la scène. En même temps, l'écran remonta complètement, et la large toile qui, dans le fond de la scène, était tendue d'un mur à l'autre, fut tirée horizontalement vers la droite.

Jonathan revint à Claude et dit:

— Heu... veuillez m'excuser, cher Monsieur... Il est temps de se préparer à ce grand moment... D'ailleurs, ce qui va suivre répondra à votre interrogation beaucoup mieux que je n'aurais su le faire moi-même...

Reprenant tout son maintien et faisant face à l'auditoire il parla à nouveau, pesant bien ses mots, et avec une voix très émue:

— Mesdames, Messieurs, voici venu cet instant dont, à plusieurs reprises, je vous ai rappelé l'importance capitale pour la survie de l'homme, surtout du point de vue de son comportement futur... Alors que, présentement, le soleil brille à l'extérieur, dans quelques minutes une aube nouvelle brillera aussi pour notre humanité, et une ère très prometteuse s'ouvrira devant nous... nous qui, pendant des siècles, avons enduré un sort implacable dont nous n'étions même pas responsables...

Il se tourna vers l'arrière-scène, alors que les assistants voyaient avec surprise un large téléviseur posé sur une base de métal supportée par deux longues tiges métalliques disposées en oblique dans le mur. L'appareil était découvert au fur et à mesure que la toile défilait devant lui.

Jonathan attendit que l'écran au complet fût visible, puis, sous les regards étonnés de la foule, il reprit son exposé.

QUATRIÈME PARTIE

CHAPITRE 23

Samedi, 2 août
Meteor Crater, Arizona, États-Unis
Vers la fin de l'avant-midi...

— Par l'entremise de ce grand écran de télévision, dit Jonathan, nous pourrons suivre le déroulement de la dernière partie de l'opération Survie. Les équipes de techniciens ont installé des caméras de télévision dans la grotte même, afin que vous tous, ici rassemblés, soyez en mesure de vivre ce moment inoubliable, sur les lieux mêmes où il se produira. La transmission est en circuit fermé, et seule cette assemblée sera témoin de l'événement, ainsi que le personnel scientifique du camp.

»Comme je vous l'ai expliqué tout à l'heure, grâce aux appareils très perfectionnés dont nous disposons, nous avons pu connaître avec exactitude l'instant où la rotation axiale de la sphère cessera définitivement, ceci devant correspondre à l'arrêt complet de l'émission des rayonnements nocifs. Cette précision dans les prévisions a facilité la décision des autorités sur la détermination de la date à laquelle l'opération Survie aurait lieu, et, en dépit des difficultés que le général Browny vous a exposées, celle-ci a pu se concrétiser et se dérouler en temps prévu. Toutefois, le gouvernement et l'Armée ont dû faire vite afin de construire cette salle de conférence et de réaliser toutes les manoeuvres de rassemblement à Washington des invités choisis à l'avance pour participer à l'opération. Au cours des vingt-cinq minutes qui suivront, le sort de l'humanité se jouera dans cette grotte, où la Machine terminera sa tâche mortelle pour laquelle elle a été envoyée sur notre planète, il y a 30 000 ans.

»Soyez conscients, Mesdames et Messieurs, que présentement vous vivez certainement un événement aussi important, aussi fantastique, aussi incroyable que celui qui s'est produit à l'époque du paléolithique et qui a ensuite modifié 300 siècles de l'histoire humaine. Si ce premier incident, étranger à l'homme, n'avait pas eu lieu, l'*Homo sapiens* aurait certainement pris une voie beaucoup plus pacifique et sereine dans son évolution, et, aujourd'hui, nous n'en serions pas rendus à ce point extrême de violence...

Il avala sa salive, prit son mouchoir et s'épongea le front; la fatigue était maintenant plus visible sur son visage, ainsi que l'émotion causée par cette circonstance extraordinaire. Claude vit qu'il avait quelque difficulté à se maintenir debout, alors que le général s'était déplacé vers l'écran en compagnie de techniciens sortis des coulisses et venus sur scène; ceux-ci manipulaient les divers boutons placés à la droite de l'appareil, afin que ce dernier transmette le son et l'image. Le militaire ne portait pas attention à la faiblesse passagère de Jonathan, qui, entretemps, exécutait des mouvements de va-et-vient avec son bras, dans le but d'enlever l'ankylose qui l'avait gagné.

Claude prit une décision subite; il quitta son siège, et, se dirigeant vers la scène, il y sauta prestement aux côtés de Jonathan. Il le soutint par l'épaule et le côté, en lui disant, avec un sourire:

— Excusez-moi, professeur Rockford; un petit coup de main ne vous fera pas de mal... Allez!... Je vais tenir votre micro; comme ça, vous pourrez vous détendre un peu et continuer votre présentation...

— Merci beaucoup, mon ami... J'apprécie votre geste...

Au même moment, Amelia ne se retint plus: elle se leva et sortit de la rangée; en dix secondes, elle se retrouvait elle aussi près de son père, qui, encore plus ému, en eut la parole coupée. Ses yeux s'embuèrent de larmes, et, prenant sa fille dans ses bras, il la serra fortement contre lui. La scène était réellement touchante, et la foule fut autant surprise que Claude devant cette démonstration de sentiment filial et paternel; le journaliste ne sut que dire ni que faire, et un sourire passa sur ses lèvres...

Jonathan reprit le micro des mains de Claude et dit à la foule:

— J'espère que vous voudrez bien excuser ce petit mélo familial impromptu, plus ou moins approprié à la situation qui nous réunit tous ici, en cette journée mémorable entre toutes. Des événements incontrôlables, qui se sont produits la semaine dernière, ont bien failli perturber cette opération, et ma fille y a malheureusement été mêlée, à cause de certaines actions de ma part, dont, je l'avoue honnêtement, je n'avais pas pensé aux conséquences éventuelles...

Puis devant Amelia qui semblait vouloir lui reprocher gentiment ces dernières paroles, il ajouta:

— Mais, en ce moment, tous ces tracas sont terminés, ainsi que tous les problèmes d'incompréhension entre humains, dus à la violence qui gouvernait notre globe...

Il regarda sa montre-bracelet et dit:

— Dans quinze minutes environ, nous saurons si le monde a vraiment été libéré de cette malédiction multiséculaire, et si l'homme peut réellement espérer voir se lever un jour nouveau sur sa destinée...

Il se tourna vers le téléviseur et eut un geste de la main envers le général. Entre-temps, les techniciens étaient parvenus à régler correctement le mécanisme de télédiffusion, et une image claire, en couleurs, apparut sur l'écran géant. Les spectateurs émirent un «ah!» de satisfaction en apercevant la fameuse sphère dont tous avaient entendu la description à maintes reprises.

Comme Jonathan l'avait expliqué, elle était immobile, à quelques mètres du sol de la grotte creusée par les hommes. Puis un travelling de la caméra, placée sur un véhicule motorisé, révéla le laboratoire de recherche construit au sol, près de la sphère elle-même, et depuis longtemps inhabité. À côté, se voyait l'entrée du long tunnel spiralé qui menait à la surface.

Jonathan reprit:

— Comme vous pouvez le constater, ces images nous sont transmises directement de la grotte, où la caméra et le véhicule la soutenant sont commandés à distance par des techniciens d'un poste de contrôle établi dans un des laboratoires du camp spécial. Nous avons préparé en vitesse le matériel nécessaire, afin de faire vivre cette étape cruciale à tout le personnel du camp... Regardez bien ces images, car elles passeront à la postérité lorsque le cauchemar sera enfin fini...

Jonathan marcha vers le côté de l'écran, alors que Claude et Amelia s'écartaient du centre de la scène pour permettre à tous de bien suivre le déroulement des choses.

Il enchaîna:

— Il reste encore dix minutes environ avant le moment crucial... Comme vous le voyez sur l'écran, la sphère est recouverte d'antennes, ainsi que je vous l'ai décrite; ce sont elles qui émettent les rayonnements, et elles sont distribuées sur tout le pourtour de la Machine, chose que nous pourrions bien distinguer si l'image pouvait... Ha! voilà!...

Une nouvelle image surgit sur l'écran, montrant maintenant en plongée la sphère et une partie du laboratoire, à sa droite. Jonathan continua:

— Une deuxième caméra a été installée dans un orifice de la paroi de la grotte, mais, tout à l'heure, avant de vous dévoiler le téléviseur, les techniciens ignoraient encore si elle pourrait fonctionner correctement, suite à des problèmes techniques survenus cette nuit... Mais il semble que même ce petit inconvénient ait été écarté et que l'avenir nous soit favorable en tout!... Présentement, nous pouvons voir la sphère sous un angle différent. Si vous regardez bien, vous verrez la dépression, peu profonde, dans laquelle ne se trouve aucune antenne; celles-ci s'arrêtent à la cavité, et la couronne ainsi formée est vide de tout rayonnement. La projection de cette couronne vers la surface, à cause de l'angle des antennes qui l'entourent, produit le cône sécuritaire qui débouche à l'extérieur, encerclant le cratère et une zone périmétrique dans laquelle est édifiée cette base...

»Les minutes s'écoulent, et je me rends compte que le moment critique approche... Il reste à peine cinq minutes avant celui-ci, et je ne voudrais pas vous priver de ce plaisir, si je puis dire... Permettez-moi de suivre avec vous la suite des opérations et de garder le silence... approprié à la circonstance...

Sur ces paroles, il alla poser son micro sur la table et vint se placer aux côtés d'Amelia et de Claude. Ces derniers étaient très impressionnés par la situation, et, pour eux comme pour la majorité de l'auditoire, la fatigue de cette longue nuit épuisante était reléguée aux oubliettes, tellement l'événement était saisissant.

Malgré l'énervement des derniers jours, malgré le stress occasionné par l'ignorance de ce qu'il devait advenir d'eux dans cette énigmatique opération Survie, malgré l'activité fébrile qui avait débuté la veille et s'était ensuite poursuivie pendant plus de dix heures, les femmes et les hommes de cette assemblée privilégiée paraissaient maintenant refléter la plus totale sérénité d'esprit, ceci étant peut-être dû à l'atmosphère bénéfique de cette zone dépourvue du bain d'irradiation produit par la Machine... La vie de ces êtres était suspendue; chacun n'avait d'yeux que pour l'écran qui, fidèlement, transmettait les images envoyées par les deux caméras de la grotte.

Les secondes s'égrenèrent, et, tout à coup, une exclamation de désappointement jaillit de presque tous les spectateurs... L'image télévisée venait d'être zébrée de lignes de toutes les couleurs et sautait continuellement de bas en haut, empêchant ainsi de voir distinctement le déroulement de l'opération; puis, d'un coup, il n'y eut plus qu'un enneigement total, et un chuintement régulier émana du téléviseur...

Des soupirs d'insatisfaction, des murmures, puis des plaintes s'élevèrent de la salle, et le coeur de Jonathan bondit dans sa poitrine. Il se demanda si, à l'ultime moment où tout devait se déclencher, le sort n'avait pas décidé de jouer un mauvais tour aux hommes et d'utiliser un dernier atout pour les empêcher de jouir pleinement de la paix prochaine qui les attendait presque certainement... Il s'approcha des techniciens placés près du téléviseur, alors qu'Amelia se serrait plus près de Claude...

Jonathan discuta pendant quelques secondes avec les techniciens, puis, revenant faire face à l'assemblée, il dit:

— Mesdames et Messieurs, s'il vous plaît, un peu de calme... L'on m'assure qu'il s'agit simplement d'une difficulté technique temporaire dans la transmission... Tout devrait revenir à la normale dans un court moment... S'il vous plaît, un peu de patience; ceci n'est que passager... Même si, par malchance, nous ne pouvions assister directement à l'arrêt de fonctionnement de la Machine, soyez au moins assurés que la cessation de ses effets sera bien vérifiable dans les heures qui suivront cet arrêt... Ce n'est donc qu'un à-côté de la chose, qu'il nous faut supporter, même si cela nous prive du plaisir certain de vivre cet instant...

Quelques rumeurs s'élevèrent de la section des journalistes, qui, à nouveau, laissaient libre cours à leurs remarques, modérées cette fois. Ils pensaient encore à la possibilité que ce nouvel événement fantastique qui devait se produire incessamment ne soit en fait qu'une prolongation de la mise en scène réalisée par les autorités dans un but caché. Le doute s'immisça une nouvelle fois chez plusieurs des participants devant la subite rupture de la transmission télévisée, qui empêchait ainsi de juger sur le vif de la véracité des faits rapportés.

Charles Magor ne put s'empêcher de penser à la mission lunaire américaine Apollo 12, le 19 novembre 1969, au cours de laquelle un incident semblable s'était produit au moment le plus palpitant; la caméra de télévision, installée sur la Lune et ayant pour tâche de transmettre à la Terre les images qu'elle captait de l'environnement lunaire, avait, elle aussi, soudainement cessé d'envoyer les images captées... La N.A.S.A. avait ensuite émis un communiqué informant la population que, dans ces conditions, il était impossible de suivre le déroulement de la mission, et que, par conséquent, le public ne pourrait pas voir le paysage sélénite...

Des ufologues à l'esprit inventif et des chercheurs parallèles avaient alors mené une campagne de dénonciation des actes de la N.A.S.A., alléguant que cet organisme national cachait la vérité aux gens sur ce qu'elle avait observé sur la Lune, grâce à la caméra. Toujours d'après les suppositions de ces chercheurs, cette observation consistait en preuves de l'implantation, sur notre satellite naturel, de créatures extra-terrestres, dont la base spatiale aurait été dans le champ de vision de la caméra. La conclusion de ces chercheurs était donc que la N.A.S.A. et le gouvernement américain ne désiraient pas avertir le public de cette découverte fantastique, pour une raison qui était certainement liée au danger de panique de la population en apprenant qu'une civilisation supérieure à celle de l'homme s'était établie si près de nous, sans même que nous le sachions... Cette idée avait trouvé nombre de défenseurs, et, au cours des années suivantes, était même devenue un des arguments de poids dans la présentation de preuves en faveur de l'existence de races extra-terrestres plus évoluées que nous...

Charles Magor réfléchissait à cela, lorsqu'il fut dérangé par une nouvelle exclamation générale qui, cette fois, était très enthousiaste. Il regarda en avant et vit que l'image claire était revenue. Il soupira lui aussi, quoiqu'il ne fût pas encore gagné à l'histoire du professeur Rockford, et il attendit la suite.

À ce moment, Jonathan dit rapidement:

— Enfin!... enfin!... La transmission a pu être rétablie à temps! Dieu merci! Nous voici à nouveau en plein événement.. Je... non... Je préfère vous laisser à votre émotion... Suivez le décompte, il ne reste plus que... que... Ha! voilà! vous le voyez sur l'écran: 2 minutes 38 secondes, maintenant, avant la minute de vérité... Mon Dieu! J'espère que tout ira bien!...

Puis il se dirigea vers la table, où il prit place sur sa chaise... et patienta...

Dans l'assistance, le silence général était revenu. Chacun suivait avec anxiété les secondes qui s'égrenaient dans le petit cadre ajouté en surimpression au coin supérieur gauche de l'écran, où elles tombaient, lentement, régulièrement, chargées d'un poids presque mortel pour l'humanité, poids qui, pendant des siècles et des siècles, avait fléchi la volonté de l'homme, au point de lui enlever toute liberté d'action...

2 MINUTES...

Le révérend Osborne s'était finalement résolu à accepter l'impossible... D'après lui, maintenant, les révélations du savant devaient être authentiques, puisque, dans l'ensemble, elles expliquaient presque complètement le problème que lui-même avait étudié. De fait, les agissements de tous ces pauvres gens qu'il avait sortis des griffes de groupes pseudo-satanistes devenaient compréhensibles. Et même si le Diable n'y était pour rien dans ce comportement, cela n'enlevait aucunement la certitude de l'existence de Dieu; au contraire, si l'homme, dans le futur, se sentait plus libre de ses actes et était moins belliqueux envers ses semblables, par le fait même le Mal dans toute sa virulence serait pratiquement banni du coeur de l'homme, et ce dernier, par le bonheur qu'il connaîtrait alors, serait beaucoup plus en mesure d'accepter l'évidence que Dieu l'a créé pour être heureux sur Terre et pour trouver ensuite le véritable bonheur et la paix éternelle en Son Sein.

Le révérend Osborne se sentit à nouveau tout remué, en pensant à cette heureuse humanité qui s'épanouirait dans la compréhension et le partage... En lui-même, il rendit grâce à Dieu de lui avoir permis de participer à cette réunion qui lui faisait découvrir l'Infinie Bonté et la Sagesse suprême du Créateur... Il ferma les yeux et commença à prier...

1 MINUTE 45 SECONDES...

Sur l'écran, l'image changea, et le son surgit. Pendant quelques secondes, on vit le poste de contrôle où les techniciens de ce laboratoire suivaient scrupuleusement le déroulement de l'opération. Ils communiquaient des renseignements de dernière seconde, ils vérifiaient des cadrans gradués, ils manipulaient des touches, ils déchiraient des bandes d'information données par des télétypes, ils dirigeaient les mouvements du véhicule qui soutenait la caméra mobile placée dans la grotte; bref, une activité de ruche bourdonnante régnait dans le laboratoire, et c'est à peine si les techniciens avaient le temps de respirer...

L'opérateur qui tenait la caméra portative sur son épaule, et qui avait donné l'occasion de voir cette agitation au poste de contrôle, s'approcha d'une des consoles de commande et prit en gros plan un des nombreux cadrans parsemant cette console. Il s'agissait de celui qui indiquait au millième de degré d'arc le mouvement, imperceptible à l'oeil humain, de la rotation axiale de la sphère, qui arrivait à son déclin. Le cadran montrait 0 000,003 degré, et, insensiblement, le dernier petit cylindre de révolution tournait, remplaçant le «3» par le «2» qui commençait à être visible.

L'image fut coupée, et l'on revit à nouveau la sphère. Un autre carré en surimpression apparut au coin supérieur droit de l'écran, indiquant la diminution continuelle de degré d'arc; on lisait maintenant 0 000,002...

1 MINUTE 30 SECONDES...

Adolf Steiner était tendu. Il se demandait si le sort serait vraiment bénéfique à l'humanité. S'il en était ainsi, sa maison ne serait plus soumise aux actes de vandalisme des voyous de son quartier, et il pourrait enfin avoir la paix.... La paix...

1 MINUTE... 0 000,002 degré d'arc...

Michael Finlay était maintenant moins sceptique. Il commençait à se dire que la réalité dépassait parfois la fiction...

Charles Magor, lui, attendait toujours la suite des événements. En dépit du fait qu'il voyait bien la sphère, qu'il avait aperçu les techniciens affairés à la surveillance des appareils de contrôle, et qu'il avait pu observer ces mêmes appareils enregistrant le déroulement de l'opération Survie, il était encore déchiré entre l'acceptation et le rejet des faits... Était-il plus vraisemblable qu'un tel cauchemar fût réel et ait duré pendant des millénaires, ou qu'une phénoménale mise en scène montée par les autorités gouvernementales ait été réalisée, pour cacher une vérité peut-être plus renversante encore que celle de l'existence d'une Machine infernale?... Sa décision était quasi impossible à prendre, et il ne cessait de presser ses paumes l'une contre l'autre...

45 SECONDES... 0 000,001 degré d'arc...

De la main gauche, Ninotchka se tenait le menton et la joue droite, en gardant la bouche mi-ouverte, tellement elle était remuée elle aussi par les vérités apprises au cours des dernières heures... Au fur et à mesure que les secondes approchaient du zéro, elle branlait légèrement la tête de gauche à droite, comme si elle refusait d'accepter la réalité des faits, tout en étant inconsciemment convaincue de leur authenticité...

L'anthropologue Jouvet et l'historien Van Den Bruch étaient certainement les plus réceptifs à la thèse émise par le savant, puisqu'elle rejoignait presque exactement leurs propres théories; mais un recoin de leur cerveau hésitait encore à admettre totalement le fait...

30 SECONDES... 0 000,000 degré d'arc...

Un transfert de prise de vue d'une caméra à une autre montra à nouveau le poste de contrôle, et l'on entendit les techniciens qui donnaient des comptes rendus sur l'évolution de l'expérience...

L'un dit: «Attention!... Encore 25 secondes... 24... 23... 22... 21... 20...» Un autre annonça: «Arrêt total de la rotation axiale de la Machine...» Un troisième dit: «Gravité artificielle de la sphère toujours maintenue...» Deux autres encore se levèrent de leur siège, vérifièrent des cadrans, et lancèrent, à tour de rôle: «Mouvement de la sphère: nul; pas d'émission de rayons connus et catalogués», puis: «Aucune onde sonore émise par la sphère et pouvant être enregistrée par nos appareils; aucun changement apparent dans la constitution de la sphère ni dans son fonctionnement... Attention!... Heure H, moins 6 secondes... 5 secondes... 4 secondes... 3... 2... 1.... ZÉRO!...»

Le président des États-Unis lui-même serait entré dans la salle que personne n'y aurait porté attention, tellement les esprits étaient attirés par le téléviseur... Le souffle court, les mains moites, le regard braqué sur le même point, tous les spectateurs étaient littéralement rivés à leur siège... À l'énoncé du «zéro», chacun retint sa respiration, s'attendant inconsciemment au pire... Puis la tension diminua... les têtes bougèrent un peu plus... les regards se portèrent sur Jonathan... et ce dernier, se levant, marcha vers l'avant de la scène. Il dit:

— Mesdames, Messieurs, distingués collègues... Il semble qu'il se produit quelque petit délai dans l'arrêt de fonctionnement de la Machine; elle maintient toujours sa gravité artificielle, et...

Il s'interrompit, car la légère rumeur qui avait recommencé à monter dans la salle se changeait en remarques plus précises; puis les regards se dirigèrent à nouveau vers le téléviseur. On entendit, venant de l'appareil:

«Attention!... Attention!... Enregistrement d'une vibration croissante de la structure de la sphère... Attention!... Attention!...»

0 HEURE, plus 1 MINUTE... 0 000,000 degré d'arc...

Jonathan se tourna vers l'écran et y fixa lui aussi son regard... Amelia et Claude, pressentant un danger, se serrèrent l'un contre l'autre...

«Attention!... Attention!... Vibration toujours croissante, due à l'émission d'une onde acoustique à fréquence variée... Attention! Attention!...»

Une seconde fois, les spectateurs retinrent leur souffle... Le général Browny se plaça tout à côté de l'écran et enleva sa casquette, pour essuyer la sueur qui perlait sur son front...

0 HEURE, plus 2 MINUTES... 0 000,000 degré d'arc...

«Attention!... Attention!... Très forte vibration de la structure de la sphère, due à l'augmentation de l'intensité de la fréquence acoustique...»

Les spectateurs s'agitèrent alors qu'un début de crainte commençait à les gagner. Jonathan pensa: «Mon Dieu! Nous serions-nous trompés dans nos calculs...? Est-il possible que nous ayons fait fausse route pendant tout ce temps...? Mon Dieu, que va-t-il arriver...?»

0 HEURE, plus 3 MINUTES... 0 000,000 degré d'arc...

«Attention!... Attention!... Vibration extrême de la sphère, occasionnée par l'intensité croissante de la fréquence acoustique... Aucune autre caractéristique enregistrée... Intensité de la fréquence acoustique en progression alarmante...»

Le révérend Osborne continuait de prier, en implorant Dieu qu'Il ne réservât pas à l'homme un sort plus effroyable encore que celui qu'il avait enduré pendant 30 000 ans...

Charles Magor se pressait les paumes au point de les écraser...

Ninotchka était crispée sur sa chaise...

Michael Finlay était debout, et, le regard perdu, fixait intensément l'écran...

Adolf Steiner, lui, restait assis, presque prostré sur son siège...

Le professeur Jouvet ne voulait pas croire à ce revirement si brusque de situation...

L'historien Van Den Bruch imaginait déjà une longue période remplie de calamités pires encore que ce qu'il avait relevé chez les peuplades de la Terre...

Jean-Étienne et Gabrielle s'encourageaient mutuellement...

Jonathan laissa tomber son micro au plancher...

Le général Browny recula de quelques pas et heurta la table...

Et des participants étaient déjà au bord de la panique...

0 HEURE, plus 4 MINUTES... 0 000,000 degré d'arc...

«Attention!... Attention!... ALERTE ROUGE!... ALERTE ROUGE!... Fréquence acoustique toujours plus intense... Nouvelle caractéristique enregistrée: cessation de production de la gravité artificielle... Axe de la sphère modifié...

«Attention!... Attention!... ALERTE ROUGE!... ALERTE ROUGE!... Sphère perdant son équilibre artificiel, et gravité allant en diminuant... Sphère s'abaissant vers le sol de la grotte...

«Attention!... Attention!... ALERTE ROUGE!... ALERTE ROUGE!... Vibration continuelle... Fréquence acoustique stabilisée... Aucun changement dans la structure de la sphère...»

Des journalistes et des scientifiques se levèrent et voulurent quitter la salle. Claude se mordit la lèvre inférieure, Amelia écrasa sa main dans la sienne. Jonathan ne savait plus comment réagir...

0 HEURE, plus 5 MINUTES 14 SECONDES...
0 000,000 degré d'arc...

«Attention!... Attention!... ALERTE ROUGE!... ALERTE ROUGE!... Vibration continuelle de la sphère... Fréquence ultrasonique stabil...»

Soudain, un éclair éblouissant illumina tout l'écran. Les spectateurs virent la sphère éclater, dans un bruit percutant... puis tout devint noir sur l'écran... On ne vit ni n'entendit plus rien.

Pendant quelques secondes, les assistants, figés, hésitèrent sur la réaction à prendre, puis une secousse allant en grandissant monta des profondeurs terrestres, augmenta, se transmit partout et causa un ébranlement des fondations des divers édifices du campement. Le bruit sourd s'amplifia, et les murs, le plancher, le plafond de la salle vibrèrent fortement, alors qu'on entendait les chaises métalliques qui se heurtaient les unes contre les autres.

Cette fois, plusieurs des membres de l'assemblée prirent peur et tentèrent de se sauver à l'extérieur. Jonathan se pencha, voulut reprendre son micro, mais perdit l'équilibre et tomba sur la scène. Claude se précipita vers lui et essaya de le relever, avec l'aide d'Amelia. Certains se tenaient aux chaises, d'autres se couchaient sur le sol. Les soldats, debout le long des murs, s'en écartèrent et tentèrent de calmer les plus émotionnés. Un craquement se fit entendre, et une large lézarde apparut dans le mur de droite. En même temps, l'écran qui avait servi à la projection du film se décrocha et tomba; son extrémité frappa le général à la tête et l'étourdit, le faisant s'écrouler sur le plancher; un des supports métalliques de la base sur laquelle reposait le téléviseur céda, et l'appareil pencha d'un côté; les techniciens reculèrent et sautèrent en bas de la scène.

Claude cria à Amelia:

— Aide ton père, je m'occupe de Browny!

De peine et de misère, Amelia supporta Jonathan et l'aida à descendre de la scène, alors que Claude, soulevant le général plus ou moins inconscient, le forçait à revenir avec lui dans la salle; bien lui en prit car l'autre support de la base du téléviseur, à la suite d'une nouvelle secousse, se brisa, et l'appareil s'écrasa au plancher, dans un bruit de verre cassé et de métal froissé, là même où s'était effondré le général... Les connexions électriques furent coupées, et de larges étincelles jaillirent de l'appareil, qui répandit ses éléments internes sur la scène. Claude et le militaire se rapprochèrent d'Amelia et de son père qui, très fatigué, préféra s'asseoir sur une chaise.

Enfin, le grondement décrut, le tremblement diminua, les vibrations cessèrent, et le calme revint dans la salle...

Les scientifiques et les journalistes se remirent de leurs émotions... Ils regagnèrent lentement leurs places, puis les commentaires reprirent de plus belle. Un brouhaha s'étendit dans la salle, et l'on ne sut bientôt plus comment considérer les événements...

Soudain, les deux portes d'entrée, situées à l'arrière de la salle, s'ouvrirent, puis des soldats et des infirmiers, venant des unités spéciales échelonnées autour du périmètre du cratère, firent leur apparition. Plusieurs avaient avec eux des trousses de premiers soins et autres divers appareils, et les infirmiers examinèrent ceux qui semblaient avoir subi des blessures pendant la secousse.

Alors que les soins étaient prodigués, le sergent qui conduisait les unités de secours s'approcha du général avec deux soldats et deux infirmiers, pour lui venir en aide. Il était muni d'un walkie-talkie et communiquait régulièrement avec d'autres unités de l'extérieur. Il reçut un message, puis chercha quelqu'un des yeux. Il vit Jonathan, assis aux côtés d'un jeune couple qui échangeait amicalement avec lui. Il marcha vers le savant et dit:

— Professeur Rockford? Les techniciens du poste de commande désirent vous parler... Êtes-vous en condition pour leur répondre?

— Heu... oui, oui, ça va; je me remets d'aplomb; passez-moi votre walkie-talkie, vite...

Le sergent s'exécuta et indiqua au professeur le fonctionnement de l'appareil. Jonathan dit:

— Allô, oui... Qui dirige dans le laboratoire, maintenant?... *Over!*

Il poussa le bouton, et, en grésillant, la réponse lui parvint:

— Allô? Bon... ici c'est Stanley, le technicien en chef, qui vous parle... Rockford?... Je crois que nous avons eu affaire à un sale coup à la toute fin, hein...? *Over!*

— Oui, il semble que cette damnée Machine nous ait réservé un chien de sa chienne, pour avoir encore le dernier mot avec nous. Hé! comment sont les choses dans le lab, Stanley? *Over!*

— Pour tout vous dire, Jonathan, le décor n'est pas très riant, mais, par chance, les hommes n'ont pas trop écopé ... Ce qui est certain, c'est que cette sacrée mécanique est complètement détruite à l'heure qu'il est: pulvérisée, réduite en miettes... Mais, bon Dieu! quelle pagaille elle a foutue dans les environs! La déflagration a été assez puissante pour se communiquer au sous-sol et causer la secousse qui s'est transmise jusqu'à la surface... Il ne faut pas se faire d'illusion sur la situation qui doit exister dans la grotte, maintenant: elle s'est certainement effondrée, et le lab souterrain doit être en morceaux; les galeries et les puits doivent être comblés, en maints endroits, par des masses de terre; sans compter que le tunnel est assurément bouché un peu partout sur son parcours. Cela va nous prendre un temps épouvantable pour nous frayer un chemin jusqu'à la grotte, afin d'essayer de trouver des fragments de la sphère pour les analyser... En tout cas, Jonathan, cette Machine de malheur est anéantie, et l'humanité devrait s'en porter mieux, dans quelque temps... *Over!*

— Merci infiniment, Stanley... Je m'occupe d'aviser nos invités de la situation... On se retrouvera plus tard... Bonne chance, mon vieux... *Over!*

— À toi aussi, Jonathan, bonne chance! *Over!*

La communication cessa, et Jonathan donna l'appareil au sergent. Puis, voyant qu'un soldat avait en main un mégaphone, il alla vers lui et lui demanda de le lui prêter. Le soldat tendit l'appareil au savant, et

Claude l'aida à le transporter. Claude et Amelia, qui tenaient à s'assurer que Jonathan ne flancherait pas, le soutinrent tous deux. Jonathan les remercia, et, ouvrant le dispositif du mégaphone, il toussa, puis annonça:

— Mesdames, Messieurs, s'il vous plaît, un moment d'attention... Oui, s'il vous plaît, veuillez écouter attentivement la bonne nouvelle que j'ai à vous annoncer... s'il vous plaît...

En entendant la voix amplifiée de Jonathan, plusieurs cessèrent de parler entre eux et lui portèrent attention, comme il l'avait réclamé. Mais, voyant que d'autres continuaient d'ignorer sa requête, Jonathan insista:

— S'il vous plaît Messieurs, là, dans le fond... oui, vous... s'il vous plaît, écoutez-moi: cette nouvelle est de la plus haute importance... et, ma foi, elle arrive à point après tous les déboires que vous avez subis... oui... bon... merci pour votre compréhension... Voici... Mesdames et Messieurs, nous pouvons nous réjouir: oui, c'est vrai, et c'est officiel aussi: la sphère étrangère est anéantie, et le monde est libéré de son emprise maléfique...

La foule reçut plus ou moins joyeusement cette affirmation qui, pour elle, était loin d'être chose prouvée; certes, la secousse avait bien été causée par la destruction brutale de la Machine infernale, mais rien ne prouvait pour autant que l'homme avait été délivré de son pouvoir malsain.

Devant cette réaction mitigée, Jonathan hésita un moment, s'interrogeant sur la manière de les convaincre; après tout, ce manque d'émotion de leur part était peut-être justifié: rien ne certifiait que les rayonnements n'agissaient plus sur les esprits... Son estomac se contracta devant cette affreuse possibilité, et il en blêmit. Claude le réconforta et voulut le ramener dans la salle, lorsque son regard accrocha les nombreux instruments divers qui avaient été amenés à l'intérieur par les infirmiers et les soldats; parmi ceux-là se trouvait un transistor à longue portée.

Il lâcha le professeur et courut vers les chaises sur lesquelles le matériel avait été placé. Il prit la radio et essaya de capter un poste où des actualités seraient données. Tour à tour, il entendit de la musique, une émission de recettes culinaires, un courrier des coeurs esseulés, une cérémonie religieuse, un reportage sportif, un grésillement, puis l'aiguille indicatrice des postes AM fut au bout du cadran. Il pesta et ramena l'aiguille au début de la série de chiffres, puis passa au FM. La *Cinquième Symphonie* de Beethoven sortit de la radio, puis vint de la musique contemporaine, puis un exposé sur la «potentialité artistique des gribouillages enfantins»; Claude lâcha un «Merde!» assez sonore et, tout à coup, entendit un commentateur qui disait:

«... de cette incroyable nouvelle, chers auditeurs... Nous répétons: notre salle des dépêches, à Los Angeles, nous fait parvenir un communiqué dont la teneur est incroyable et même, dirions-nous, pratiquement impossible... Est-ce là une farce montée par les responsables de la salle des nouvelles, à notre station mère de Los Angeles?... Nous ne le savons pas encore, chers auditeurs, mais nous vous tiendrons au courant dès qu'une information plus substantielle nous sera envoyée... En attendant, nous continuons notre émiss...»

Claude n'attendit pas: il sélectionna une autre station de radio et, ô miracle, il entendit:

«Voici un communiqué spécial en provenance de San Francisco. D'après cette dépêche, il ne se serait produit qu'un meurtre et deux vols majeurs au cours des vingt dernières minutes. Cette baisse du taux de criminalité est surprenante, si l'on considère celui, alarmant, des récents mois, surtout dans cette ville de la côte ouest des États-Unis... Nous reprendrons nos informations lorsque...»

Claude ne se retint plus: il courut vers Jonathan, lui enleva presque des mains le mégaphone, et, montant sur la scène, il parla à la foule, en criant cette fois:

— Écoutez! Écoutez tous!... Silence dans la salle, s'il vous plaît...

Devant cette apostrophe, beaucoup sursautèrent et froncèrent les sourcils. Mais Claude, presque enflammé par les deux bulletins de nouvelles qu'il venait d'entendre, continua:

— Écoutez tous!... Nous sommes réellement libérés de l'emprise de cette Machine diabolique... Écoutez, s'il vous plaît...

Puis il alla chercher la table qui trônait toujours à gauche de la scène, l'amena en plein centre de celle-ci, à l'avant, et, y plaçant la radio, monta au plus fort le volume du son. Malgré sa puissance, le son fut à peine entendu dans la vaste salle, à cause du bruit de fond qui y régnait. Claude plaça alors le mégaphone devant la radio, et, cette fois, on entendit partout l'émission radiophonique. Claude choisit une station différente des deux premières, revint sur le AM, et capta un bulletin de nouvelles qui mentionnait:

«... niqué spécial qui vient d'arriver sur notre téléscripteur. Aussi fantastique que cela paraisse, il appert que la vague de criminalité est en régression continuelle dans les principales villes de l'Ouest des États-Unis... Nos correspondants locaux nous avisent qu'à Portland, à Reno, à Phoenix, à Rock Springs, à Omaha, à Wichita, à Tulsa et à Dallas, toutes des villes situées dans les États voisins de l'Arizona, on n'a enregistré que quelques crimes depuis le lever du jour...»

À cette nouvelle, plusieurs se regardèrent et firent des commentaires; l'on cessa de bouger et l'on écouta plus attentivement la radio. Jonathan se leva et se rapprocha de collègues qu'il connaissait bien. Amelia le quitta et remonta sur la scène, près de Claude qui cherchait un autre poste de radio. Un grésillement strident s'entendit, puis une voix dit:

«... au cours des prochaines minutes... Pour le moment, nous répétons ce communiqué spécial: les actes de violence ont sensiblement diminué, cet avant-midi, et les patrouilles de nuit de la police des principales villes de l'Ouest n'ont rapporté que de rares méfaits brutaux survenus depuis l'aube. Nous tiendrons nos auditeurs informés au fur et à mesure que...»

Claude baissa le volume, puis continua sa manoeuvre de sélection des postes. Dans la salle, tous s'étaient levés et formaient des groupes disparates: Michael Finley parlait avec Johnsons, le psychologue; Ninotchka discutait intensément avec le professeur Jouvet; Adolf Steiner et le révérend Osborne échangeaient ensemble des propos; Charles Magor et Van Den Bruch avaient une vive discussion historique; et les journalistes sentaient que le métier remontait à la surface, en y allant bon train pour glaner les premières impressions du moment... Gabrielle et Jean-Étienne parlaient joyeusement avec un autre couple de vulgarisateurs scientifiques, et tous, par leur mine réjouie, reflétaient le bonheur qui les envahissait.

Les minutes s'écoulèrent, et les communiqués de presse se firent de plus en plus nombreux et réguliers; tous les postes diffusaient maintenant des nouvelles très optimistes, et Claude ne cessait de passer d'une station à l'autre, où trois flashes arrivèrent coup sur coup:

«... Venant de New York, une nouvelle nous informe qu'aucun crime crapuleux ne s'est produit durant cinq minutes, et cet état de choses semble devoir continuer dans cette ville...»

«... aux États-Unis et au Canada, le taux de criminalité est en baisse, depuis le début de cette journée; seuls quelques cas sporadiques ont été rapportés, ici et là...»

«... Les émeutes raciales du Sud des États-Unis paraissent avoir diminué en nombre et en violence, au cours de l'heure écoulée; l'on rapporte même que, dans certains quartiers des villes populeuses, des groupes mixtes en viennent à se former pour essayer de calmer l'ardeur des plus fougueux...»

La foule reprit sa bonne humeur, dans cette salle de conférence du Meteor Crater, et devint elle-même plus chaleureuse; on n'en finissait pas de commenter la «Bonne Nouvelle», comme le fit remarquer le révérend Osborne, avec un certain humour de circonstance... Les soldats furent invités à se joindre à cette joie générale et devinrent presque les héros de cette petite fête improvisée...

Claude et Amelia s'enlacèrent amoureusement, et un long baiser vint couronner leurs débordements d'émotion; Jonathan semblait rayonner parmi son groupe de collègues, malgré la fatigue, que tous mettaient de côté en cet instant mémorable. La radio continuait de transmettre les bulletins, et c'est à peine si l'on entendit ceux qui suivirent, tant les conversations étaient élevées:

«... L'Ouverture de l'Assemblée générale de l'O.N.U. s'est effectuée ce matin dans une complète harmonie entre les participants; on n'a relevé aucune dispute au cours des premières minutes de délibérations; tous semblaient particulièrement heureux, en ce samedi 2 août 1986...»

«... Nous apprenons à l'instant que les attentats terroristes ont nettement baissé en Europe, et que les principales grandes villes de ce continent n'ont pas eu à souffrir de tels actes depuis les deux dernières heures...»

«... Au Moyen-Orient, les conflits de frontière ont cessé presque subitement, et les belligérants ont déposé les armes; des rencontres entre dirigeants militaires se sont ensuite effectuées dans un esprit de compréhension et de bonne volonté...»

«... De l'Asie nous parvient une nouvelle encourageante, à l'effet que la Chine communiste aurait décidé de reconsidérer sa politique d'extension en cette partie du monde. Les Chinois ont fait savoir à tous les pays libres de la Terre qu'ils désiraient rencontrer les chefs d'État, en vue de l'élaboration d'une politique internationale où existerait la collaboration en tous domaines, entre l'Orient et l'Occident...»

«... Le Praesidium soviétique a également envoyé une communication aux chefs d'État, afin d'organiser une réunion au sommet, dont le but sera de réaliser un nouveau plan mondial pour la paix et de réviser la politique du désarmement nucléaire de l'U.R.S.S., des États occidentaux et de l'Amérique. Le communiqué fait aussi mention de discussion franche et honnête entre dirigeants des gouvernements sur la prolifération inconsidérée de centrales nucléaires partout sur notre planète...»

«... À Rome, Sa Sainteté a annoncé qu'Elle célébrera demain une grande cérémonie religieuse pour remercier Dieu de ce soudain et nouvel esprit de paix et de justice qui, miraculeusement, s'est répandu sur la Terre. À cette occasion, Sa Sainteté prononcera une homélie sur la réalité de l'existence de Dieu, enfin prouvée aux hommes par cet événement extraordinaire, et engagera tous les croyants chrétiens à renouveler leur foi en la Doctrine du Christ...»

«... Un communiqué en provenance du quartier général de la police des principales villes américaines nous apprend qu'aucune banque n'a encore été la victime d'attaque à main armée, depuis l'ouverture à l'heure habituelle ce matin... sauf à Las Vegas, où le comptable d'une banque de l'endroit s'est suicidé en apprenant que le vol projeté par un gang qu'il dirigeait n'avait pas eu lieu; le comptable voulait se servir de cet alibi pour justifier le détournement de fonds qu'il avait réalisé la veille...»

À Washington, pendant ce temps, Wilbur Blakeley, chef d'un des services de renseignements de la C.I.A., se tirait dans la tête une balle de son Magnum .357; avec effarement, il venait de prendre conscience de l'inutilité de son département d'espionnage et de surveillance, dans ce monde où la paix semblait s'établir partout, et où le désir de s'approprier les secrets politiques et militaires des autres pays n'existerait pratiquement plus. L'existence de tels départements n'était donc plus justifiée, ni d'ailleurs celle de nombreux autres services identiques, dans les différents ministères de la Défense des autres pays... Dans les heures qui suivirent, malgré la fin des rayonnements maléfiques, il y eut quand même une recrudescence de suicides chez nombre de représentants des forces de l'ordre, à divers niveaux des multiples services policiers et militaires...

Mais, au Meteor Crater, en cette matinée inoubliable, la joie générale se transforma rapidement en liesse collective. Les scientifiques et les journalistes étaient maintenant définitivement convaincus qu'ils venaient de vivre un moment grandiose, malgré le «cataclysme» de dernière minute qui leur avait donné des sueurs froides dans le dos. Un brouhaha indescriptible régnait dans la salle...

Jonathan s'excusa auprès de ses collègues et revint sur la scène. Il prit le mégaphone et dit:

— Mesdames... Messieurs... Encore un peu de silence, s'il vous plaît, et ensuite nous pourrons tous vraiment jouir de cet instant, incomparable à aucun autre dans le passé. Votre attention, s'il vous plaît... Voilà... Merci beaucoup... Vous tous, ici présents, venez certainement de connaître l'aventure la plus extraordinaire qu'il ait été donné de vivre à un être humain... En ce jour du 2 août 1986, une ère nouvelle s'ouvre devant l'humanité, et, au risque de plagier une parole célèbre prononcée par Neil Armstrong, en 1969, lorsqu'il posa le pied sur la Lune, je dirai que l'événement auquel nous, ici, avons participé, est sûrement «un GRAND pas pour l'homme et aussi un GRAND pas pour son évolution future...» Il est encore trop tôt pour saisir dans toute leur ampleur les conséquences qui découleront de ce fait, conséquences qui, n'en doutez pas, seront bénéfiques à l'être humain...

Quelques applaudissements soulignèrent les paroles du savant, et ce dernier enchaîna:

— Maintenant, il nous reste à accomplir, à nous, les scientifiques, et à vous, Mesdames et Messieurs des médias, une tâche que je qualifierai de capitale dans la révélation de cet événement au monde. En effet, et ceci répondra justement à la question qu'a posée ce journaliste canadien tout à l'heure: sur nos épaules repose dorénavant la responsabilité d'informer nos semblables de ce fait bouleversant. Vous avez été choisis à cause de vos titres et qualités, si je puis dire, car chacune et chacun de vous, dans sa spécialité, est le meilleur élément que nous ayons pu trouver en vue de la participation à l'opération Survie. Certes, le monde est maintenant délivré du joug écrasant de la Machine, mais il ne faut pas oublier un point primordial en rapport avec le comportement de l'homme, qui est la peur, ou la panique, devant un fait troublant qui survient subitement, même si ce fait est des plus encourageants pour son avenir... Placez l'homme dans une nouvelle situation à laquelle il n'a pas été préparé psychologiquement, et celui-ci se sentira complètement dérouté, voire même affolé, et la première réaction qu'il aura sera d'éviter le plus possible cette situation, ou d'essayer de ne pas y être mêlé s'il n'en connaît pas la raison, ou, pis encore, de se cacher pour ne pas la vivre.

»Donc, vous, les scientifiques, en particulier les spécialistes des diverses branches de la médecine, et principalement les psychologues, devrez vous unir pour élaborer un programme d'information publique, en tenant compte de toutes les réactions possibles de la population en apprenant la vérité sur ce qu'a été l'histoire de l'homme depuis 30 000 ans. Ce sera un travail ingrat et difficile, je le sais, mais il est nécessaire, si nous ne voulons pas assister dans le futur à une vague de suicides de la part des plus émotifs et des plus impressionnables, qui ne trouveront que ce moyen pour refuser cette vérité qu'on leur apprendra; ils ne voudront jamais accepter le fait que les actes des hommes ont toujours été tributaires de la Machine venue d'ailleurs, et ne se sentiront pas assez résolus et déterminés pour continuer de vivre cette vie, même si elle s'annonce des plus prometteuses pour eux...

»... Par la même occasion, vous, Mesdames et Messieurs des médias, travaillerez de concert avec les scientifiques pour réaliser des reportages, des articles et des films, ainsi que des émissions de radio et de télévision qui renseigneront la population; vous serez conseillés, épaulés et dirigés, afin de présenter les faits sans brusquerie, ni exagération, ni embellissement, en tenant compte de chacun des médias et de ses possibilités d'impact sur le public. Dès que possible, de vastes programmes d'information similaires à celui-ci seront préparés dans tous les pays du monde; c'est la raison pour laquelle vous tous, chers invités, êtes de nationalités différentes. Votre renom et vos connaissances en vos domaines respectifs seront de bons atouts pour convaincre les autorités des faits survenus au Meteor Crater, en cette nuit inoubliable... Comme l'actualité sera là pour corroborer les rapports que vous ferez, ainsi que les dossiers que le gouvernement des États-Unis enverra aux autorités gouvernementales, ce travail vous sera facilité...

»... Maintenant, chers collègues, chers amis, que dire d'autre, sinon que nous sommes tous bien fatigués et avons besoin de reprendre des forces... Certains de vous ont certainement aussi très faim, en ce moment, après toutes ces émotions qui nous ont creusé l'appétit... N'ayez crainte, ces deux problèmes seront facilement résolus ici même... Je ne crois pas que la secousse de tout à l'heure ait vraiment endommagé les locaux de la base, et les cafétérias et les dortoirs n'attendent que vous cet avant-midi... Voilà... Tout a été dit... Que l'homme connaisse une nouvelle étape dans son évolution... Mes amis, bonne chance à tous!... L'avenir nous ouvre les bras...

Un tonnerre d'applaudissements succéda à ce discours pathétique et émouvant. Dans ses dernières phrases, la voix de Jonathan avait tremblé, et il s'était senti faiblir. Il revint au milieu de ses amis, et Claude et Amelia l'entourèrent.

Amelia le prit par le cou et lui dit:

— Tu sais, papa, cet homme qui t'a donné un coup de main tout à l'heure, c'est le correspondant dont je t'avais parlé, et c'est... c'est...

— Et c'est aussi ton fiancé, en quelque sorte, répondit Jonathan, avec le sourire. Tu sais, chérie, c'était bien évident en vous voyant agir tous deux, lorsque les choses ont semblé commencer à mal tourner... Je suis très heureux pour vous deux, réellement... Votre amour ne pouvait pas naître à un meilleur moment: le monde entier est à vous, grâce à la nouvelle voie que l'humanité va prendre... Allez, venez... Vous devez avoir un de ces creux dans l'estomac...

— Oui, professeur Rockford; maintenant que tout est terminé, ou plutôt que tout recommence, mais dans une direction différente, j'avoue qu'un bon repas et une sieste me retaperont... Toi aussi, chérie, n'est-ce pas?...

— Certainement, *sweetheart*... Nous avons toute la vie devant nous pour profiter de notre bonheur; aussi bien commencer du bon pied... et l'estomac plein...

Il l'embrassa, puis, tous deux aidant Jonathan dans sa marche, ils se dirigèrent vers la sortie, se mêlant à la foule qui faisait de même.

Pris d'une idée soudaine, Claude demanda au savant:

— À propos, dites donc: puisque la paix est pratiquement assurée dans le monde, que deviendront les armées?... Et la production de guerre?... Et les hommes employés dans les industries d'armement de guerre?...

— Ça, évidemment, c'est un problème, ou plutôt une difficulté qui prendra quelque temps à être résolue. Mais il ne faut pas s'inquiéter: le potentiel humain sera redistribué dans maintes autres catégories de travail social; il y a des postes vacants en tous domaines, et plusieurs y trouveront des emplois... Quant à l'industrie de guerre et à l'armement, tout le matériel déjà existant pourrait être utile dans une circonstance qui, malgré tout ce que je vous ai dit, pourrait se révéler dangereuse pour l'homme!

Claude et Amelia, intrigués, regardèrent Jonathan, qui répondit à leur question muette:

— Eh oui! il faut s'attendre à tout! Même si le ciel est bleu et serein en ce moment, il peut encore en venir une menace pour l'homme, et il faut être prêt à toute éventualité. Puisque déjà, dans le passé, nous avons été visités par des êtres intelligents venus d'autres mondes de notre galaxie, il faut s'attendre que, un jour peut-être, les descendants de ces lointains Explorateurs et Expérimentateurs reviennent faire leur tour sur notre bonne vieille planète. Alors, surtout à cause de ces derniers, et en considérant la possibilité que d'autres créatures extra-terrestres évoluées, étrangères à ces deux races anciennes, prennent contact avec nous et qu'elles soient animées d'intentions plus ou moins malveillantes à notre égard, il faut nous tenir prêts à repousser toute attaque. Car même si une civilisation est techniquement très avancée, rien ne nous certifie que son armement soit nécessairement supérieur au nôtre; et, dans ces conditions, nous aurions l'équipement approprié pour nous montrer fermes devant elle si ses intentions n'étaient pas honnêtes envers nous.

»Vous voyez donc que, malgré tout, l'armée et les systèmes de défense sont toujours utiles... même pendant la période de paix qui régnera sur notre planète. Les armées des différents pays et l'armement élaboré que l'homme possède forment certainement un moyen de dissuasion assez impressionnant contre tout éventuel agresseur venu de l'espace...

Jonathan fit une pause, puis enchaîna sur une autre idée qui venait de surgir dans sa pensée:

— D'un autre côté, la diminution des décès causés auparavant par divers actes de violence va produire rapidement une surpopulation dans le monde; mais, par contre, l'esprit de compréhension et de bonne entente qui va dorénavant régner parmi les hommes permettra de résoudre facilement cette question, par le partage avec les pays démunis des richesses naturelles et matérielles que les contrées riches ont à profusion, et par l'établissement d'un vaste programme d'alimentation, de logement et de soins médicaux, lequel programme répondra à toutes ces nécessités humaines primordiales. Le globe possède assez de richesses naturelles de toutes sortes pour suffire aux besoins de l'homme...

Tout en parlant, Jonathan était sorti de la salle de conférence avec Claude et Amelia; le Québécois fit un signe de la main à Jean-Étienne et à Gabrielle, qui se dirigeaient vers les cafétérias avec nombre de leurs collègues... Puis Jonathan les quitta et rejoignit ses confrères.

ÉPILOGUE

Dehors, le soleil éclairait brillamment les environs; tout prenait une apparence différente sous cette lumière. Les soldats continuaient d'aller et venir, les véhicules roulaient toujours, mais l'agitation était maintenant calmée. Les visages reflétaient une joie qui se transmettait aux autres, et, quelle que fût la tâche que les gens exécutaient, ils le faisaient avec goût. La tension qui avait régné durant la nuit précédente avait presque disparu, et on sentait vraiment qu'une atmosphère chaleureuse unissait tout le monde. Le Meteor Crater ne donnait plus cette impression d'isolement et de terne solitude, dans ce coin perdu du désert.

Claude s'étira, et, ce faisant, quelque chose tomba de sa poche de chemise. Il se pencha et le ramassa. C'était le prospectus publicitaire qu'il avait trouvé dans l'autobus le menant à cette base spéciale. Il rit et le montra à Amelia. Elle le prit et regarda la liste des activités touristiques offertes, puis celle des beautés naturelles qu'il serait intéressant de visiter dans cet État où le soleil brillait pendant plus de 90% de l'année.

Claude enlaça Amelia, puis la serra tendrement contre lui. Il l'embrassa longuement et lui dit:

— Qu'en dis-tu...? Comme *honeymoon,* c'est certainement l'endroit idéal... Et puis... nous sommes déjà rendus sur les lieux... Alors, ma chérie...?

Pour toute réponse, elle lui rendit son baiser passionné...

Dans le ciel, le soleil resplendissait toujours éclairant de ses chauds rayons le Meteor Crater, où s'était joué un drame dont l'acte final ouvrait des perspectives encourageantes pour le futur de l'homme sur sa planète... Un futur où la paix et la bonne entente unifieraient les peuples et où le bonheur prédit par nombre de penseurs et de philosophes du passé s'établirait enfin parmi les hommes...

Une ère nouvelle s'ouvrait... Et une seconde chance était donnée à l'*Homo sapiens...*

Achevé d'imprimer
en mai mil neuf cent quatre-vingt
sur les presses de l'Imprimerie Gagné Ltée
Louiseville - Montréal.
Imprimé au Canada